Cours familier de Li

Volume 25

Alphonse de Lamartine

Alpha Editions

This edition published in 2023

ISBN : 9789357961189

Design and Setting By
Alpha Editions
www.alphaedis.com
Email - info@alphaedis.com

Contents

CXLVe ENTRETIEN

OSSIAN
FILS DE FINGAL
I

Vers l'année 1762, un phénomène littéraire étrange apparut comme une comète dans le monde; les imaginations en furent ébranlées, ainsi qu'elles avaient pu l'être à l'apparition des poëmes homériques en Grèce; l'histoire en fut éclairée, les traditions, jusque-là verbales, se renouèrent, et la poésie servit de témoin aux récits des plus antiques légendes. L'Angleterre, où ces poëmes galliques venaient d'être découverts, recueillis, écrits et vraisemblablement retouchés et complétés par un gentilhomme écossais nommé Macpherson, ne fut pas la seule contrée vivement émue par ces chants; ils se répandirent dans toutes les autres contrées littéraires de l'univers, France, Allemagne, Espagne, Italie, par les traductions, en prose et en vers; Letourneur, en prose française, Baour-Lormian, en fragments poétiques, Césarotti, en magnifiques vers italiens, à Vérone et à Milan, les consacrèrent dans les différents idiomes; le trésor des monuments écrits s'enrichit ainsi d'un monument de plus. Ce monument ne ressemblait à aucun autre; les poëtes coloristes comptèrent une couleur de plus. Ils avaient toutes les teintes du jour, ils eurent celles de la nuit.

II

Au commencement, un cri de reconnaissance et d'admiration s'éleva unanimement à la gloire de Macpherson, l'inventeur patient et laborieux de ce nouveau monde, le Christophe Colomb de cette terre des découvertes; nul n'osait contester à cet homme extraordinaire l'authenticité et le mérite de son invention; comment un seul homme aurait-il recomposé un monde évanoui, des paysages, des histoires, des mœurs, des héros, des chanteurs lyriques ou épiques, des sentiments et des tristesses inconnus jusqu'alors du genre humain et fait par une misérable supercherie ce qu'un Dieu seul pouvait faire, la résurrection d'un monde inconnu? C'était le cas de s'écrier avec J. J. Rousseau: «L'invention serait *plus miraculeuse que le héros.*»

III

Aussi, au premier moment, l'acceptation du livre fut complète. Nul n'osa s'inscrire en faux contre Macpherson. Mais, après un certain nombre d'années muettes, l'incrédulité commença à insinuer ses doutes et bientôt à nier. Le fameux docteur Johnson se signala par la vivacité de ses attaques. Macpherson ne répondit que par le dépôt des manuscrits; Césarotti, intéressé plus que personne à vérifier les titres de sa gloire, publia en 1807, *ses discours critiques sur l'authenticité des chants d'Ossian*: «Un poëte, dit-il, qui sous le nom d'Ossian, a su se rendre célèbre et immortel comme un homme de génie, n'aurait-il pas d'abord donné dans sa langue usuelle des essais éclatants de son mérite poétique?

«M. Campbell, auteur d'un ouvrage savant et classique, regarde comme hors de doute que les poëmes attribués à Ossian existaient, et étaient généralement connus dans la haute Écosse avant que Macpherson essayât pour la première fois de les traduire; qu'ils n'étaient de son invention ni dans leur entier ni dans leurs parties principales; qu'ils n'étaient nullement le produit d'une fraude littéraire, mais que le traducteur, aidé de quelques coopérateurs, les avait recueillis et arrangés dans une forme systématique, et les avait ainsi traduits et offerts au public. Revenons maintenant aux faits.

«Dès 1762, l'année même de la publication des premières poésies d'Ossian, traduites par Macpherson, le savant et judicieux docteur Blair en soutint, dans une dissertation publique, le mérite extraordinaire et l'authenticité. Il donna, deux ans après, de nouveaux développements à son ouvrage, et y joignit un appendice contenant les nombreux témoignages dont cette authenticité était appuyée; témoignages tels, qu'il faudrait croire qu'une foule d'honnêtes gens d'un caractère grave et d'un esprit éclairé avaient renoncé à leur probité et à leurs lumières, ainsi que le docteur Blair lui-même, pour soutenir un mensonge?»

IV

Il existe en Écosse une Académie ou Société, sous le titre de *Highland Society*, dont les travaux ont pour objet tout ce qui regarde les antiquités, l'histoire et la littérature écossaises. Cette Société ne pouvait rester neutre dans une question de cette nature: aussi y a-t-elle pris part, mais de la manière qui convient à une compagnie savante. Elle a chargé une commission, formée dans son sein, de faire dans le pays même les recherches les plus exactes sur l'authenticité des poésies d'Ossian, et sur tout ce qui peut éclairer la discussion élevée à leur sujet. La commission s'est livrée avec la plus grande activité à ce travail, et elle en a publié le résultat à Edimbourg en 1805, dans un rapport rédigé par M. Henri Mackensie, son président, et adressé à la Société même.

La Société écossaise y conclut:

1° Que les chants d'Ossian sont d'une antiquité et d'une authenticité incontestables;

2° Qu'à une époque de l'histoire très-reculée, les montagnes de l'Écosse virent naître un barde, ou poëte populaire, dont les œuvres rendirent le nom immortel et dont le génie n'a été surpassé par aucun moderne ou même ancien émule.

L'enquête de cette commission fut décisive. Elle fit faire elle-même une magnifique édition de ces poëmes reconnus ossianiques.

Après cela, que Macpherson ait profité de sa découverte pour élaguer quelques imperfections, compléter quelques lacunes et composer même quelques poëmes dans le même mode de style et d'images sur des données fugitives, on n'en saurait guère douter; mais le caractère de Macpherson, malgré sa jalouse partialité pour son œuvre, était trop religieux pour s'obstiner à une supercherie si contraire à la vérité et démentie par tant de témoignages pendant la durée de plus d'un siècle.

Lorsque Macpherson, dégoûté de cette controverse ingrate, renonça à la littérature et se retira dans la politique, il fut nommé agent du nabab d'Ariat, et fit une fortune immense au service de ce souverain oriental; il mourut en 1796, sans avoir confessé son prétendu mensonge, et tout occupé encore, quoique mollement, de publications *ossianiques*. Il laissa par testament 5,000 fr. de legs à la Société écossaise pour achever cette grande publication justificative, et pour perpétuer sa mémoire.

Voilà la vérité sur la nature de ces monuments; cherchons-la maintenant dans ces monuments eux-mêmes. On verra qu'on ne pouvait ni les inventer ni les contrefaire. On ne contrefait pas le génie. Ossian est plein de génie. Il y a deux poésies dans le monde, comme il y a deux parties du jour. Homère est la poésie de la lumière, Ossian est la poésie de la nuit. L'un a la clarté et la sérénité de la Grèce, l'autre a les ténèbres et les fantômes de l'Écosse. Mais, pour exprimer la nature entière, l'un n'est pas moins nécessaire que l'autre; la pleine lumière est le jour d'Homère, l'ombre et les nuages sont le crépuscule d'Ossian. Les climats donnent leur teintes au génie: Homère est la limpidité azurée des montagnes de l'archipel de l'Ionie; Ossian est le nuage flottant de l'archipel des Hébrides. Lisons:

V

Le premier de ces chants est un récit nuageux, mais transparent, de l'histoire de Fingal père, d'Ossian, grand-père d'Oscar, aïeul de Toscar et de Yaul, ses petits-fils. Ce fut la première des traductions galliques que Macpherson essaya de donner à ses compatriotes dix ans avant les autres poëmes ou chants dont son recueil se compose. Ce premier chant est par là même le plus véridique et le plus soigné. Macpherson, encore inconnu, voulait se signaler à leur attention par des qualités plus irréfutables. L'authenticité en était avérée et presque populaire parmi les vieux bergers de la Calédonie. Beaucoup d'ecclésiastiques des montagnes connaissaient et possédaient des fragments de ce poëme. Ils ne sont pas les plus beaux, mais ils sont les plus mémorables de ces chants. On y découvre toute la filiation historique des chefs et des bardes de ces dynasties de combattants et de chanteurs. Ce sont les Achilles et les Homères de ces âges de héros et de poëtes. Lisez avec attention cette espèce de préface historique. Elle vous donne la clef des autres mémoires ossianiques.

VI

«Près des murs de Tura, Cuchullin était assis au pied d'un arbre au tremblant feuillage. Sa lance était appuyée contre un rocher revêtu de mousse. Son bouclier reposait près de lui sur le gazon. Il rêvait au puissant Caïrbar, héros qu'il avait tué dans le combat, lorsque Moran, chargé de veiller sur l'Océan, revient annoncer sa découverte.

«—Lève-toi, Cuchullin, lève-toi, dit le jeune guerrier, je vois les vaisseaux de Swaran; Cuchullin, l'ennemi est nombreux: la mer sombre roule avec ses ondes une foule de héros.

«—Enfant de Fithil, répond le chef aux yeux bleus, je te vois toujours trembler: ta peur a grossi le nombre des ennemis. Sais-tu si ce n'est pas Fingal, le roi des Monts-Solitaires, qui vient me secourir dans les plaines verdoyantes d'Ullin[1]?

«—J'ai vu leur chef, reprit Moran; je l'ai vu haut et menaçant comme un rocher de glace. Sa lance ressemble à ce vieux sapin; son bouclier est aussi grand que la lune au bord de l'horizon. Il était assis sur un rocher du rivage, et ses troupes roulaient comme de sombres nuages autour de lui. Chef des guerriers, lui ai-je dit, il est grand le nombre de nos combattants: tu portes à juste titre le nom de puissant guerrier; mais une foule de guerriers puissants t'attendent sous les murs tortueux de Tura. D'une voix semblable au bruit d'une vague en courroux, Swaran me répond: Eh! qui dans ces plaines marcherait mon égal? Les héros ne peuvent soutenir mon aspect: ils tombent dans la poussière sous les coups de mon bras. Nul autre que Fingal, nul autre que le roi des Collines-Orageuses ne peut faire tête à Swaran dans les combats. Une fois nous avons mesuré nos forces sur la colline de Malmor, et le sol de la forêt fut labouré sous l'effort de nos pas. Les roches tombaient arrachées de leur base, et les ruisseaux, changeant leurs cours, fuyaient en murmurant loin de cette terrible lutte. Trois jours entiers nous renouvelâmes le combat; nos guerriers restaient à l'écart, immobiles et tremblants. Au quatrième jour, Fingal s'écria: Le roi de l'Océan est tombé; Il est debout, répondit Swaran. Moran, que le sombre Cuchullin cède au héros qui est fort comme les tempêtes de Malmor.

«—Non, répondit Cuchullin, jamais je ne céderai à un homme. Cuchullin sera grand ou mort. Va, Moran, prends ma lance, et frappe sur le bouclier sonore de Caïrbar, il est suspendu à la porte bruyante de Tura. Ses sons ne sont pas les sons de la paix. Mes guerriers l'entendront sur la colline.

«Moran part: il frappe le bouclier: les coteaux et les rochers répondent: les sons s'étendent dans la forêt: le cerf tressaille au bord du lac. Déjà Curach se lève, s'élance du haut du rocher; et Connal après lui, tenant sa lance marquée de sang: le sein de neige du beau Crugal s'enfle et palpite: le fils de Favi a déjà quitté le noir sommet de la colline: «C'est le bouclier de la guerre, s'écrie Ronnar.—C'est la lance de Cuchullin, dit Lugar. Enfant de la mer, Calmar, prends tes armes, lève ton acier bruyant; lève-toi, Puno, héros terrible, lève-toi; Caïrbar, abandonne les forêts de Cromla; plie tes genoux d'albâtre, ô Eth, descends du bord des torrents de Lena. Caolt, déploie tes muscles mouvants, et fais siffler sous tes pas la bruyère de Mora: tes flancs sont blancs comme l'écume de la mer agitée, lorsque les noirs ouragans l'épandent sur les rochers grondants de Cuthon.

«Je les vois tous rassemblés[2]: ils sont pleins de l'orgueil que leur donnent leurs premiers exploits: leurs âmes s'enflamment au souvenir des combats et des siècles passés: leurs regards étincelants cherchent l'ennemi. Leurs bras nerveux posent sur la poignée de leurs épées, et l'éclair jaillit de leurs flancs d'acier. Ils descendent par torrents du haut des montagnes. Les chefs s'avancent et brillent sous l'armure de leurs pères; suivent leurs guerriers sombres et menaçants: tels on voit les nuages pluvieux s'assembler, se presser derrière les météores enflammés du ciel. Le bruit de leurs armes qui se choquent monte dans les airs: leurs dogues animés y mêlent leurs longs aboiements. L'hymne des combats est entonnée à voix inégales et se prolonge dans les échos du Cromla. Arrivée au sommet du Lena, la troupe s'arrête sur les noires bruyères, semblable à un brouillard d'automne, lorsque rassemblant ses flocons épars dans la plaine, il monte sur les collines obscurcies et, de leur cime, élève sa tête dans les cieux.

«—Salut, dit Cuchullin, enfants des vallons, et vous chasseurs du cerf timide: d'autres jeux se préparent; ils sont sérieux; ils sont terribles comme ce flot menaçant qui roule sur la côte. Combattrons-nous, enfants de la guerre, ou céderons-nous au roi de Loclin[3] les vertes plaines d'Inisfail[4]? Parle, ô Connal, toi le premier des guerriers; toi qui brisas tant de boucliers; tu as combattu plus d'une fois contre les guerriers de Loclin; veux-tu manier encore la lance de ton père?»

«—Cuchullin, répond le guerrier d'un air tranquille, la lance de Connal est affilée; elle se plaît à briller dans le combat et à s'abreuver de sang; mais quoique mon bras demande la guerre, mon cœur est pour la paix. Chef des guerriers de Cormac, vois la noire étendue de la flotte de Swaran: ses mâts s'élèvent aussi nombreux sur nos côtes que le sont les roseaux sur le lac de Lego: la foule de ses vaisseaux présente l'aspect d'une forêt couverte de vapeurs, lorsque les arbres balancés plient tour à tour sous l'effort des vents impétueux. Le nombre de ses guerriers est trop grand; Connal est pour la paix. Fingal, le premier des mortels, voudrait éviter le bras de Swaran; Fingal, qui balaye les guerriers comme les vents de la tempête dispersent la bruyère, lorsque les torrents mugissent le long des échos de Cona, et que la nuit s'assied sur la colline environnée de tous ses nuages.

«—Fuis, guerrier ami de la paix, dit Calmar; fuis dans tes collines silencieuses, où ne brilla jamais la lance des combats; va poursuivre le chevreuil du Cromla et arrêter avec tes flèches les cerfs bondissants de Lena; mais toi, Cuchullin, fils de Semo, arbitre de la guerre, disperse les enfants de Loclin; porte le ravage au travers de leurs bataillons orgueilleux; que jamais vaisseau du royaume des Neiges ne bondisse sur les flots agités d'Inistore[5]. Levez-vous, ô vents orageux d'Erin[6]; mugissez, ouragans des bruyères; puissé-je mourir au milieu de la tempête, enlevé dans un nuage par les fantômes irrités des morts; que Calmar meure au milieu de l'orage, si jamais la chasse eut pour lui autant d'attraits que les batailles.

«—Calmar, répliqua Connal d'une voix tranquille, jamais je n'ai fui; j'ai volé aux combats à la tête de mes guerriers; mais la renommée de Connal est faible encore. La bataille a été gagnée à ma vue, et le brave a triomphé: mais écoute ma voix, ô fils de Semo, et souviens-toi du trône antique de Cormac; donne des richesses et la moitié de ce royaume pour acheter la paix, jusqu'à ce que Fingal arrive avec son armée; mais si tu choisis la guerre, je saisis ma lance et mon épée; ma joie sera d'être au milieu des combattants, et mon âme se déploiera dans le fort de la mêlée.

«—Pour moi, dit Cuchullin, le bruit des armes plaît à mon oreille; il me plaît comme le bruit du tonnerre avant les douces pluies du printemps; rassemble toutes mes troupes; que je voie sous mes yeux tous mes guerriers; qu'ils s'avancent au travers des bruyères, brillants comme le rayon du soleil avant l'orage, lorsque le vent d'occident assemble les nuées, et que les chênes de Morven gémissent le long des rivages.

«Mais où sont mes amis, les compagnons de mon bras dans le danger? Où es-tu, Caïrbar, au sein d'albâtre? Où est ce Ducomar, ce foudre de guerre? Et toi, Fergus, m'as-tu donc abandonné au jour de la tempête? Fergus, le premier à partager la joie de nos fêtes?

«Fils de Rossa, bras de la mort, viens-tu comme le rapide chevreuil des collines retentissantes de Malmor[7]? Salut au fils de Rossa; mais quel nuage obscurcit ton âme belliqueuse?

«—Quatre pierres, répondit Fergus[8] s'élèvent sur la tombe de Caïrbar; et ces mains ont placé dans la terre le vaillant Ducomar. Fils de Torman, tu étais un astre sur la colline; et toi, ô Ducomar! tu étais fatal comme les exhalaisons du marécageux Lano, lorsqu'elles s'étendent sur les plaines de l'automne, et qu'elles portent la mort parmi les nations. Morna! toi, la plus belle des filles, ton sommeil est paisible dans le creux du rocher! tu es tombée dans les ténèbres, comme l'étoile qui traverse les déserts dans sa chute oblique, et dont le voyageur solitaire regrette la lueur passagère.

«—Dis à Cuchullin, dis comment sont tombés les chefs d'Erin? Ont-ils péri de la main des enfants de Loclin en combattant dans le champ des héros, ou quelle autre cause a précipité les chefs de Cromla dans l'étroite et sombre demeure[9]?

«—Caïrbar, repartit Fergus, a péri par l'épée de Ducomar, au pied d'un chêne, sur le bord du torrent. Ducomar vint ensuite à la grotte de Tura, et adressa ces paroles à l'aimable Morna:

«Morna, la plus belle des femmes, aimable fille de Cormac, pourquoi te tiens-tu seule dans l'enceinte de ces pierres, dans le creux de ce rocher? Le ruisseau murmure tristement; le gémissement de l'arbre antique s'élève sur les vents; le lac est troublé; un sombre nuage voile les cieux; mais toi, tu es blanche comme la neige de ces bruyères, et ta chevelure ressemble aux vapeurs qui couronnent le sommet du Cromla, lorsqu'elles pendent en flocons sur les rochers et qu'elles brillent aux rayons du couchant. Ton sein offre à la vue deux globes de marbre, tels qu'on en voit au bord des ruisseaux de Branno; tes bras ont la blancheur et la fermeté des colonnes d'albâtre du palais de Fingal.

«—D'où viens-tu, répond la belle; d'où viens-tu, Ducomar, le plus sombre des hommes? Tes sourcils sont noirs et terribles; les yeux roulent une prunelle enflammée; Swaran paraît-il sur la mer? Ducomar, quelles nouvelles de l'ennemi?

«—Ô Morna! je descends de la colline des Biches. Trois fois j'ai bandé mon arc, et j'en ai terrassé trois. Trois autres ont été la proie de mes dogues légers. Aimable fille de Cormac, je t'aime comme mon âme; j'ai tué pour toi un magnifique cerf; sa tête était parée d'un bois à plusieurs rameaux, et ses pieds égalaient la légèreté des vents.

«—Je ne t'aime point, guerrier farouche; ton cœur a la dureté du roc, et ton œil noir m'inspire la terreur. Mais toi, Caïrbar, toi, fils de Torman, tu es l'amour de Morna; tu as pour moi la douceur d'un rayon de soleil qui luit sur la colline dans un jour d'orage! As-tu vu le jeune Caïrbar? As-tu rencontré cet aimable guerrier sur la colline des Chevreuils? La fille de Cormac attend ici le retour du fils de Torman.

«—Et Morna l'attendra longtemps; son sang est sur mon épée; Morna l'attendra longtemps; il est tombé sur les rives de Branno; j'élèverai sa tombe sur le sommet du Cromla. Mais fixe ton amour sur Ducomar; son bras est fort comme la tempête.

«—Il n'est donc plus, le fils de Torman! dit sa jeune amante, les yeux pleins de larmes. Il est donc tombé sur la colline, ce jeune et beau guerrier! Il était toujours le premier à la tête des chasseurs de la montagne; il était le fléau des ennemis apportés par l'Océan. Ducomar, oui, tu es sombre et farouche, et ton bras cruel est funeste à Morna. Barbare, donne-moi cette épée; j'aime le sang de Caïrbar.

«Ducomar, touché de ses larmes, lui cède son épée: elle la lui plonge dans le sein. Comme un rocher qui se détache de la montagne, il tombe et étend un bras vers elle:

«—Morna, tu as donné la mort à Ducomar: je sens dans mon sein le froid de l'acier. Rends mon corps à la jeune Moïna; Ducomar était l'objet de ses songes. Elle m'élèvera un tombeau: le chasseur le remarquera et me donnera des louanges. Mais, de grâce, retire ce fer de mon sein: Morna, je le sens qui me glace.

«Elle s'approche, tout en larmes, et elle retire l'épée du sein du guerrier: Ducomar en tourne la pointe sur elle et perce son beau sein. Elle tombe, et les boucles de sa belle chevelure sont éparses sur la terre: son sang sort en bouillonnant de sa blessure et rougit l'albâtre de son bras. Elle s'agite dans les convulsions de la mort: la grotte de Tura répéta ses derniers gémissements.

«—Paix éternelle, dit Cuchullin, aux âmes des héros! leurs actions furent éclatantes dans les dangers. Que leurs ombres errent autour de moi, portées sur les nuages; que je voie leurs traits guerriers: à leur aspect, mon âme sentira croître sa constance dans les périls, et mon bras lancera les foudres de la mort. Mais toi, Morna, viens à mes yeux sur un rayon de la lune: viens près de ma fenêtre pendant mon sommeil, quand j'oublierai la guerre et ses alarmes pour ne songer qu'aux loisirs de la paix.

«Rassemblez nos tribus et marchez aux combats; suivez mon char de bataille, et que vos accents guerriers se mêlent au bruit de ma course. Placez trois lances à mes côtés; volez sur la trace de mes coursiers bondissants; que mon âme se sente soutenue du courage de mes amis, lorsque la nuit du combat s'épaissira autour de mon épée étincelante.»

«Tels qu'un torrent écumant se précipite de la cime escarpée du Cromla, lorsque le tonnerre gronde et que la sombre nuit a déjà noirci la moitié de la colline; tels et plus terribles encore s'élancent les nombreux enfants d'Erin. Leur chef déploie toute sa valeur, semblable à la baleine de l'Océan que suivent toutes les vagues émues sur sa trace, ou au fleuve qui roule toutes ses eaux sur le rivage.

«Les enfants de Loclin en tendirent de loin le bruit de sa course impétueuse. Swaran frappa son bouclier et appela le fils d'Arno.

«Quel est, dit-il, ce murmure qui vient roulant le long de la colline et qui ressemble aux sourds bourdonnements des insectes du soir? Ce sont ou les enfants d'Inisfail qui descendent, ou les vents qui mugissent dans les profondeurs de la forêt lointaine. Tel est le bruit du Gormal[10], avant que les vagues agitées lèvent leurs têtes blanchissantes. Fils d'Arno, monte la colline et porte tes regards sur la noire surface des bruyères.»

«Arno part et revient éperdu. Il roule des yeux égarés. Son cœur palpite: sa voix est tremblante et n'articule que des mots interrompus.

«Lève-toi, fils de l'Océan, lève-toi! Je vois descendre de la montagne le noir torrent des combats; je vois s'avancer les files profondes des enfants d'Erin. Le char de bataille, le rapide char de Cuchullin, vient comme un tourbillon enflammé qui porte la mort. Il roule comme un flot sur la plaine liquide, ou comme un nuage d'or qui s'étend sur la bruyère. Ses larges côtés sont incrustés de pierres brillantes: telle au milieu de la nuit la mer étincelle autour de nos vaisseaux. Le timon est d'if poli; le siége est formé d'os éclatants de blancheur; ses flancs sont remplis de lances entassées, et le fond est foulé par les pieds des héros. Du côté droit, on voit un coursier écumant, superbe, bondissant, le plus fort, le plus léger de la colline: son pied frappe et fait retentir la terre; sa crinière flottante ressemble aux ondes de ce torrent de fumée qui roule sur le coteau; ses flancs sont couverts d'un poil luisant; son nom est Sifadda. Au côté gauche est attelé un coursier non moins fougueux: enfant impétueux des montagnes, sa noire crinière s'élève sur sa tête superbe; ses pieds sont robustes et légers; les fougueux enfants de l'épée l'appellent Dusronnal. Mille liens tiennent le char suspendu. Les mors durs et polis brillent dans des flots d'écume. Des rênes légères, ornées de pierres radieuses, flottent sur le cou majestueux des coursiers, tandis qu'ils volent et franchissent les vallons. Ils ont dans leur course la légèreté du chevreuil et la force de l'aigle fondant sur sa proie. L'air siffle à leur passage comme les vents de l'hiver sur les neiges du sommet du Gormal. Sur le char s'élève le chef des guerriers: le nom du héros est Cuchullin, le fils de Semo. Sa joue basanée a la couleur de mon arc. Ses yeux farouches roulent sous de noirs sourcils. Sa chevelure tombe de sa tête en ondes de flammes, lorsque, penché en avant, il agite sa lance. Fuis, roi de l'Océan, fuis! il vient comme la tempête le long du vallon.

«—Quand m'as-tu vu fuir, quel que fût le nombre des lances ennemies? Quand m'as-tu vu fuir, fils d'Arno, guerrier sans courage? J'ai bravé les tempêtes du Gormal et la hauteur des flots écumants. J'ai bravé les nues orageuses, et je fuirais un guerrier! Fût-ce Fingal lui-même, mon âme ne serait point émue à son aspect. Levez-vous pour combattre, mes guerriers; rassemblez-vous autour de moi comme les flots de la mer. Rassemblez-vous autour du brillant acier de votre roi; fermes comme nos rochers, qui attendent l'orage avec joie et opposent les noires forêts qui les couvrent à la fureur des vents.

«Les héros s'avancent. Tels dans l'automne deux orages s'élancent l'un contre l'autre du haut de deux montagnes opposées, ou tels qu'on voit deux torrents tombant de leurs rochers se mêler, se combattre et mugir, confondus dans la plaine: ainsi se heurtent et se mêlent les armées de Loclin et d'Inisfail. Le chef combat le chef; le guerrier joint le guerrier; l'acier frappe, est frappé. Les casques volent en éclats; le sang coule et fume dans la plaine; les cordes résonnent sur les arcs tendus, les flèches sifflent dans l'air; les lances agitées tracent des cercles lumineux qui dorent la face orageuse de la nuit.

Des cris affreux se confondent dans les airs. Tel est le bruit confus de l'Océan lorsqu'il roule ses vagues mutinées; tels sont les derniers éclats du tonnerre. Quand les cent bardes de Cormac réunis eussent chanté les événements du combat, les cent bardes de Cormac auraient eu des voix trop faibles pour transmettre à l'avenir toutes les morts célèbres. Les héros tombaient en foule sur les héros, et le sang des braves ruisselait à grands flots.

«Pleurez, bardes consacrés au chant, pleurez la mort du noble Sithallin. Que les gémissements de Fiona fassent retentir la demeure de son cher Ardan. Ils sont tombés, comme deux chevreuils du désert, sous la main du puissant Swaran. Swaran rugissait, au milieu de ses guerriers, comme l'esprit de la tempête, lorsque assis sur les sombres nuages qui couronnent le sommet du Gormal, il jouit de la mort du matelot.

«Ta main n'est pas oisive, ô chef de l'île des Brouillards! Cuchullin, ton bras donna plus d'une fois la mort. Son épée était comme le trait de la foudre, qui frappe les enfants du vallon, lorsque les hommes tombent consumés, et que toutes les collines d'alentour sont en flammes. Dusronnal hennissait sur les corps des héros, et Sifadda[11] baignait ses pieds dans le sang. Sous leurs pas, le champ de bataille était dévasté comme les forêts désertes de Cromla, lorsque l'ouragan, chargé des noirs Esprits de la nuit, ravage l'humble bruyère et déracine les arbres.

«Pleure sur tes rochers, ô fille d'Inistore! Fille plus belle que l'Esprit des collines, lorsque, sur un rayon du soleil, il traverse les plaines silencieuses de Morven; penche ta belle tête sur les flots. Il est tombé, ton jeune amant, il est tombé pâle et sans vie sous l'épée de Cuchullin. Son jeune courage ne montrera plus en lui le digne rejeton des rois. Trenard, l'aimable Trenard est mort, ô fille d'Inistore! Ses dogues fidèles hurlent dans son palais en voyant passer son ombre. Son arc est détendu dans sa demeure; le silence règne dans ses forêts.

«Mille flots roulent contre un rocher: ainsi s'avance l'armée de Swaran; le rocher reçoit et brise ces milliers de flots: ainsi les guerriers d'Inisfail attendent et bravent l'armée de Swaran. La mort élève toutes ses voix à la fois et les mêle au son des boucliers. Chaque héros est une colonne de ténèbres, et son épée est dans sa main un rayon de feu. La plaine gémit comme le fer, rouge enfant de la fournaise, sous les coups de cent marteaux qui s'élèvent et le frappent tour à tour.

«Quels sont ces guerriers si sombres, si farouches, sur la plaine de Lena? Ils sont comme deux nuages, et leurs épées brillent comme l'éclair au-dessus de leurs têtes. Les collines sont ébranlées et les rochers tremblent avec toute leur mousse. Sans doute, c'est le fils de l'Océan et le roi d'Erin. Les yeux inquiets de leurs guerriers suivent leurs mouvements; mais la nuit dérobe les deux chefs dans ses ombres et finit leur terrible combat.

«Sur la pente du Cromla, Dorglas apprête un chevreuil; conquête matinale que les guerriers avaient faite sur la colline avant d'en descendre pour combattre. Cent jeunes guerriers amassent la bruyère: dix héros excitent la flamme; trois cents choisissent des pierres polies; la fumée se répand au loin et annonce la fête.

«Cuchullin a recueilli sa grande âme. Appuyé sur sa lance, il adresse ce discours au vieux Carril, à ce chantre vénérable des événements passés:

«Cette fête sera-t-elle pour moi seul? Le roi de Loclin restera-t-il sur le rivage d'Ullin, loin des fêtes et des concerts de son palais? Lève-toi, vénérable Carril, et porte mes paroles à Swaran. Dis à ce roi, venu sur les flots mugissants, que Cuchullin donne sa fête; qu'il vienne prêter l'oreille au murmure de mes bois, dans l'ombre de cette nuit nébuleuse. Tristes et glacés sont les vents qui fondent sur ses mers écumeuses; qu'il vienne donner des louanges aux accords de nos harpes; qu'il vienne entendre les chants de nos bardes.»

«Le vieux Carril part, et sa voix pleine de douceur invite le roi des noirs boucliers. «Swaran, roi des forêts, lève-toi, et quitte les fourrures de ta chasse. Cuchullin donne le festin solennel; viens partager sa fête.»

«Swaran, d'une voix lugubre comme le murmure du Cromla avant la tempête, répondit: «Quand toutes les jeunes filles, odieuse Inisfail, étendraient vers moi leurs bras de neige, offriraient à ma vue leurs seins palpitants et rouleraient avec douceur des yeux pleins d'amour, immobile comme les montagnes de Loclin, Swaran restera dans ce lieu jusqu'à ce que l'aurore, se levant sur mes États, couronnée de jeunes rayons, vienne m'éclairer pour donner la mort à Cuchullin. Le vent de Loclin plaît à mon oreille; il souffle sur mes mers, il mugit dans mes voiles, et rappelle à ma pensée les vertes forêts de Gormal, dont tant de fois les échos répondirent à ses sifflements lorsque ma lance se baignait dans le sang du sanglier. Que le sombre Cuchullin me cède l'ancien trône de Cormac, ou son sang rougira l'écume des torrents d'Erin.»

«Carril revient, et dit: «Les accents de la voix de Swaran sont sinistres.

«—Sinistres pour lui seul, repartit Cuchullin. Carril, élève ta voix, et redis les exploits des temps passés; charme la longueur de la nuit par tes chants, et remplis nos âmes d'une douce tristesse; car la terre d'Inisfail a enfanté nombre de héros et de jeunes filles formés pour l'amour. Il est doux d'entendre les chants de douleur dont retentissent les rochers d'Albion, lorsque le bruit de la chasse a cessé et que les ruisseaux de Cona répondent à la voix d'Ossian.»

«Carril chanta: «Dans les temps passés, les enfants de l'Océan descendirent sur les rivages d'Inisfail. Mille vaisseaux bondissaient sur les vagues et cinglaient vers les plaines agréables d'Ullin: les enfants d'Erin marchèrent à la rencontre de cette nation ennemie. Caïrbar, le premier des mortels, et Grudar, jeune et beau guerrier, s'y trouvèrent; ils avaient longtemps combattu pour le taureau tacheté qui beuglait sur la colline retentissante de Golban. Tous deux le réclamèrent, et la mort se montrait souvent à la pointe de leur acier.

«Les deux héros se réunirent contre l'ennemi, et les étrangers de l'Océan prirent la fuite. Quels noms plus illustres dans Inisfail que les noms de Caïrbar et de Grudar; mais, hélas! pourquoi ce fatal taureau mugit-il encore sur la montagne de Golban? Ils l'aperçurent bondissant et blanc comme la neige; sa vue ralluma leur fureur.

«Ils combattirent sur le gazon des rives du Lubar. Le jeune et brillant Grudar tomba. Le farouche Caïrbar vint aux vallons retentissants de Tura, où Brassolis, la plus belle de ses sœurs, triste et seule, soupirait des chants de douleur. Elle chantait les actions de Grudar, jeune objet des sentiments secrets de son cœur. Elle déplorait les dangers qu'il courait dans la plaine sanglante des combats; mais elle n'avait pas encore désespéré de son retour. Sa robe entr'ouverte laissait voir son beau sein, comme on voit la lune sortir à demi des nuages de la nuit. La harpe est moins douce que sa voix, lorsqu'elle chantait sa douleur. Grudar occupait toute son âme; c'était lui qu'en secret cherchaient toujours ses regards. «Quand reviendras-tu dans tout l'éclat de tes armes, ô guerrier puissant dans les combats!»

«Caïrbar survient, et lui dit: «Prends, Brassolis, prends ce bouclier ensanglanté: suspends-le au haut de ma demeure; c'est l'armure de mon ennemi...» À ces mots, son tendre cœur palpite: pâle, éperdue, elle vole au champ de bataille; elle trouve son jeune amant baigné dans son sang; elle expire, à cette vue, sur la fougère du Cromla. C'est ici que reposent leurs cendres, Cuchullin, et ces deux ifs solitaires, nés sur leurs tombes, cherchent, en s'élevant, à unir leurs rameaux. Brassolis était la beauté de la plaine, et Grudar l'ornement de la colline. Les bardes conserveront leurs noms, et les rediront aux siècles à venir.

«—Ta voix est pleine de charme, ô Carril! dit le chef d'Erin, et j'aime à entendre les récits des temps passés. Ils plaisent à mon oreille comme la douce ondée du printemps, lorsque le soleil luit sur la plaine, et que les nuages légers volent sur la cime des montagnes. Ô barde! prends ta harpe pour célébrer mes amours: chante cette belle solitaire, cet astre de Dunscar; accompagne de ta harpe les louanges de Bragela, de celle que j'ai laissée dans l'île des Brouillards: épouse du fils de Semo, lèves-tu ta belle tête au haut du rocher, pour découvrir les vaisseaux de Cuchullin? Une vaste mer roule ses flots entre ton époux et toi. La blanche écume de ses vagues trompera tes yeux; tu les prendras pour les voiles de ma flotte. Retire-toi, car il est nuit; retire-toi, mon amour, les vents de la nuit sifflent dans ta chevelure; retire-toi dans le palais de mes fêtes, et rêve aux temps passés. Je ne retournerai point dans tes bras que la tempête de la guerre ne soit apaisée. Ô Connal, parle-moi de guerres et de combats; bannis-la de ma pensée; car elle m'est trop chère, la fille de Sorglan, au sein d'albâtre, à la noire chevelure.

«—Défie-toi des enfants de l'Océan, répondit le grave et prudent Connal: envoie une troupe de tes guerriers observer dans la nuit l'armée de Swaran. Cuchullin, je suis pour la paix, jusqu'à l'arrivée des enfants de Morven, jusqu'à ce que Fingal, le premier des héros, paraisse, comme l'astre du jour, sur nos plaines.

«Le héros sonna l'alarme sur son bouclier: les guerriers, nommés pour veiller pendant la nuit, se mirent en marche. Le reste de l'armée, couché sur la colline, dormait dans les ténèbres, au murmure des vents. Les ombres des guerriers récemment décédés erraient devant eux, portées sur leurs nuages; et, dans le lointain, dans le vaste silence de Lena, on entendait les voix grêles des fantômes, présages de la mort.»

Le second chant, parmi ses épisodes, contient celui de la mort touchante de Gaïna, épouse du chef des plaines d'Ullin, et de Connal, son amant:

«Deugala était l'épouse de Caïrbar, chef des plaines d'Ullin: elle brillait de tout l'éclat de la beauté; mais son cœur était l'asile de l'orgueil: elle aima le jeune fils de Daman.

«—Caïrbar, dit-elle, donne-moi la moitié de nos troupeaux; je ne veux plus demeurer avec toi. Fais le partage.

«—Que ce soit Cuchullin, dit Caïrbar, qui fasse les lots; son cœur est le siége de la justice. Pars, astre de beauté.»

«J'allai sur la colline et je fis le partage des troupeaux: il restait une génisse blanche comme la neige: je la donnai à Caïrbar. À cette préférence, la Deugala s'alluma.

«—Fils de Daman, dit cette belle, Cuchullin afflige mon âme. Je veux être témoin de sa mort, ou les flots de Lubar vont rouler sur moi. Mon pâle fantôme te poursuivra sans relâche et te reprochera l'outrage dont Cuchullin a blessé mon âme jalouse. Verse le sang de Cuchullin, ou perce mon sein.

«—Deugala, répondit le jeune homme à la belle chevelure, comment pourrais-je donner la mort au fils de Semo? Il est mon ami, le confident de mes plus secrètes pensées, et je lèverais mon épée contre lui!»

«Trois jours entiers, elle le fatigua de ses larmes; le quatrième, il consentit à combattre.

«Eh bien, Deugala, je combattrai mon ami; mais puissé-je tomber sous ses coups! Ah! pourrai-je errer sur la colline et soutenir la vue du tombeau de Cuchullin?»

«Nous combattîmes sur les collines de Muri. Nos épées évitaient de blesser; elles glissaient sur l'acier de nos casques, ou frappaient vainement nos boucliers, Deugala était présente, et souriait.

«—Fils de Daman, dit-elle, ton bras est faible; jeune homme, les années ne t'ont pas donné la force de manier le fer; cède la victoire au fils de Semo. Il est pour toi le rocher de Malmor.»

«À ces mots, les yeux du jeune homme se remplirent de larmes; d'une voix entrecoupée de sanglots, il me dit: «Cuchullin, oppose ton bouclier; défends-toi contre la main de ton ami. Mon âme est accablée de douleur; il faut que ce soit moi qui donne la main au premier des mortels.»

«Je poussai un soupir profond; je levai le tranchant de ma lame: le jeune Ferda tomba sur la terre, Ferda, le premier des amis de Cuchullin. Malheureuse est la main de Cuchullin, depuis qu'elle a donné la mort à ce jeune héros.

«Ton récit, ô chef des guerriers, est triste et touchant, dit le barde Carril. Il fait rétrograder ma pensée vers les temps qui ne sont plus; j'ai souvent ouï parler de Connal, qui, comme toi, eut le malheur de tuer son ami; mais la victoire n'en suivit pas moins les coups de sa lance, et les ennemis disparaissaient devant lui.»

«Connal était un guerrier d'Albion. Cent collines obéissaient à ses lois. Son chevreuil buvait à son choix l'onde de mille ruisseaux. Mille rochers répondaient aux aboiements de ses dogues. Les grâces de la jeunesse étaient sur son visage: son bras était la mort des héros. Une belle fut l'objet de son amour: elle était belle, la fille du puissant Comlo; elle paraissait au milieu des autres femmes comme un astre éclatant: sa chevelure était noire comme l'aile du corbeau; ses chiens étaient dressés à la chasse: elle savait tendre l'arc et faire siffler la flèche dans les forêts. Le choix de son cœur se fixa sur Connal. Souvent leurs regards amoureux se rencontraient; ils chassaient ensemble, et le bonheur était dans leurs entretiens secrets; mais cette belle fut aimée du féroce Grumal. Cet ennemi de l'infortuné Connal épiait les pas de son amante.

«Un jour, fatigués de la chasse, et séparés de leurs amis que le brouillard dérobait à leurs yeux, Connal et la fille de Comlo vinrent se reposer dans la grotte de Ronan: c'était l'asile ordinaire de Connal: les armes de ses pères y étaient suspendues: leurs boucliers y brillaient auprès de leurs casques d'acier.

«Repose ici, dit Connal, repose, ô Galvina, mes amours. Un chevreuil paraît sur le front du Mora; j'y cours, et bientôt je reviens vers toi.

«—Je crains, lui dit-elle, le noir Grumal, mon ennemi; il vient souvent à la grotte de Ronan: je vais me reposer au milieu de tes armes; mais reviens promptement, ô mon bien-aimé.»

Tandis que Connal poursuit le chevreuil, Galvina veut éprouver son amant; elle prend ses vêtements et son armure, et sort de la grotte. Connal l'aperçut et la prit pour son ennemi. Son cœur bat et s'irrite; il pâlit de fureur; un nuage s'épaissit sur ses yeux: il bande l'arc, la flèche vole: Galvina tombe dans son sang. Connal court à pas précipités à la grotte; il appelle Galvina: nulle réponse dans le rocher solitaire. «Où es-tu, ô ma bien-aimée?» Il reconnaît à la fin que c'est elle dont le cœur palpite sous le trait fatal. «Ô Galvina! est-ce toi?...» Il tombe et s'évanouit sur le sein de son amante.

«Les chasseurs trouvèrent ce couple infortuné, et secoururent Connal. Il promena depuis ses pas sur la colline; mais il errait sans cesse dans un morne silence autour de la tombe de son amante. L'Océan vomit sur la côte une flotte ennemie. Il combattit; les étrangers prirent la fuite: il cherchait partout la mort dans la mêlée; mais quel bras pouvait la donner au puissant Connal? Il jette son bouclier et combat nu. Une flèche atteignit enfin son sein robuste... Il dort en paix à côté de sa chère Galvina, au bruit des flots du rivage; et le matelot découvre en passant leurs tombes revêtues de mousse, lorsqu'il vogue sur les mers du Nord.

«J'aime les chants des bardes, dit Cuchullin. Je me plais à entendre les récits des temps passés. Ils sont pour moi comme le calme du matin et la fraîcheur de la rosée qui humecte les collines lorsque le soleil ne jette sur leur penchant que des rayons languissants et que le lac est bleuâtre et tranquille au fond du vallon. Ô Carril! élève encore ta voix, et fais entendre à mon oreille les chants de Tura, ces chants de joie dont retentit mon palais, lorsque Fingal assistait à mes fêtes et que je le voyais s'enflammer au récit des exploits de ses pères.

«Fingal, chanta Carril, toi, héros des combats, tes actions guerrières signalèrent ta première jeunesse. Loclin fut consumé du feu de ta colère dans cet âge où ta beauté le disputait à celle de nos jeunes filles. Elles souriaient aux grâces épanouies sur le visage du jeune héros; mais la mort était dans ses mains: il était fort et terrible comme les eaux du Lora. Ses guerriers impétueux le suivaient. Ils vainquirent et enchaînèrent Starno, roi de Loclin; mais ils le rendirent à ses vaisseaux; son cœur était gonflé d'orgueil et de ressentiment; il méditait au fond de son âme ténébreuse la mort du jeune vainqueur, car jamais, jamais nul autre que Fingal n'avait dompté la force du puissant Starno. Starno, rentré dans ses forêts de Loclin, s'assit dans la salle où il donnait ses fêtes; il appelle Snivan, vieillard aux cheveux blancs, qui chanta plus d'une fois autour du cercle de Loda. Au son de sa voix, *la pierre sacrée du pouvoir*[12] était émue, et la fortune des combats changeait dans la plaine des braves.

«Vieillard, dit Starno, va sur les rochers d'Arven que la mer environne. Dis à Fingal, dis à ce roi du désert, le plus beau de tous les guerriers, que je lui donne ma fille, ma fille, la plus aimable des belles. Son sein a la blancheur de la neige, ses bras, celle de mes flots écumants; son âme est douce et généreuse. Qu'il vienne, accompagné de ses plus vaillants héros, s'unir à ma fille élevée dans la retraite de mon palais.

«Snivan arrive aux monts d'Albion, Fingal part; son cœur, enflammé par l'amour, devance le vol de ses vaisseaux sur les vagues du Nord.

«Sois le bienvenu, dit le sombre Starno, roi des rochers de Morven, sois le bienvenu; et vous aussi, héros qui le suivez aux combats. Enfants de l'île Solitaire, trois jours entiers vous célébrerez la fête dans mon palais; vous poursuivrez trois jours les sangliers de mes bois, afin que votre renommée puisse pénétrer jusqu'aux demeures secrètes où habite la jeune Agandecca.»

«Le roi des Neiges méditait leur mort en leur donnant la fête de l'amitié. Fingal, qui se défiait du sombre ennemi, y parut couvert de ses armes. Les assassins, effrayés, ne purent soutenir les regards du héros et s'enfuirent. Cependant les accents de la joie se font entendre; les harpes frémissent et rendent des sons d'allégresse. Les bardes chantent les combats des guerriers ou les charmes des belles. Le barde de Fingal, Ullin, cette voix mélodieuse de la colline de Cona, s'y faisait entendre. Il chanta les louanges de la fille du roi des Neiges et la gloire de l'illustre héros de Morven. La belle Agandecca entendit ses accents; elle quitta la retraite où elle soupirait en secret et parut dans toute sa beauté comme la lune au bord d'un nuage de l'orient. L'éclat de ses charmes l'environne comme des rayons de lumière; le doux bruit de ses pas légers plaît à l'oreille comme une musique agréable. Elle voit, elle aime le jeune héros. Il fut l'objet des soupirs secrets de son cœur. Ses yeux bleus le cherchaient et se fixaient tendrement sur lui; elle fit des vœux dans son âme pour le bonheur du chef de Morven.

«Le troisième jour se leva radieux sur les forêts des sangliers. Starno, aux noirs sourcils, part pour la chasse et Fingal avec lui. Déjà la moitié du jour s'est écoulée, et la lance de Fingal est teinte du sang des hôtes féroces du Gormal. Ce fut alors que la fille de Starno vint le trouver, ses beaux yeux pleins de larmes, et, avec les accents de l'amour, elle lui adressa ces paroles:

«Fingal, héros d'une race illustre, ne te fie point au cœur superbe de Starno: dans cette forêt sont cachés ses guerriers. Garde-toi de cette forêt où t'attend la mort: mais souviens-toi, jeune étranger, souviens-toi d'Agandecca. Roi de Morven, sauve-moi de la fureur de mon père.»

«Le jeune héros, sans crainte et sans émotion, s'avance accompagné de ses guerriers. Les ministres de la mort périrent de sa main, et la forêt du Gormal retentit du bruit de leur chute.

«Les chasseurs se sont rassemblés devant le palais de Starno. Sous la sombre épaisseur de ses sourcils, Starno roulait des yeux enflammés. «Qu'on amène ici, cria-t-il, qu'on amène Agandecca à son aimable roi de Morven. Ses paroles n'ont pas été vaines, et la main de Fingal s'est rougie du sang de mon peuple.»

«Elle parut les yeux baignés de larmes, ses cheveux noirs étaient épars; son sein, éclatant de blancheur, était gonflé de soupirs. Starno lui perça le sein de son épée; elle tomba comme un flocon de neige qui se détache des rochers du Ronan, lorsque les forêts sont en silence et que l'écho muet s'enfonce dans la vallée.

«Fingal jette un regard sur ses guerriers, et ses guerriers ont déjà pris leurs armes. Un horrible combat s'engage: les enfants de Loclin meurent ou fuient... Fingal emporte et dépose dans son vaisseau le corps inanimé de la belle Agandecca. Sa tombe s'élève sur le sommet d'Arven et la mer mugit alentour.

«Paix profonde à son âme, dit Cuchullin, et au barde qui nous charme par ses chants. Redoutable était Fingal dans la force de sa jeunesse, redoutable est encore son bras dans sa vieillesse. Loclin succombera encore devant le roi de Morven. Ô lune! montre-toi au travers de ton nuage; éclaire dans la nuit ses blanches voiles sur les flots, et, s'il est quelque Esprit puissant des cieux assis sur cette nue abaissée vers la terre, conducteur des orages, écarte des écueils ses vaisseaux voguant dans les ténèbres.»

«Ainsi parla Cuchullin près du torrent murmurant de la montagne, lorsque le fils de Matha, Calmar, montait la colline. Il revenait de la plaine, blessé et couvert de son sang, et s'appuyait sur sa lance. Le bras du héros était affaibli, mais son âme était pleine de force.

«Tu es le bienvenu, ô fils de Matha! lui dit Connal, tu es le bienvenu au milieu de tes amis; mais pourquoi ce soupir étouffé s'échappe-t-il du sein d'un guerrier qui, jamais, n'avait connu la peur?—Et qui ne la connaîtra jamais. Connal, mon âme s'enflamme dans le danger et tressaille de joie au bruit des combats. Je suis de la race des braves: jamais mes ancêtres na connurent la crainte.»

«Calmar fut le premier de ma famille, il se jouait au milieu des tempêtes. Son noir esquif bondissait sur l'Océan et volait sur l'aile des ouragans. Une nuit, un Esprit sema la discorde parmi les éléments. Les mers s'enflent, les rochers retentissent, les vents chassent devant eux les nuages menaçants, l'éclair vole sur ses ailes de feu. Calmar trembla et revint au rivage, mais bientôt il rougit de sa frayeur. Il s'élance de nouveau au milieu des flots en courroux et cherche l'Esprit des vents, tandis que trois jeunes matelots gouvernent la barque agitée, il est debout l'épée nue. Lorsque le nuage abaissé passa près de lui, il saisit ses noirs flocons et plongea son épée dans ses flancs ténébreux. L'Esprit de la tempête abandonna les airs; la lune et les étoiles reparurent.»

«Telle était l'intrépidité de ma race, et Calmar ressemble à ses ancêtres. Le danger fuit l'épée du brave, la fortune se plaît à couronner l'audace.»

«Mais vous, enfants des vertes vallées d'Erin, retirez-vous des plaines sanglantes de Lena. Rassemblez les tristes restes de nos amis et rejoignez Fingal. J'ai entendu le bruit de la marche de Loclin qui s'avance: Calmar va rester et combattre. Ma voix se fera entendre, ô mes amis! comme si j'étais soutenu de mille guerriers. Mais, souviens-toi de moi, fils de Semo, souviens-toi du corps inanimé de Calmar. Après que Fingal aura dévasté le champ de bataille, place-moi sous quelque pierre mémorable qui parle de ma renommée aux temps à venir. Fais que la mère de Calmar se réjouisse en voyant la pierre qui attestera ma gloire.

«—Non, fils de Matha, répondit Cuchullin, non, je ne te quitte point: ma joie est de combattre à forces inégales, dans le péril mon âme s'agrandit. Connal, et toi, vénérable Carril, conduisez les tristes enfants d'Erin, et, quand le combat sera fini, revenez chercher nos corps gisants dans ce défilé, car nous resterons près de ce chêne, au milieu de la mêlée... Moran au pied léger, vole sur la bruyère de Lena, dis à Fingal qu'Erin est tombé dans l'esclavage, et presse-le de hâter ses pas.»

«Le matin commence à blanchir la cime du Cromla, les enfants de la mer[13] montent le coteau. Calmar les attend de pied ferme, le feu du courage s'allume dans son âme irritée, mais le visage du guerrier pâlit. Faible, il s'appuyait sur la lance de son père, sur cette lance qu'il détacha des salles de Lara à la vue de sa mère affligée; mais bientôt le héros s'affaiblit et tombe comme l'arbre sur les plaines de Cona. Le sombre Cuchullin reste seul, mais immobile comme un rocher isolé au milieu des sables; la mer vient avec ses flots et mugit sur ses flancs endurcis; sa tête se couvre d'écume et les collines d'alentour retentissent; enfin, du sein grisâtre des brumes paraissent sur l'Océan les voiles de Fingal; la forêt de ses mâts se balance sur les vagues roulantes.

«Swaran, du haut de la colline, les aperçoit, il abandonne les enfants d'Erin et revient sur ses pas. Tels que la mer rentraînant ses ondes à travers les cent îles mugissantes d'Inistore, tels reviennent contre Fingal les vastes et impétueux bataillons de Loclin.

«Cuchullin, triste, l'œil en pleurs et la tête baissée, marche à pas lents, traînant derrière lui sa longue lance; il s'enfonce dans le bois du Cromla, gémissant sur la perte de ses amis. Il redoutait la présence de Fingal, qui était accoutumé à le féliciter en le voyant revenir des champs de gloire.

«Combien de mes héros, disait-il, sont couchés sans vie sur cette plaine! Les chefs d'Inisfail, ceux dont la joie éclatait dans la salle de nos fêtes! Je ne rencontrerai plus leurs pas sur la bruyère, je n'entendrai plus leurs voix à la chasse des chevreuils. Pâles et muets, ils sont couchés sur des lits sanglants, ces guerriers qui furent mes amis! Esprits de ces héros, naguère pleins de vie, venez visiter Cuchullin dans sa solitude, venez sur les vents qui font gémir l'arbre de la grotte de Tura, venez converser avec moi; c'est là qu'éloigné des humains, je vais habiter ignoré. Nul barde n'entendra parler de moi; nul monument ne s'élèvera pour conserver ma mémoire. Pleure-moi, ô Bragela! compte Cuchullin parmi les morts; ma renommée s'est évanouie.»

«Tels étaient les regrets de Cuchullin, en s'enfonçant dans les bois du Cromla.

«Fingal, debout sur son vaisseau, levait sa lance brillante: terrible était l'éclat de son acier, comme les feux sombres du météore de la mort, lorsque le voyageur est seul, et que le large disque de la lune est obscurci dans les deux.

«On a combattu, dit Fingal, et je vois le sang de mes amis. La tristesse est sur les champs de Lena; le deuil est dans les forêts du Cromla: elles ont vu tomber leurs chasseurs dans la force de l'âge, et le fils de Semo n'est plus.—Ryno, Fillan, mes enfants, faites retentir le cor de la guerre: montez sur cette colline du rivage, près du tombeau de Landarg, et appelez les ennemis. Que votre voix tonne comme celle de votre père, lorsqu'il engage le combat et déploie sa valeur. J'attends sur ce rivage le sombre, le puissant Swaran: qu'il vienne avec toute sa race; car ils sont terribles dans le combat, les amis des morts!»

«Le beau Ryno vola comme l'éclair; le noir Fillan, comme les ombres de l'automne. Déjà leur voix s'est fait entendre sur les bruyères de Lena: les enfants de l'Océan ont reconnu les sons du cor de Fingal. L'Océan mugissant ne descend pas des rivages du royaume des Neiges avec plus de violence et de rapidité que les enfants de Loclin du penchant de la colline. À leur tête marche leur roi dans l'appareil effrayant de ses armes. La rage allume son noir visage, et ses yeux roulent étincelants des feux de la valeur.

«Fingal aperçoit le fils de Starno, et se rappelle Agandecca. Swaran, jeune encore, avait donné des pleurs à la mort de sa sœur. Fingal lui envoie le barde Ullin pour l'inviter à sa fête; son âme est tendrement émue au souvenir de ses premières amours.

«Ullin, d'un pas ralenti par l'âge, marche vers le fils de Starno, et lui dit: «Ô toi qui habites loin de nous environné de tes flots, viens à la fête du roi et passe ce jour dans le repos; demain, ô Swaran, nous combattrons, nous briserons les boucliers.

«—Aujourd'hui! répond le fils de Starno plein de rage; c'est aujourd'hui que nous briserons les boucliers: demain ma fête sera célébrée, et Fingal sera gisant sur la terre.»

Ullin revient vers Fingal:

«Eh bien, dit Fingal avec un sourire, que demain Swaran donne sa fête; oui, aujourd'hui, mes enfants, nous briserons les boucliers. Ossian, reste à mes côtés; Gaul, lève ton épée terrible; Fergus, bande ton arc; et toi, Fillan, fais voler ta lance dans les airs. Levez tous vos larges boucliers; que vos lances soient des météores de mort Suivez moi dans la route de la gloire, et égalez mes actions dans le combat.»

«Mille vents déchaînés sur Morven, ou les nuages volant amoncelés à travers les cieux, ou les flots du noir Océan fondant sur les rivages du désert, leur bruit, leurs ravages, la terreur qu'ils inspirent: telle est l'image de l'horrible mêlée des deux armées sur la plaine retentissante de Lena. Les cris des combattants se répandent sur les collines, comme les éclats de la foudre pendant la nuit, lorsque la nue crève sur Cona, et qu'on entend dans les vents les cris de mille fantômes.

«Fingal s'élance, terrible comme l'esprit de Trenmor, lorsque d'un tourbillon il vient à Morven visiter ses illustres enfants. Les chênes émus gémissent, et les rochers tombent déracinés sur son passage. Le sang des ennemis inondait la main de mon père lorsqu'il agitait son épée dans un cercle flamboyant. Il se rappelle les combats de sa jeunesse; et, dans sa course, il dévaste le champ de bataille. Ryno s'avance comme une colonne de feu. Le front de Gaul est menaçant, Fergus et Fillan fondent sur l'ennemi. Moi-même je marchai triomphant sur les traces du roi. Mille fois mon bras donna la mort, et l'éclair de mon épée en était le signal effrayant. Mes cheveux alors n'étaient pas blanchis par les ans, et la vieillesse ne faisait pas trembler mes mains: mes yeux n'étaient pas couverts de ténèbres, et mes jambes ne m'abandonnaient pas dans ma course.

«Qui pourrait nombrer les morts ou les exploits des héros, dans cette journée où Fingal, brûlant de rage, foudroya les enfants de Loclin? Gémissements sur gémissements se répétaient de colline en colline, jusqu'à ce que la nuit vînt tout envelopper de ses ombres. Pâles et frissonnants d'effroi comme un troupeau de timides chevreuils, les enfants de Loclin se rassemblent sur la colline. Nous nous assîmes, pour entendre les sons de la harpe, au bord du paisible ruisseau de Lubar. Fingal, placé le plus près de l'ennemi, écoutait les chants des bardes qui célébraient sa race illustre. Assis et appuyé sur sa lance, il prêtait une oreille attentive. Le vent agitait ses cheveux blancs, et ses pensées se promenaient sur le passé. Près de lui était mon jeune, mon cher Oscar, penché sur sa lance; il admirait le roi de Morven, et son âme s'agrandissait au récit de ses actions.

«Fils de mon fils, dit le roi, Oscar, l'honneur du jeune âge, j'ai vu briller ton épée, et je me suis enorgueilli de ma race: suis la trace glorieuse de nos aïeux, et sois ce que furent Trenmor, le premier des hommes, et Trathal, le père des héros. Ils signalèrent leur jeunesse dans les combats; ils sont chantés par les bardes. Oscar, dompte le guerrier qui se défend; mais épargne le faible: fonds, comme un torrent, sur les ennemis de ton peuple; mais sois doux, comme le zéphyr qui caresse le gazon, pour ceux qui implorent ta clémence: tel vécut Trenmor; tel fut Trathal, et tel a été Fingal; mon bras fut toujours l'appui de l'opprimé, et le faible s'est reposé derrière les éclairs de mon épée.

«Oscar, j'étais jeune comme toi lorsque la belle Fainasollis s'offrit à moi, ce rayon du soleil, cette douce lumière d'amour, la fille du roi de Craca. Je revenais des bruyères de Cona, n'ayant avec moi que quelques-uns de mes guerriers. Les voiles d'un esquif se présentent à nos yeux sur le lointain des mers: il paraissait comme un nuage qui s'élève sur les vents de l'Océan. Bientôt il s'approche, et nous aperçûmes cette belle. Son beau sein était agité et gonflé de soupirs. Le vent jouait dans ses cheveux dénoués; ses joues de rose étaient couvertes de pleurs: «Fille de la beauté, lui dis-je avec douceur, d'où viennent tes soupirs? Puis-je, jeune encore, puis-je te défendre, fille de la mer? Mon épée peut trouver mon égal dans le combat; mais mon cœur est indomptable.

«—Je suis dans tes bras, ô chef des braves, dit-elle en soupirant: c'est toi que j'implore, généreux protecteur du faible. Le roi de Craca chérissait en moi le rejeton le plus brillant de sa race, et plus d'une fois les collines du Cromla ont répondu aux soupirs d'amour adressés à l'infortunée Fainasollis. Borbar, roi de Sora, vit ma beauté et m'aima: son épée brille à son côté comme l'éclair du ciel; mais son sourcil est noir et sombre, et les orages sont dans son cœur. C'est lui que je fuis à travers les flots; c'est lui qui me poursuit.

«—Viens te placer, lui dis-je, à l'abri de mon bouclier, et rassure-toi, beauté ravissante. Il fuira, le sombre chef de Sora; il fuira, si le bras de Fingal répond à son cœur. Je pourrais bien, fille de la mer, te cacher dans quelque grotte solitaire et profonde; mais jamais Fingal n'a fui des lieux où le danger menace. C'est au milieu de la tempête des combats et des lances que son âme s'épanouit de joie.»

«Je vis des larmes couler sur les joues de la belle. Je m'attendris sur son sort.

«Bientôt, telle qu'une vague menaçante, paraît sur le lointain des mers le vaisseau du fougueux Borbar. Ses voiles se jouent autour de ses mâts élevés sur les flots; les ondes blanchissent et roulent sur les flancs du vaisseau, et l'Océan mugit alentour. «Quitte, lui dis-je, quitte l'Océan, étranger porté sur les tempêtes. Viens partager ma fête dans mon palais. Ma demeure est l'asile des étrangers.» La belle était tremblante à mes côtés: il décoche un trait, elle tombe. «Ta main est sûre, Borbar; mais cette belle était un faible ennemi.» Nous combattîmes, et ce combat fut sanglant et mortel: Borbar tomba sur mes coups. Nous plaçâmes sous deux tombes de pierre cette belle infortunée et son cruel amant.

«Tel je fus dans mon jeune âge; mais toi, Oscar, imite la vieillesse de Fingal; ne cherche jamais le combat: s'il se présente, ne l'évite jamais. Fillan, Oscar, devancez les vents, volez sur la plaine, et observez les enfants de Loclin. J'entends le tumultueux désordre où les jette la peur. Allez, qu'ils n'échappent pas à mon épée en fuyant sur les vagues du Nord: car combien de guerriers de la race d'Erin sont ici couchés sur le lit de mort!»

«Les deux héros volèrent comme deux sombres fantômes sur leurs chars aériens, lorsqu'ils viennent effrayer les malheureux mortels.

«Alors le fils de Morni, Gaul, s'avance, et se présente dans une altitude intrépide: sa lance reluit aux étoiles. «Ô Fingal! cria le héros, dis aux bardes d'appeler par leurs chants le doux sommeil sur tes guerriers fatigués. Et toi, Fingal, remets dans son fourreau ton épée homicide, et laisse combattre ton peuple. Nous languissons ici sans gloire, et notre roi est le seul qui combatte et triomphe. Quand le matin blanchira nos collines, observe de loin nos exploits. Que les guerriers de Loclin sentent l'épée tranchante du fils de Morni, et que les bardes puissent célébrer ma renommée. Telle fut jadis la conduite des nobles ancêtres de Fingal; telle fut aussi la tienne, ô Fingal!

«—Fils de Morni, répondit Fingal, je chéris ta gloire. Combats; mais ma lance te suivra de près, pour voler à ton secours au milieu du péril. Élevez, élevez vos voix, enfants des concerts, et faites descendre sur moi le paisible sommeil. Fingal va dormir ici au murmure des vents de la nuit. Et toi, ô Agandecca! si tu es près de ces lieux, parmi les enfants de ta patrie, ou si tu es assise sur un nuage au-dessus des mâts et des voiles de Loclin, viens me visiter dans mes songes. Belle qui me fus si chère, viens réjouir mon âme du doux aspect de ta beauté.»

«Mille harpes et mille voix unirent leurs sons mélodieux. Les bardes chantèrent les nobles actions de Fingal et de son auguste race; et quelquefois on entendit prononcer dans leurs chants le nom d'Ossian, d'Ossian aujourd'hui plongé dans le deuil! J'ai combattu, j'ai vaincu souvent dans les guerres d'Erin; mais maintenant, aveugle, dans les larmes, et délaissé, je me traîne confondu dans la foule des mortels vulgaires. Ô Fingal! je ne te vois plus environné des guerriers de ta race: les bêtes sauvages viennent paître sur la tombe du puissant roi de Morven... Paix éternelle à ton ombre, roi des épées, héros le plus fameux des collines de Cona.»

VII

Ossian lui-même chante ses premières amours dans son quatrième chant.

Malvina, sa petite-fille, qui vit auprès de son vieux père pour le consoler de la perte de ses enfants et pour entendre ses chants, l'écoute. Voici ce que sa mémoire lui représente:

«Quelle est celle qui descend en chantant de la montagne, brillante comme l'arc pluvieux qui couronne la colline de Lena? C'est cette belle dont la voix inspire l'amour; c'est l'aimable fille de Toscar: plus d'une fois tu prêtas l'oreille à mes chants, plus d'une fois je vis couler les larmes de tes beaux yeux. Viens-tu pour être témoin de nos combats, ou pour entendre le récit des actions d'Oscar? Quand cesserai-je de pleurer au bord des ruisseaux de Cona! Mes années se sont écoulées dans les batailles, et la douleur assiége ma vieillesse.

«Belle Malvina, je n'étais pas, comme aujourd'hui, aveugle et flétri par les chagrins; je n'étais pas ainsi triste et dans l'abandon, lorsque la belle Evirallina m'aimait, Evirallina aux cheveux noirs, à la gorge éblouissante. Mille héros lui offrirent leurs vœux: elle refusa son amour à mille héros: une foule de braves guerriers se retirèrent dédaignés. Ossian seul plaisait à ses yeux.

«J'allai vers les ondes noires de Lego pour obtenir sa main: douze guerriers de ma nation, enfants valeureux des plaines de Morven, m'accompagnèrent. Nous arrivâmes à la demeure de Branno, l'ami des étrangers.

«De quel lieu, dit-il, viennent ces armes étrangères? Elle n'est pas facile, la conquête de la beauté qui a déjà refusé tant de guerriers d'Erin; mais sois heureux, ô toi, fils de Fingal: heureuse est la belle qui t'est réservée! Eussé-je douze beautés qui m'appelassent leur père, je les offrirais à ton choix, illustre enfant de la renommée.» À ces mots, il ouvrit la salle où était la belle Evirallina: à sa vue, la joie fit palpiter nos cœurs sous l'acier, et nous fîmes des vœux pour la fille de Branno.

«Mais au-dessus de nos têtes, au sommet de la colline parut la troupe du superbe Cormac. Huit guerriers le suivaient, et la plaine resplendissait des éclairs de leurs armes. Là étaient Colla et Duna couvert de blessures, et le puissant Toscar; et avec eux Tago et le victorieux Frestat. Suivaient Daïro, heureux dans les combats, et Dala, le boulevard des guerriers dans leur retraite. L'épée flamboyait dans la main de Cormac, ses yeux étaient pleins de douceur. Ossian prit avec lui huit de ses guerriers, l'impétueux Ullin, le généreux Mullo, le noble et gracieux Scelacha, Oglan et le fougueux Cerdal et le farouche Dumariccan: et pourquoi te nommerai-je le dernier, Ogar, si fameux sur les collines d'Arven!

«Ogar attaque Dala: ils combattent sur la plaine. Ogar songe à son poignard; c'est l'arme qu'il affectionne: il l'enfonça neuf fois dans les flancs de Dala; le sort du combat est changé: trois fois je perçai de ma lance le bouclier de Cormac; trois fois sa lance se rompit sur le mien. Ô jeune et malheureux amant! je lui tranchai la tête: cinq fois je l'agitai par sa chevelure: les amis de Cormac prirent la fuite. Quiconque alors, aimable Malvina, m'eût osé dire qu'un jour, aveugle et infirme, je passerais les nuits dans la solitude, eût eu besoin d'avoir une cotte d'armes d'une trempe bien forte, et un bras invincible.

«Mais déjà l'on n'entend plus sur la plaine obscure du Lena le son des harpes et la voix des bardes. Les vents inconstants soufflaient avec violence, et le chêne altier balançait sur ma tête son tremblant feuillage: Evirallina occupait mes pensées, lorsque dans tout l'éclat de sa beauté, et roulant dans ses pleurs l'azur de ses beaux yeux, elle m'apparut sur son nuage, et d'une voix faible:

«Ossian, dit-elle, lève-toi et sauve mon fils! sauve mon cher Oscar. Près du chêne qui est au bord du Lubar, il combat contre les enfants de Loclin....»

Elle dit et se replonge dans son nuage: je me revêts de mon armure, et ma lance soutient et précipite mes pas: mes armes retentissent; je répétais à demi-voix, suivant ma coutume dans les dangers, les antiques chansons des héros. Les guerriers de Loclin entendirent le bruit lointain de ma marche: ils fuient, mon fils les poursuit. «Reviens, mon fils, lui criai-je, reviens, ne poursuis plus l'ennemi, quoique Ossian soit derrière toi.» Il obéit à ma voix et revient sur ses pas; c'était un charme pour mon oreille que le bruit des armes d'Oscar.

«Pourquoi, me dit-il, arrêtes-tu mon bras avant que la mort les ait tous enveloppés de ses ombres? Sais-tu que, farouches et terribles, ils ont assailli ton fils et Fillan? qu'ils veillaient attentifs aux alarmes de la nuit? Nos épées en ont détruit quelques-uns: mais tels que les flots de l'Océan poussés par les vents sur les sables de Mora, tels s'avancent les guerriers de Loclin sur la plaine de Lena: les fantômes de la nuit jetèrent des cris sinistres, et j'ai vu étinceler les météores, avant-coureurs de la mort. Laisse-moi réveiller le roi de Morven, lui qui sourit au danger: il ressemble au radieux enfant du ciel lorsqu'il se lève et dissipe l'orage.»

«Fingal venait de s'éveiller brusquement d'un songe, et s'appuyait sur le bouclier de Trenmor, bouclier fameux que ses pères levèrent jadis mille fois dans les guerres de leur famille. Le héros avait vu dans son sommeil l'ombre affligée d'Agandecca. Elle était venue de l'Océan, et s'était avancée seule et à pas lents sur la plaine de Lena: son visage était pâle et ses joues étaient baignées de larmes: plusieurs fois, de sa robe de nuages, elle avance sa main livide; elle l'étend sur Fingal en silence et en détournant les yeux. «Pourquoi la fille de Starno verse-t-elle des pleurs? lui dit Fingal en soupirant; pourquoi cette pâleur sur ton visage?... Elle disparaît sur les vents, et laisse Fingal au milieu des ténèbres. Elle pleurait les guerriers de sa nation qui allaient périr sous les coups de Fingal.

«Le héros s'éveille, et voit encore Agandecca dans ses pensées. Il entend le bruit des pas d'Oscar, il aperçoit la lueur de son bouclier: car le rayon naissant du matin avait déjà traversé les mers d'Ullin.

«Que fait l'ennemi, dit en se levant le roi de Morven? Entraîné par la peur, fuit-il sur les flots de l'Océan? ou attend-il un nouveau combat? Mais qu'ai-je besoin de le demander: ce sont leurs voix que m'apportent le vent du matin. Oscar, vole sur la plaine, et réveille nos ennemis pour combattre.»

«Le roi se plaça près de la roche de Lubar, et trois fois il éleva sa voix terrible. Le cerf tressaille près des sources de Cromla, et les rochers tremblent sur les collines. Tels que les nuages amassent les tempêtes et voilent l'azur des cieux, tels à la voix de Fingal accoururent les enfants du désert: toujours ses guerriers étaient émus de joie aux accents de sa voix; souvent il les avait conduits au combat et ramenés chargés des dépouilles de l'ennemi.

«Venez, guerriers intrépides, venez donner la mort: Fingal vous verra combattre. Mon épée reluira sur cette colline: elle sera l'appui de mon peuple; mais puissiez-vous n'avoir jamais besoin de son secours, tandis que le fils de Morni va combattre à ma place!... C'est lui qui va marcher à votre tête: il faut que sa gloire devienne célèbre dans nos chants. Ô vous, ombres des héros morts, hôtes légers des nuages, accueillez avec bonté mes guerriers terrassés, et conduisez-les dans l'asile de vos collines. Qu'ils puissent un jour, portés sur les vents, traverser l'espace de mes mers, me visiter dans mes songes, et réjouir quelquefois mon âme dans le silence de la nuit et du repos.

«Fillan, Oscar, et toi, beau Ryno à la lance redoutable, marchez au combat avec intrépidité; suivez le fils de Morni, contemplez les actions de son bras, et que vos épées soient rivales de la sienne. Protégez les amis de votre père, et que les guerriers des anciens temps soient présents à votre souvenir. Mes enfants, quand vous tomberiez ici sur les champs d'Erin, je vous reverrais encore: bientôt, bientôt nos froides et pâles ombres se rencontreront dans les nuages et traverseront ensemble les coteaux de Cona.»

«Tel qu'une nue épaisse et orageuse, dont les flancs enflammés sont armés d'éclairs, et qui, fuyant les rayons du matin, s'avance vers l'occident: tel s'éloigne le roi de Morven. Deux lances sont dans sa main, et son armure jette un éclat terrible... Il abandonne au vent ses cheveux blancs: souvent il se retourne et jette un regard sur le champ de bataille: trois bardes l'accompagnent, prêts à porter ses paroles à ses héros. Il s'assied sur la cime du Cromla; les mouvements de sa lance étincelante réglaient notre marche. La joie s'épanouit sur le visage d'Oscar: ses joues se colorent; ses yeux versent des larmes de plaisir: son épée paraît dans ses mains un rayon de lumière. Il s'avance, et avec un sourire il dit à Ossian: «Ô chef des combats, mon père, écoute ton fils. Retire-toi aussi, va joindre le roi de Morven, et cède-moi ta gloire. Si je péris ici, souviens-toi de cette belle solitaire, objet de mon amour, de la fille de Toscar; car je la vois penchée sur les bords du ruisseau, les joues en feu et les cheveux épars sur son sein, jetant ses regards du haut de la montagne et soupirant pour Oscar. Dis-lui que je suis sur mes collines, hôte léger des vents, et que je vole sur mes nuages à la rencontre de l'aimable fille de Toscar.

«—Élève, Oscar, élève plutôt ma tombe: je ne veux point te céder le combat; il faut que mon bras soit le plus sanglant, et t'enseigne à vaincre. Mais, mon fils, souviens-toi de placer cette épée, cet arc et ce bois de cerf dans mon étroite et sombre demeure, que tu marqueras par une pierre grisâtre. Oscar, je n'ai plus d'amante à recommander aux soins de mon fils; j'ai perdu Evirallina, l'aimable fille de Branno n'est plus.»

«Nous parlions ainsi, lorsque la voix de Gaul, apportée par les vents, vint frapper nos oreilles: il agitait dans les airs l'épée de son père, et se précipite furieux au milieu de la mort et du carnage.

«Les deux armées s'attaquent et combattent guerrier contre guerrier, fer contre fer. Les boucliers et les épées se choquent et retentissent. Les hommes tombent. Gaul fond comme un tourbillon d'Arven: la destruction suit son épée. Swaran dévore comme l'incendie allumé dans les bruyères du Cormal. Comment pourrais-je redire dans mes chants tant de noms et de morts? L'épée d'Ossian se signala aussi dans ce sanglant combat: et toi, ô mon Oscar, ô le plus grand, le meilleur de mes enfants, que tu étais terrible! Mon âme éprouvait une secrète joie, lorsque je voyais son épée étinceler sur les ennemis terrassés. Ils fuient en désordre sur la plaine de Lena: nous poursuivons, nous massacrons; comme la pierre bondit de rocher en rocher, comme la hache frappe et retentit de chêne en chêne, comme le tonnerre roule de colline en colline ses effrayants éclats: tels de la main d'Oscar et de la mienne tombaient et se suivaient et le coup et la mort.

«Mais Swaran assiége et environne le fils de Morni, comme un cercle des flots irrités. Fingal, à cette vue, se lève à demi et fait un mouvement de sa lance: «Va, Ullin, mon antique barde, va trouver Gaul, rappelle à sa mémoire les combats et l'exemple de ses ancêtres: soutiens de tes chants son courage chancelant; les chants raniment les guerriers.» Le vénérable Ullin part; il presse ses pas appesantis; il arrive et adresse à Gaul ces chants belliqueux:

«Enfant des climats où naissent les coursiers généreux; jeune roi des lances, toi dont le bras est ferme dans le péril, dont le courage inflexible ne cède jamais; toi qui diriges les coups de la mort, frappe, renverse l'ennemi: que nul de leurs vaisseaux ne reparaisse jamais sur la côte d'Inistore. Que ton bras soit comme la foudre, tes yeux comme l'éclair, ton cœur comme un rocher. Lève ton bouclier; plonge et replonge ton épée; frappe, détruis!»

«À ces chants, le cœur de Gaul s'enflamme et palpite; mais Swaran s'avance à la tête de son armée: il fend le bouclier de Gaul en deux, et les enfants d'Erin prennent la fuite.

«Alors Fingal se leva, et trois fois fit éclater sa voix. Cromla répondit à ses sons, et ses guerriers fuyants s'arrêtèrent. Ils baissèrent vers la terre leurs visages confus, et rougirent à la présence de Fingal. Il s'avançait comme un nuage pluvieux dans les ardeurs brûlantes de l'été, lorsqu'il roule et s'étend sur la colline, et que les plaines en silence attendent sa rosée. Swaran aperçoit le terrible roi de Morven, et s'arrête au milieu de sa course. Farouche et roulant ses yeux autour de lui, debout, appuyé sur sa lance et gardant un morne silence, il ressemblait dans sa taille gigantesque à un chêne antique des bords du Lubar, dont la tête penche sur le fleuve et dont les rameaux furent jadis noircis des feux du tonnerre. Il marche et se retire à pas lents sur la plaine. Les flots de ses guerriers l'entourent, et le nuage de la bataille se forme sur la colline.

«Fingal brille au milieu de ses héros, et leur dit: «Prenez mes étendards, déployez-les aux vents de Lena, qu'ils flottent comme les flammes ondoyantes de cent collines: que leurs frémissements dans les airs nous excitent au combat. Accourez, enfants d'Erin, venez vous placer près de votre roi; soyez attentifs à ses ordres. Gaul, bras invincible de la mort, jeune Oscar, qui croîs pour les combats; vaillant Connal; Dermid à la brune chevelure, et toi, Ossian, roi des chants, venez tous vous placer près du bras de votre père.»

«Nous élevâmes le Soliflamme, le brillant étendard du roi: l'âme des héros tressaillit de joie en le voyant se jouer dans les vents; il était parsemé d'or, comme l'azur nocturne de la voûte étoilée du ciel. Chaque héros avait son étendard, et chaque étendard sa troupe de guerriers.

«Voyez, dit le roi, comme l'armée de Loclin se partage sur la plaine; ils ressemblent à une forêt de chênes à demi dévastée par l'incendie, lorsque ses arbres éclaircis laissent voir par intervalles les espaces du ciel, et les météores volants dans la nuit. Que chaque chef des amis de Fingal choisisse et attaque sa troupe d'ennemis; et qu'en dépit de ce front menaçant qu'ils nous opposent, nul d'eux n'échappe sur les flots d'Inistore.—Moi, dit Gaul, je me charge des sept chefs qui sont venus du lac de Lano.—Que le sombre roi d'Inistore, dit Oscar, soit abandonné à l'épée du fils d'Ossian,—Confiez à la mienne le roi d'Inistore, dit Conna au cœur d'acier...—Ou Mudin ou moi, dit Dermid, dormira sous la terre.—Et moi, qui maintenant suis aveugle et faible, je choisis le belliqueux roi de Terman. J'ai promis de ne pas revenir sans son bouclier.—«Revenez triomphants et victorieux, ô mes héros, dit Fingal avec un regard serein: toi, Swaran, Fingal te réserve pour lui.» Aussitôt, comme mille vents furieux déchaînés sur les vallons, nos bataillons se divisent et fondent sur l'ennemi: les échos du Cromla retentissent au loin.

—Comment raconter toutes les morts qui signalèrent nos armes dans cette affreuse mêlée? Ô fille de Toscar, nos mains étaient toutes sanglantes; les rangs superbes de Loclin tombaient l'un sur l'autre, comme les terres éboulées de la montagne de Conna. La victoire suivit nos armes: pas un chef qui n'accomplît sa promesse. Tu t'assis plus d'une fois près du murmure des eaux du Brannos ô fille de Toscar: là ton sein éblouissant de blancheur s'enflait et s'élevait, comme le duvet du cygne voguant doucement sur la surface du lac, lorsque les zéphyrs enflent ses ailes. Là tu as vu plus d'une fois le soleil rougeâtre se retirer et descendre lentement derrière un épais nuage; la nuit amasser ses ombres autour de la montagne, lorsque le vent souffle par tourbillons et mugit par intervalles dans les vallées profondes. La grêle tombe, le tonnerre roule, éclate, et la foudre rase les rochers. Les esprits montent sur des rayons de feu: d'irrésistibles et vastes torrents se versent à grand bruit des montagnes: telle est, ô Malvina, l'image de ce combat... Ah! pourquoi cette larme? C'est aux filles de Loclin de pleurer. Les guerriers de leur patrie tombaient par milliers, et le sang avait rougi le fer de nos héros; mais je ne suis plus, hélas! le compagnon des héros; je suis triste, aveugle et délaissé. Donne-moi, aimable Malvina, donne-moi tes larmes; car j'ai vu les tombeaux de tous mes amis.

«Ce fut alors que Fingal vit avec douleur tomber sous ses coups un héros inconnu... Le guerrier roulait dans la poussière ses cheveux gris, et levait vers le roi ses yeux mourants: «Ah! c'est donc de ma main que tu péris, s'écrie Fingal qui le reconnaît, ô toi, l'ami d'Agandecca! J'ai vu tes larmes couler pour l'objet de mon amour dans les salles du sanguinaire Starno. Tu fus l'ennemi des ennemis de mon amante, et c'est de ma main que tu péris! Élève, ô Ullin, élève la tombe du fils de Mathon, et mêle dans tes chants son nom au nom d'Agandecca, d'Agandecca qui fut si chère à mon cœur!

«Du fond de là caverne de Cromla, Cuchullin entendit le bruit des combattants. Il appela le brave Connal et le vieux Carril. À sa voix, ces héros en cheveux blancs prirent leurs lances. Ils s'avancèrent et virent de loin les flots de la bataille, comme les vagues entassées de l'Océan agité, lorsque les vents, soufflant du côté de la mer, roulent devant eux ses vastes lames sur les sables du rivage.

«À cette vue, Cuchullin s'enflamme et fronce le sourcil: sa main se porte sur l'épée de ses pères; ses yeux roulent dans le feu et s'attachent sur l'ennemi. Trois fois il voulut courir au combat, et trois fois Connal arrêta ses pas. «Chef de l'île des Brouillards, lui dit-il, Fingal triomphe, ne cherche point à lui ravir une portion de sa gloire: il ravage et détruit comme la tempête.»

«Eh bien, Carril, reprit Cuchullin, va féliciter le roi de Morven. Dès que Loclin se sera écoulé comme le torrent après la pluie, dès que le silence régnera sur le champ de bataille, que ta voix mélodieuse se fasse entendre à l'oreille de Fingal et chante ses louanges. Donne-lui l'épée de Caithbat; car Cuchullin n'est plus digne de porter les armes de ses pères.

«Mais vous, ombres du solitaire Cromla, esprits des héros qui ne sont plus, soyez désormais les compagnons de Cuchullin, et parlez-lui quelquefois dans la grotte où il va cacher sa douleur. Non, je ne serai plus renommé parmi les guerriers célèbres. J'ai brillé comme un rayon de lumière, mais j'ai passé comme lui; je m'évanouis comme la vapeur que dissipent les vents du matin lorsqu'il vient éclairer les collines. Connal, ne me parle plus d'armes ni de combats: ma gloire est morte. J'exhalerai mes gémissements sur les vents, jusqu'à ce que la trace de mes pas s'efface sur la terre... Et toi, belle et tendre Bragela pleure la perte de ma renommée; car jamais je ne retournerai vers toi: je suis vaincu!»

VIII

Lisez encore ce début du cinquième chant sur la gloire et la mort de Fingal. Le rhythme majestueux et calme des vers est conforme au génie habituel du barde Connal:

«Alors, sur le penchant du Cromla, Connal adressa la parole à Cuchullin: «Fils de Semo, pourquoi cette sombre tristesse? Nos amis sont puissants dans les combats; et toi, guerrier, ta renommée est célèbre: nombreuses sont les morts que ta lance a données. Souvent Bragela, faisant éclater la joie dans ses beaux yeux bleus, alla au-devant de son héros lorsqu'il revenait victorieux et fumant de carnage au milieu des braves, et que ses ennemis étaient muets sous la tombe. Tes bardes charmaient ton oreille en chantant tes exploits.

«Mais vois le roi de Morven, il s'avance, et l'incendie, les torrents, les tempêtes sont l'image de sa force.—Heureux ton peuple! ô Fingal! ton bras combattra pour lui. Tu es le premier des héros dans la guerre; tu es le plus sage des rois dans la paix. Tu parles, et tes nombreux guerriers obéissent; ton acier retentit et les ennemis tremblent. Heureux est ton peuple, ô Fingal!

«Quel est ce guerrier si terrible et si impétueux dans sa course?

«Quel autre que le fils de Starno oserait venir à la rencontre du roi de Morven? Contemple le combat des deux chefs; tels combattent deux Esprits sur l'Océan et disputent à qui roulera ses flots. Le chasseur sur la colline entend le bruit de leurs efforts, et voit les vagues s'enfler et s'avancer vers les rivages d'Arven.» Ainsi parlait Connal, lorsque les deux héros se joignirent au milieu de leurs guerriers tombant de toutes parts. C'est là qu'on entendit le bruit du choc des armes et des coups redoublés. Terrible est le combat des deux rois, terribles sont leurs regards; leurs boucliers sont brisés et l'acier de leurs casques vole en éclats; ils jettent les tronçons de leurs armes, chacun d'eux s'élance pour saisir au corps son adversaire; leurs bras nerveux sont enlacés; ils s'embrassent, ils s'attirent, se balançant à droite et à gauche; dans leur lutte sanglante, leurs muscles se tendent et se déploient. Mais quand leur fureur, au comble, vint à développer toutes leurs forces, alors la colline ébranlée par leurs efforts trembla au haut de sa cime. Enfin la force de Swaran s'épuise, il tombe, et le roi de Loclin est enchaîné.

«Ainsi j'ai vu sur le Cona, Cona que ne voient plus mes yeux, ainsi j'ai vu deux collines arrachées de leurs bases par l'effort d'un torrent impétueux; leurs masses inclinées l'une vers l'autre se rapprochent; la cime de leurs arbres se touche dans les airs; bientôt toutes deux ensemble tombent et roulent avec leurs arbres et leurs rochers; le cours des fleuves est changé, et les ruines rougeâtres de leurs terres éboulées frappent au loin l'œil du voyageur.

«Enfants du roi de Morven, dit Fingal, gardez le roi de Loclin; car il a la force de mille flots irrités; son bras est instruit aux combats; il a toute la vigueur des anciens héros de sa race. Brave Gaul, et toi, Ossian, accompagnez le frère d'Agandecca, et rappelez la joie dans son âme attristée. Et vous, Oscar, Fillan et Ryno, poursuivez les débris de Loclin; et que jamais nul vaisseau ne revienne insulter nos mers.»

«Ils partent et volent comme l'éclair.

«Fingal les suit à pas lents et s'avance comme un nuage qui porte la foudre, lorsque les plaines brûlées par l'été sont dans le silence. Son épée étincelle devant lui: il rencontre un des chefs de Loclin, et lui adresse ces paroles: «Quel est celui que je vois appuyé contre le rocher? Il ne peut franchir le torrent: sa contenance annonce un héros; son bouclier est à ses côtés et sa lance s'élève comme un arbre du désert. Jeune inconnu, es-tu des ennemis de Fingal?

«—Je suis un enfant de Loclin! cria le guerrier, et mon bras n'est pas faible. Mon épouse est en pleurs dans ma demeure; mais Orla n'y rentrera jamais.

«—Veux-tu te rendre ou combattre? dit Fingal. Les ennemis ne triomphent point en ma présence, et mes amis sont célèbres dans mon palais. Étranger, suis-moi, et viens partager mes fêtes; viens poursuivre les daims de mes déserts.

«—Non, dit le héros; je secours le faible; je prêterai toujours ma force à celui qui succombe. Mon épée n'a pas encore trouvé son égale; que le roi de Morven me cède.

«—Jamais, Orla, jamais Fingal n'a cédé à un mortel. Tire ton épée et choisis ton ennemi parmi la foule de mes héros.

«—Et le roi refuse-t-il ce combat? dit Orla. Fingal est, de toute sa famille, le seul rival digne d'Orla... Mais, roi de Morven, si je succombe, puisqu'il faut que tout guerrier périsse un jour, élève ma tombe au milieu du Lena, et que ma tombe domine toutes les autres. Renvoie, au travers des mers, l'épée d'Orla à sa tendre épouse, afin que, les yeux trempés de larmes, elle puisse la montrer à son fils et allumer dans son cœur l'amour de la guerre.

«—Jeune infortuné, lui dit Fingal, pourquoi, par ces tristes discours, réveilles-tu ma douleur? Il vient un jour où il faut que les guerriers meurent, et que leurs jeunes enfants voient leurs armes oisives et suspendues aux murs de leurs demeures; mais tes vœux, Orla, seront remplis. J'élèverai ta tombe, et ta belle épouse pleurera sur ton épée.»

«Tous deux combattirent sur la plaine; mais le bras d'Orla était faible; l'épée de Fingal descend et tranche en deux son bouclier. Ses éclats volent et brillent sur la terre, comme la lune dans la nuit sur l'onde d'un ruisseau.

«—Roi de Morven, dit le héros, lève ton épée et me perce le sein. Blessé dans le combat, je suis resté ici faible et abandonné de mes amis; bientôt, ma triste aventure se répandra sur les rives du Loda et parviendra jusqu'à ma bien-aimée, lorsque, seule, elle erre dans les forêts.

«—Non, répondit le roi de Morven, jamais tu ne seras percé de ma main: je veux que ton épouse te revoie encore sur les bords du Loda, échappe des mains de la guerre; je veux que ton vieux père, que, peut-être, la vieillesse a déjà privé de la vue, entende du moins ta voix dans sa demeure... Il se lèvera plein de joie, et ses mains errantes chercheront son fils.

«—Il ne le trouvera jamais, Fingal; je mourrai dans les champs de Lena; des bardes étrangers parleront de moi; mon large baudrier cache une plaie mortelle! vois, je l'arrache de mon sein et le jette aux vents.»

«Son sang noir sort à gros bouillons de ses flancs. Il s'épuise, il pâlit, il tombe; et Fingal, attendri, se penche sur le héros expirant. Il appelle ses jeunes guerriers: «Oscar, Fillan, mes enfants, élevez la tombe d'Orla; il reposera sur cette plaine, loin du murmure agréable du Loda, loin de sa malheureuse épouse; un jour, les faibles guerriers verront l'arc suspendu dans sa demeure; ils essayeront, mais en vain, de le plier; ses dogues fidèles hurlent de douleur sur les collines; les bêtes sauvages, qu'il avait coutume de poursuivre, se réjouissent de sa mort: il est désarmé, le bras terrible des batailles; le premier des braves n'est plus!

«Élevez vos voix, embouchez le cor, enfants du roi de Morven; retournons vers Swaran, et passons la nuit dans les chants. Fillan, Oscar, Ryno, volez sur la plaine. Où donc es-tu, Ryno, jeune enfant de la gloire? Tu n'as pas coutume de répondre le dernier à la voix de ton père...

«—Ryno, dit Ullin, le premier des bardes, a rejoint les ombres de ses aïeux, les ombres de Trathal et de Trenmor. Le jeune Ryno n'est plus; son corps inanimé est étendu sur la plaine de Lena.

«—N'est-il donc déjà plus, s'écria le roi, celui de mes enfants qui était le plus léger à la course, le plus prompt à bander l'arc?... Ô mon fils! à peine ton père a-t-il eu le temps de te connaître. Ah! pourquoi faut-il que, si jeune, tu sois déjà tombé? Repose en paix sur Lena, Fingal te reverra bientôt. Bientôt ma voix cessera d'être entendue; bientôt on ne verra plus la trace de mes pas. Les bardes chanteront le nom de Fingal et les pierres parleront de sa gloire; mais toi, jeune Ryno, tu as péri, et les bardes n'ont point encore chanté ta renommée. Ullin, touche la harpe pour Ryno; dis quel héros il eût été. Adieu, toi qui étais toujours le premier sur le champ de bataille; ton père ne dirigera plus ton javelot: toi, le plus beau de mes enfants, mes yeux ne te voient plus, adieu.»

«Les larmes coulaient sur les joues de Fingal; il pleurait son fils, son fils si jeune et déjà si redoutable dans les combats!

«Quel est le guerrier dont cette tombe consacre la gloire? dit alors le généreux Fingal. Je vois quatre pierres revêtues de mousse marquer ici la sombre demeure de la mort. Que mon jeune Ryno dorme à côté de lui, qu'il repose auprès du brave. Peut-être gît ici quelque guerrier fameux qui accompagnera mon fils sur les nuages. Ô Ullin! chante et rappelle à notre mémoire les tristes habitants de la tombe. Si jamais ils n'ont fui le danger dans les champs de la valeur, mon fils, loin de ses amis, reposera près de ces héros.»

IX

Voilà les principales aventures du premier volume. Il continue avec les mêmes péripéties et sur le même ton, tantôt lyrique, tantôt épique, laissant dans l'âme la mélancolie de la gloire.

Le deuxième volume, quoique composé de plusieurs chants écrits par des bardes de l'école d'Ossian plus que par Ossian lui-même, n'est ni moins original, ni moins lugubre, ni moins beau. Parcourons-en encore les principaux passages.

LAMARTINE.

FIN DE L'ENTRETIEN CXLV.

CXLVIe ENTRETIEN

OSSIAN FILS DE FINGAL
(SUITE)
X

Le deuxième volume commence par un poëme en plusieurs chants, intitulé *Temora.* Ce poëme déroule toutes les notes lyriques ou pathétiques de ces épopées.

TEMORA

«Déjà les vagues azurées de la mer d'Ullin roulent à la clarté du jour. Les vertes collines sont revêtues de lumières, les arbres balancent leurs cimes touffues au souffle des zéphyrs, les torrents grisâtres versent leurs bruyantes ondes. Deux coteaux, chargés de chênes antiques, dominent une étroite vallée. Là coule un ruisseau tranquille. Sur ses bords était Caïrbar, souverain d'Atha, debout, appuyé sur sa lance, les yeux rouges, chargés de terreur et de tristesse. Du fond de son âme s'élève l'image de Cormac, couvert de ses horribles blessures; le pâle fantôme du jeune héros apparaît dans l'obscurité: le sang coule de ses flancs aériens. Trois fois Caïrbar jette sa lance sur la bruyère, trois fois il porte la main à sa barbe. Ses pas sont courts et pressés, souvent il s'arrête et agite ses bras nerveux. Telle une nue inconstante change de forme à chaque bouffée de vent, attriste les vallons et les menace tour à tour d'une inondation subite.

Enfin Caïrbar recueille son âme et saisit sa lance. Il tourne les yeux vers la plaine de Lena; il aperçoit les guerriers qu'il avait envoyés à la découverte sur les bords de l'Océan. La peur précipitait leurs pas; ils accouraient en regardant souvent derrière eux. Caïrbar comprit que l'ennemi s'avançait, et appela les chefs de son armée.

La terre retentit sous leurs pas; ils arrivent: tous à la fois tirent l'épée. Là paraissent Morlath, au visage sombre; Hidala, à la longue chevelure. Cormac s'appuie sur sa lance, roulant des yeux louches. Plus farouche est encore, sous deux épais sourcils, le regard de Malthos. Au milieu d'eux s'élève l'inébranlable Foldath. Sa lance est comme le sapin de Slimora qui lutte avec les vents: son bouclier porte la marque des combats, et son œil méprise le danger. Ces héros et mille autres avec eux environnaient Caïrbar. Quand l'espion de l'Océan, Morannal, arriva de la plaine de Lena, ses yeux égarés semblaient sortir de sa tête, ses lèvres étaient pâles et tremblantes.

«Eh quoi! dit-il, l'armée d'Erin est tranquille et silencieuse comme une forêt au déclin du jour, et Fingal est sur la côte! Fingal, ce roi de Morven, si terrible dans les combats!»

«As-tu vu ce guerrier, dit Caïrbar en soupirant; ses héros sont-ils en grand nombre? Lève-t-il la lance des combats, ou apporte-t-il la paix?»—«Il n'apporte pas la paix, ô Caïrbar, j'ai vu sa lance levée. Le sang de mille guerriers en rougit l'acier. Il a sauté le premier sur le rivage. La vieillesse n'a point affaibli sa vigueur. Ses membres nerveux se meuvent avec souplesse. Elle est à son côté, cette épée dont le premier coup est toujours suivi de la mort. Son bouclier terrible est tel que la lune sanglante au milieu de l'effrayante tempête. Suivent Ossian, le roi des chants, et Gaul, le premier des mortels.

Connal s'élance sur leurs traces en s'appuyant sur sa lance. Dermid laisse flotter son épaisse et noire chevelure. Le jeune chasseur du Moruth, Fillan, bande son arc. Mais quel est ce héros qui les devance? C'est Oscar, le fils d'Ossian. Son visage brille au milieu des touffes épaisses de ses cheveux qui tombent en longues boucles sur ses épaules. Ses noirs sourcils sont à moitié cachés sous l'acier de son casque; son épée pend librement à son côté. À chaque pas qu'il fait, les éclairs jaillissent de sa lance. Ô Caïrbar, j'ai fui ses regards terribles.»

Oscar, petit-fils de Fingal, tomba en trahison sous les coups du traître Caïrbar qui l'avait invité à sa fête.

Ossian accourt...

Nous trouvâmes Oscar appuyé sur son bouclier. Nous vîmes son sang autour de lui: tous nos guerriers restent muets, accablés de douleur: tous détournent la vue et pleurent. Fingal s'efforce en vain de cacher ses larmes: il se penche sur mon fils, et prononce ces paroles, vingt fois interrompues par ses soupirs:

«Oscar, tu péris au milieu de ta course! Le cœur d'un vieillard palpite sur toi. Il voit les combats que l'avenir lui promet. Ces combats sont retranchés de ta gloire. Quand la joie habitera-t-elle dans Selma? Quand la douleur sortira-t-elle de Morven? Mes enfants périssent l'un après l'autre. Fingal restera le dernier de sa race; la gloire que j'ai acquise passera. Ma vieillesse sera sans amis; assis dans mon palais solitaire, je ne te verrai point revenir triomphant, je n'entendrai point le bruit de tes armes. Pleurez, héros de Morven, Oscar ne se relèvera plus.»

Ils le pleurèrent, ô Fingal! ce héros était cher à leur cœur. Il allait combattre: l'ennemi disparaissait. La paix et la joie revenaient avec lui. Le père ne pleura point la perte de son jeune fils; le frère ne donna point des larmes à la mort de son frère chéri... Le chef du peuple n'était plus. À ses pieds Luath et Branno poussaient de tristes hurlements. Souvent Oscar poursuivit avec eux le chevreuil du désert.

Quand Oscar vit autour de lui ses amis en pleurs, sa poitrine se gonfla de soupirs. «Les gémissements de ces vieillards, nous dit-il, les cris de ces animaux fidèles, l'éclat soudain de ces chants de douleur ont attendri mon âme, cette âme jusqu'alors insensible comme l'acier de mon épée. Ossian, porte-moi sur mes collines; élève le monument de ma gloire. Place le bois d'un cerf et mon épée dons mon étroite demeure: le torrent emportera peut-être la terre qui la couvrira, le chasseur trouvera ce fer et dira: *Ce fut là l'épée d'Oscar.*

C'en est donc fait, ô mon fils! ô ma gloire! Oscar, je ne te verrai plus. On racontera aux autres pères les exploits de leurs enfants, et moi, je n'entendrai plus parler de mon Oscar. La mousse couvre les quatre pierres grisâtres de ta tombe: le vent gémit alentour... Nous combattrons sans toi; tu ne poursuivras plus les timides chevreuils... Quand un guerrier reviendra des guerres étrangères et dira: *J'ai vu près d'un torrent la tombe d'un chef, il tomba sous les coups d'Oscar, le premier des héros!* peut-être j'entendrai sa voix, peut-être alors un sentiment de joie renaîtra dans mon cœur.

XI

Ossian pleure Oscar. «Bientôt, dit-il, s'élève dans la nuit un murmure triste et confus semblable au bruit du lac Lego, quand ses eaux resserrées par la gelée rompent au printemps toutes leurs chaînes et que les glaçons résonnent au loin.

«Mais quel est celui qui vient de la vallée du Lubar, et sort des plis humides de la robe du matin! Les gouttes de rosée sont sur sa tête; sa démarche annonce la tristesse. C'est Carril, le chantre des temps passés. Il vient de la caverne silencieuse de Tura. Je l'aperçois sur le rocher, à travers les voiles légers du brouillard. Là, peut-être, l'ombre de Cuchullin s'assied sur la bouffée de vent qui courbe les arbres de la colline. Il se plaît à entendre l'hymne du matin chanté par le barde d'Erin.

«Les vagues se pressent et reculent épouvantées; elles entendent le bruit de ta marche, ô soleil! Fils du ciel, que ta beauté est terrible, quand la mort se cache dans ta chevelure enflammée, quand tu roules devant toi tes brûlantes vapeurs sur les armées! Mais que tes rayons sont agréables au chasseur assis près d'un rocher au milieu de la tempête, quand tu regardes au travers d'un nuage, et que tu luis sur ses cheveux humides! Joyeux, il abaisse ses regards sur le vallon, et voit descendre et bondir les chevreuils. Soleil, jusques à quand te lèveras-tu dans la guerre? jusques à quand rouleras-tu dans les cieux comme un bouclier sanglant? Je vois les ombres des héros errer autour de ton globe et l'obscurcir... Mais où s'égarent les paroles de Carril? Le fils du ciel sent-il la douleur? Toujours pur et brillant dans sa course, il se réjouit au milieu de ses rayons. Roule, astre insensible... Mais un jour peut-être tu tomberas aussi; un jour, malgré tes efforts, la robe noire t'enveloppera pour toujours au milieu du firmament.»

Ta voix, dis-je à Carril, plaît à l'âme d'Ossian, comme le bruit de l'ondée matinale quand elle tombe dans une vallée qui reçoit les premiers regards du soleil. Mais ce n'est pas ici le temps, ô barde, de s'asseoir pour disputer le prix du chant. Fingal est sous les armes. Au pied de cette colline, tu vois les flammes qui partent de son bouclier; tu vois l'air sombre et terrible dont il regarde les flots d'ennemis roulant dans la plaine.

Mais, ô Carril, n'aperçois-tu point cette tombe auprès du torrent? Trois pierres lèvent leurs têtes grisâtres au-dessous d'un chêne courbé par les vents: sous ces pierres repose un chef; ouvre à son âme le séjour des vents, ouvre-lui son palais aérien; c'est le frère de Cathmor: que tes chants montent vers son ombre et la comblent de joie!

XII

Malvina, veuve d'Oscar, fils d'Ossian, reste auprès de son beau-père; elle y gémit... Elle y chante parfois ses peines; voici un de ses poëmes; elle y réveille le génie engourdi d'Ossian.

CROMA

MALVINA.

Oui, c'était la voix de mon amant! Rarement son ombre vient me visiter dans mes songes. Ouvrez vos palais aériens, pères du puissant Toscar. Ouvrez leurs portes de nuages, Malvina est prête à vous rejoindre. Une voix me l'a annoncé dans mon sommeil; et je sens que mon âme est près de prendre son vol. Ô vents, pourquoi avez-vous quitté les flots du lac? Vos ailes ont agité la cime de ces arbres, et le bruit a fait évanouir la vision. Mais Malvina a vu son amant; sa robe aérienne flottait sur les vents: ce rayon de soleil en dorait les franges: elles brillaient comme l'or de l'étranger. Oui, c'était la voix de mon amant: rarement son ombre vient me visiter dans mes songes!

Fils d'Ossian, cher Oscar, tu vis dans le cœur de Malvina: mes soupirs se lèvent avec l'aurore, et mes larmes descendent avec la rosée de la nuit. Cher amant, je fleurissais en ta présence comme un jeune arbrisseau; mais la mort, comme un vent brûlant, est venu flétrir ma jeunesse. Ma tête s'est penchée; le printemps est revenu avec ses rosées bienfaisantes et ne m'a point fait refleurir. Mes jeunes compagnes me voyaient dans un morne silence au milieu de ma demeure; elles touchaient la harpe pour rappeler la joie dans mon âme; mais les larmes coulaient toujours sur les joues de Malvina: elles voyaient ma tristesse profonde, et elles me disaient: «Pourquoi es-tu si obstinée dans ta douleur, toi la première des belles de Lutha? Ton amant était donc à tes yeux aimable et beau comme le premier rayon du matin?»

OSSIAN.

Ô ma fille, ta voix charme mon oreille: tu as sans doute entendu dans tes songes les chants des bardes décédés, lorsque le sommeil descendait sur tes yeux au doux murmure du Morut: tu as entendu leurs concerts dans un beau jour au retour de la chasse, et tu répètes leurs chants mélodieux. Tes accents, ô Malvina, sont doux, mais ils attristent l'âme: il est un charme dans la tristesse, lorsqu'elle est douce, et que le cœur est en paix; mais le chagrin, ô Malvina, consume l'homme, et ses jours s'écoulent bientôt dans les larmes: il tombe comme la fleur que la nuit a couverte de rosée, et que le soleil du midi vient brûler de ses rayons. Ma fille, prête l'oreille aux chants d'Ossian; il se rappelle les jours heureux de sa jeunesse.

Fingal m'ordonna de déployer mes voiles. J'obéis: j'arrive et j'entre dans la baie de Croma, dans le riant pays d'Inisfail. On voit s'élever sur la côte les tours antiques du palais de Crothar. Ce héros combattit avec gloire dans sa jeunesse; mais alors les années accablaient ce guerrier. Rothmar l'assiégeait dans son palais. Fingal, brûlant de rage, envoya son fils Ossian secourir le compagnon de sa jeunesse et combattre Rothmar. Je députe un barde, qui me devance: j'arrive ensuite au palais de Crothar. Je trouve le vieillard assis au milieu des armes de ses pères. Ses yeux ne voyaient plus; ses cheveux blancs volaient autour du bâton sur lequel il appuyait son corps chancelant. Il murmurait tout bas les chants des siècles passés: le bruit de nos armes frappa son oreille; il se lève avec effort, étend sa main tremblante, me touche et bénit le fils de Fingal. «Ossian, me dit-il, mes forces sont évanouies. Que ne puis-je lever cette épée, comme le jour où je combattais près de ton père à Strutha? Ton père était le premier des mortels; mais Crothar n'était pas non plus sans gloire. Le roi de Morven loua mon courage et plaça sur mon bras le bouclier de Calthar, qu'il avait tué dans la guerre. Ne le vois-tu pas suspendu à cette voûte? Hélas! mes yeux ne peuvent plus le voir. Ossian, as-tu la force de ton père? Laisse-moi toucher ton bras.» J'obéis à son désir; ses mains tremblantes touchèrent mon bras: il soupire; il pleure: «Mon fils, me dit-il, tu es robuste; mais non pas autant que le roi de Morven; mais qui est semblable à ce héros? Qu'on prépare ma fête; que nos bardes chantent. Amis, c'est un héros que vous voyez aujourd'hui dans mon palais.»

On prépare la fête. Les harpes résonnent. La joie règne dans les palais; mais cette joie bruyante ne fait que couvrir la douleur qui habite au fond des cœurs. C'est le faible et pâle rayon de la lune qui effleure un nuage épais sans le pénétrer. Les chants cessent. Le roi de Croma élève la voix: il me parle sans verser une larme; mais ses sanglots interrompent cent fois ses paroles. «Fils de Fingal, ne remarques-tu pas la tristesse qui règne dans mon palais? Je n'étais pas triste dans mes fêtes, quand mes guerriers vivaient.»

XIII

Le dernier des chants originaux d'Ossian est celui intitulé *Berrathon*, et on le nomme, en Écosse, le Dernier Hymne d'Ossian. Fingal, dans son voyage de Loclin, où il avait été appelé par Sarno, père d'Agandecca, relâcha à Berrathon, petite île de la Scandinavie. Il fut reçu magnifiquement par Larmor, roi de cette île, et vassal du souverain de Loclin. Fingal lui jura dès lors une amitié éternelle, et lui en donna bientôt une preuve éclatante. Larmor fut détrôné et mis en prison par Uthal, son propre fils. Fingal envoya aussitôt Ossian et Toscar, père de Malvina, pour briser les fers de Larmor, et punir la conduite dénaturée d'Uthal. Uthal était d'une beauté rare et qui était passée en proverbe: aussi fut-il chéri des femmes. La belle Nina Thoma, fille de Tor-Thoma, prince voisin de Berrathon, en devint éprise, et s'enfuit avec lui. Il la quitta bientôt pour une autre: il eut même la cruauté de conduire Nina dans une île déserte, dans le dessein de l'y abandonner. Elle fut délivrée par Ossian, qui arriva à Berrathon avec Toscar, défit l'armée d'Uthal et le tua de sa main. Nina, dont l'amour n'était pas éteint par la perfidie de son amant, mourut de douleur en apprenant sa mort. Ossian et Toscar rétablirent Larmor sur le trône de Berrathon, et retournèrent triomphants vers Fingal.

BERRATHON

Ô torrent! roule tes flots azurés autour de l'étroite vallée de Lutha; forêts des montagnes, penchez-vous pour l'ombrager, quand, à midi, le soleil y darde tous ses feux. On y voit le chardon solitaire, dont la chevelure grisâtre est le jouet des vents. La fleur incline sa tête au souffle du zéphyr, et semble lui dire: «Zéphyr importun, laisse-moi reposer, laisse-moi rafraîchir ma tête dans la rosée du ciel, dont la nuit m'a couverte. L'instant qui doit me flétrir est proche, et le vent jonchera bientôt la terre de mes feuilles desséchées. Demain, le chasseur, qui m'a vue dans toute ma beauté, reviendra: ses yeux me chercheront dans la prairie que j'embellissais: ses yeux ne m'y trouveront plus.» Ainsi l'on viendra dans ces lieux prêter en vain l'oreille pour entendre la voix d'Ossian; elle sera éteinte. Le chasseur, au lever de l'aurore, s'approchera de ma demeure; il n'y entendra plus les sons de ma harpe. «*Où est le fils de l'illustre Fingal?*» Les larmes couleront sur ses joues.

Viens donc, ô Malvina, viens, en chantant, me conduire dans la riante vallée de Lutha; élèves-y mon tombeau. Malvina, où es-tu? Je n'entends point ta voix chérie, je n'entends point tes pas légers. Approche, fils d'Alpin, dis: où est la fille de Toscar?

LE FILS D'ALPIN.

Ossian, j'ai passé près des murs antiques de Tar-Lutha. La fumée ne s'élevait plus de la salle des fêtes: les cris de la chasse avaient cessé; un morne silence régnait dans les bois de la colline. J'ai vu les filles de Lutha qui revenaient un arc à la main. Je leur ai demandé où était Malvina: elles ont tourné la tête sans me répondre, et leur beauté paraissait couverte d'un voile de tristesse: telles dans la nuit s'obscurcissent les étoiles, lorsque leur lumière s'étend dans un humide brouillard.

OSSIAN.

Repose en paix, fille du généreux Toscar. Astre charmant, tu n'as pas brillé longtemps sur nos montagnes. Belle et majestueuse, au moment où tu as disparu, tu ressemblais à la lune quand elle réfléchit son image tremblante sur les flots; mais tu nous a laissés dans une affreuse obscurité. Nous sommes assis près du rocher, au milieu d'un vaste silence, et sans autre lumière que celles des météores. Astre charmant, tu as bientôt disparu!

Mais, semblable au point brillant qui part de l'orient, tu t'élèves dans les airs; tu vas rejoindre les ombres de tes aïeux, tu vas t'asseoir avec eux dans le palais du tonnerre. Un nuage domine la montagne de Cona; ses flancs azurés touchent au firmament; il s'élève au-dessus de la région où soufflent les vents: c'est là qu'est la demeure de Fingal. Le héros est assis sur un trône de vapeurs, sa lance aérienne est dans sa main. Son bouclier, à demi couvert de nuages, ressemble à la lune, quand la moitié de son globe est encore plongée dans l'onde et que l'autre luit faiblement sur la campagne. Les amis de Fingal sont assis autour de lui sur des siéges de brouillard; ils écoutent les chants d'Ullin. Le barde touche sa harpe fantastique, et élève sa faible voix. Les héros, moins distingués, éclairent de mille météores le palais aérien. Au milieu d'eux, Malvina s'avance en rougissant: elle contemple les visages inconnus de ses ancêtres, et détourne ses yeux humides de pleurs.

«Pourquoi, lui dit Fingal, pourquoi viens-tu sitôt parmi nous, fille du généreux Toscar? Quel deuil dans le palais de Lutha! quelle douleur pour la vieillesse de mon fils! J'entends le zéphyr de Cona, qui se plaisait à soulever ton épaisse chevelure. Il vole à ton palais, tu n'y es plus; il gémit entre les armes de tes aïeux. Étends tes ailes frémissantes, ô zéphyr, va soupirer sur le tombeau de Malvina. Il s'élève au pied de ce rocher, sur les bords du torrent bleuâtre de Lutha. Les jeunes filles qui chantaient alentour se sont retirées. Toi seul, ô zéphyr, y fais entendre tes pleurs.

Mais qui part du sombre occident, porté sur un nuage? Un sourire semble animer les traits obscurs de son visage: sa chevelure de brouillard flotte sur les vents, il se penche sur sa lance aérienne. Ô Malvina! c'est ton père: «Pourquoi, dit-il, pourquoi brilles-tu sitôt sur nos nuages, astre charmant de Lutha? Mais tu es triste, ô ma fille: tu as vu disparaître tous tes amis. Une race dégénérée nous remplace dans nos palais, et de tous ces héros il ne reste plus qu'Ossian.

Fingal commande, je déploie mes voiles, et Toscar, chef de Lutha, traversa avec moi les plaines de l'Océan. Nous dirigeâmes notre course vers l'île de Berrathon. La mer qui l'environne est sans cesse agitée par la tempête: c'est là qu'habitait le généreux Larmor, courbé sous le poids des années; il avait donné des fêtes à Fingal, quand ce héros vint au palais de Starno disputer le cœur d'Agandecca. Uthal, si fier de sa beauté, l'amour de toutes les belles, Uthal, fils de Larmor, voyant son père accablé de vieillesse, le chargea de chaînes et usurpa son palais.

Le vieillard languit longtemps dans une caverne, sur le rivage de ses mers. Le jour naissant ne pénétrait point dans cette sombre demeure. Un chêne embrasé ne l'éclairait point pendant la nuit: on y entendait les mugissements des vents de l'Océan: l'antre obscur ne recevait que les derniers rayons de la lune à l'horizon, et Larmor voyait luire l'étoile rougeâtre au moment où elle tremble en se plongeant dans les flots de l'occident.

Snitho, le compagnon de la jeunesse de Larmor, vint au palais de Fingal, il lui raconta les malheurs du roi de Berrathon. Fingal s'en indigna: trois fois il porta la main à sa lance, résolu d'étendre son bras vengeur sur le perfide Uthal: mais le souvenir de ses exploits se réveille dans son âme et l'arrête: il ordonne à son fils et à Toscar de partir. Nous étions transportés de joie en traversant les flots: nos mains impatientes se portaient sans cesse à nos épées à demi tirées, car jamais encore nous n'avions combattu seuls. La nuit descendit sur l'Océan, les vents se taisaient, la lune pâle et froide roulait dans les cieux, les étoiles levaient leurs têtes étincelantes. Nous voguâmes quelque temps le long de la côte de Berrathon; les vagues blanchissantes se brisaient contre les rochers.

«Quelle est, me dit Toscar, cette voix qui se mêle au bruit des flots; elle est douce, mais triste? Est-ce la voix de l'ombre d'un barde? Mais j'aperçois une fille seule, assise sur un rocher, sa tête penchée sur son bras de neige, les cheveux épars et flottants. Écoutons, fils de Fingal, écoutons ses chants; ils sont agréables comme le gazouillement du ruisseau de Lavath.»

Nous approchâmes à la faveur de la clarté silencieuse de la lune, et nous entendîmes cette complainte:

«Jusques à quand roulerez-vous autour de moi, sombres vagues de l'Océan? Ma demeure n'a pas toujours été dans un antre profond, au pied d'un chêne gémissant: il fut un temps où je m'asseyais aux fêtes du palais de Tor-Thoma; mon père se plaisait à entendre ma voix: les jeunes guerriers suivaient des yeux ma démarche gracieuse et bénissaient la belle Nina. Tu vins alors, mon cher Uthal; tu me parus beau comme le soleil: les cœurs de toutes les jeunes filles sont à toi, fils du généreux Larmor; mais pourquoi me laisses-tu seule au milieu des flots? Mon âme a-t-elle médité ta mort? Ma faible main a-t-elle levé le fer contre toi? Mon cher Uthal, pourquoi m'abandonnes-tu?»

Je ne pus entendre les plaintes de cette infortunée sans répandre des pleurs: je me présentai devant elle, couvert de mes armes, et je lui dis avec douceur: «Aimable habitante de cette caverne, pourquoi soupires-tu? Veux-tu qu'Ossian lève l'épée pour ta défense? Veux-tu qu'il détruise tes ennemis. Fille de Tor-Thoma, lève-toi, j'ai entendu tes plaintes touchantes. Les enfants de Morven t'environnent: toujours ils protégèrent le faible: viens dans notre vaisseau, fille plus belle que cette lune qui brille à son couchant; viens, nous dirigeons notre course vers les rochers de Berrathon, vers les murs retentissants de Finthormo.»

Elle nous suivit: sa démarche développait toutes ses grâces. La joie reparut sur son beau visage; ainsi quand, au printemps, les ombres qui couvraient la campagne sont dissipées, les torrents azurés brillent dans leurs cours, et l'épine verdoyante se penche sur leurs ondes.

Le jour renaît, nous entrons dans la baie de Rothma. Un sanglier s'élance de la forêt, ma lance lui perce le flanc. Je me réjouis en voyant couler son sang, et je prévis l'accroissement de ma gloire. Mais déjà la colline de Finthormo retentit sous les pas des guerriers d'Uthal; ils se répandent dans la plaine et poursuivent les sangliers. Uthal s'avance à pas lents, fier de sa force et de sa beauté. Il lève deux lances affilées. Sa terrible épée pend à son côté. Trois jeunes guerriers portent ses arcs polis: cinq dogues légers bondissent devant lui. Ses guerriers le suivent à quelque distance, et admirent sa démarche altière. Rien n'égalait ta beauté, fils de Larmor; mais ton âme était sombre comme la face obscure de la lune quand elle annonce la tempête.

Uthal nous aperçoit sur le rivage, il s'arrête; ses guerriers se rassemblent autour de lui. Un barde en cheveux blancs s'avance vers nous. «D'où sont ces étrangers? dit-il. Ils sont nés dans un jour malheureux, ceux qui viennent à Berrathon braver la force d'Uthal: il ne prépare point des fêtes dans son palais pour recevoir les étrangers; mais leur sang rougit les ondes de ses torrents. Si vous venez de Selma, du palais antique de Fingal, choisissez trois de vos jeunes guerriers pour aller lui porter des nouvelles de l'entière destruction de son peuple. Peut-être il viendra lui-même; son sang coulera sur l'épée d'Uthal, et la gloire de Finthormo s'élèvera comme un jeune arbre, l'honneur du vallon.»

«Non, jamais, répliquai-je en courroux. Ton roi fuira devant Fingal. Les yeux du roi de Morven lancent les foudres de la mort; il s'avance et les rois ne sont plus. Le souffle de sa rage les fait rouler au loin comme des pelotons de brouillards. Tu veux que trois de nos jeunes guerriers aillent annoncer à

Fingal que son peuple a péri, ils iront peut-être; mais du moins ils lui diront que son peuple a péri avec gloire.»

J'attendis l'ennemi de pied ferme. Près de moi Toscar tire son épée: l'ennemi vient comme un torrent; les cris confus de la mort s'élèvent; le guerrier saisit le guerrier; le bouclier choque le bouclier; l'acier mêle ses éclairs aux éclairs de l'acier; les dards sifflent dans l'air; les lances résonnent sur les cottes d'armes, et les épées rebondissent sur les boucliers rompus. Tel au souffle impétueux des vents gémit un bois antique, quand mille ombres irritées rompent ses arbres au milieu de la nuit.

Uthal tombe sous mon épée, et les enfants de Berrathon prennent la fuite; à l'aspect de sa beauté, je ne pus retenir mes larmes. «Tu es tombé, m'écriai-je, ô jeune arbre, et ta beauté est flétrie. Tu es tombé dans tes plaines, et la campagne est triste et dépouillée. Les vents du désert soufflent; mais l'on n'entend plus frémir ton feuillage. Fils du généreux Larmor, tu es beau, même dans les bras de la mort.»

Nina, assise sur le rivage, écoutait le bruit du combat. Lethmal, vieux barde de Selma, était resté près d'elle: «Vénérable vieillard, lui dit-elle en tournant sur lui ses yeux humides de larmes, j'entends le rugissement de la mort. Tes amis ont attaqué Uthal, et mon héros n'est plus. Ah! que ne suis-je restée sur mon rocher, au milieu des vagues de l'Océan: mon âme serait accablée de douleur; mais le bruit de sa mort n'aurait pas frappé mon oreille. Es-tu tombé dans tes plaines, aimable souverain de Finthormo? Tu m'avais abandonnée sur un rocher; mais mon âme était toujours pleine de ton image. Uthal, es-tu tombé dans tes plaines?»

Elle se lève, pâle et baignée de larmes; elle voit le bouclier d'Uthal couvert de sang, elle le voit dans les mains d'Ossian; elle vole éperdue sur la plaine; elle vole, elle trouve son amant; elle tombe: son âme s'exhale dans un soupir; ses cheveux couvrent le visage de son amant. Je versai un torrent de larmes; j'élevai un tombeau à ce couple malheureux, et je chantai:

«Reposez en paix, jeunes infortunés, reposez au murmure de ce torrent. Les jeunes filles, en allant à la chasse, verront votre tombeau et détourneront leurs yeux. Vos noms vivront dans les chants des bardes; ils toucheront à votre gloire leurs harpes harmonieuses: les filles de Selma les entendront, et votre renommée s'étendra dans les contrées lointaines. Dormez en paix, jeunes infortunés, dormez au murmure de ce torrent.»

Nous restâmes deux jours sur la côte. Les héros de Berrathon s'y rassemblèrent. Nous conduisîmes Larmor à son palais: on y prépara la fête. Le vieillard faisait éclater sa joie. Il ne se lassait point de regarder les armes de ses aïeux, ces armes antiques qu'il avait laissées dans son palais, quand il en fut arraché par l'ambitieux Uthal. Nos louanges furent chantées en présence de Larmor: il bénit lui-même les héros de Morven: il ignorait que le superbe Uthal, son fils, avait péri dans le combat: on lui dit qu'il s'était enfoncé dans l'épaisseur de la forêt pour cacher sa douleur et ses larmes; mais, hélas! il était muet sous la tombe, au milieu de la bruyère de Rothma.

Le quatrième jour nous déployâmes nos voiles au souffle favorable du nord.

. . . .

«Tels étaient mes exploits, fils d'Alpin, quand mon bras avait la vigueur de la jeunesse. Telles étaient les grandes actions de Toscar; mais Toscar est maintenant sur le nuage qui vole dans les airs, et je suis resté seul à Lutha. Ma voix est comme le bruit mourant des vents quand ils abandonnent les forêts; mais Ossian ne sera pas longtemps seul: il voit la vapeur qui doit recevoir son ombre, il voit le brouillard qui doit former sa robe quand il apparaîtra sur ces collines. Nos faibles descendants me verront et admireront la haute stature des héros du temps passé, ils se cacheront dans leurs grottes et ne regarderont le ciel qu'en tremblant, car je marcherai dans les nuages et les orages rouleront autour de moi.»

«Conduis, fils d'Alpin, conduis le vieillard dans les bois. Les vents se lèvent, les sombres flots du lac frémissent. Ne vois-tu pas un arbre dépouillé de ses feuilles se pencher sur la colline de Mora? Oui, fils d'Alpin, il se penche au souffle des vents bruyants. Ma harpe est suspendue à une branche desséchée: ses cordes rendent un son lugubre. Est-ce le vent, ô ma harpe, ou quelque ombre qui te touche en passant? C'est sans doute l'amant de Malvina... Mais apporte-moi ma harpe, fils d'Alpin. Je veux chanter encore. Je veux que ces doux accords accompagnent le départ de mon âme. Mes aïeux les entendront dans leurs palais aériens. La joie brillera sur leurs faces obscures; ils se pencheront sur le bord de leurs nuages, ils étendront les bras pour recevoir leur fils.»

Un chêne antique et revêtu de mousse se penche et gémit sur le torrent. La fougère flétrie gémit auprès, et ses longues feuilles ondoyantes se mêlent aux cheveux blancs d'Ossian. Essaye ta harpe, Ossian, et commence tes chants; approchez, ô vents, et déployez toutes vos ailes; portez mes tristes accents jusqu'au palais aérien de Fingal, qu'il puisse entendre encore la voix de son fils, la voix du chantre des héros. Le vent du nord ouvre tes portes, ô Fingal; je te vois assis sur les vapeurs au milieu du faible éclat de tes armes. Tu n'es plus la terreur des braves. Ta substance n'est qu'un nuage pluvieux, dont le voile transparent nous laisse voir les yeux humides des étoiles. Ton bouclier est comme la lune à son déclin; ton épée est une vapeur à demi enflammée... Qu'il paraît sombre et faible, ce héros qui, jadis, marchait si brillant et si fort!

Mais tu te promènes sur les vents du désert, et tu tiens les noires tempêtes dans ta main. Dans ta colère, tu saisis le soleil et tu le caches dans tes nuages. Les enfants des lâches tremblent, et mille torrents tombent du ciel.

Mais quand tu t'avances calme et paisible, le zéphyr du matin accompagne tes pas. Le soleil sourit dans ses plaines azurées; le ruisseau, plus brillant, serpente dans son vallon; les arbrisseaux balancent leurs têtes fleuries et le chevreuil bondit gaiement vers la forêt. Un bruit sourd s'élève dans la bruyère, les vents orageux se taisent. J'entends la voix de Fingal, cette voix qui depuis si longtemps n'a frappé mon oreille: «Viens, me dit-il, viens, Ossian; il ne manque rien à la renommée de Fingal. Nous avons brillé un moment comme des flammes passagères, mais nous avons quitté la vie comblés de gloire. Quoiqu'un éternel silence règne dans les plaines où nous avons vaincu, notre renommée vit dans nos tombeaux; la voix d'Ossian s'est fait entendre, et sa harpe a fait retentir les voûtes de Selma. Viens, Ossian, viens.....» À ces mots, Fingal s'envole avec ses aïeux au milieu des nuages.

Oui, je vais te rejoindre, ô roi des héros! la vie d'Ossian touche à son terme. Je sens que bientôt je vais disparaître; bientôt on ne verra plus la trace de mes pas dans Selma. Je vais m'endormir près du rocher de Mora, et les vents sifflants dans mes cheveux blancs ne m'éveilleront plus. Ô vents, que vos ailes légères vous emportent loin de ces lieux, vous ne pouvez plus troubler le repos du barde, ses yeux s'appesantissent. La nuit sera longue..... Retirez-vous, vents impétueux!

Mais, fils de Fingal, pourquoi cette tristesse, pourquoi ce nuage sur ton âme? Les héros des temps anciens ne sont plus et leur renommée a péri avec eux. Les enfants des siècles à venir passeront une race nouvelle les remplacera: les hommes se succèdent comme les flots de l'Océan ou comme les feuilles des bois de Morven. Desséchées, elles volent au souffle des vents; mais bientôt on voit reverdir un feuillage nouveau. Ta beauté, ô Ryno[14], a-t-elle été durable? Ta force, mon cher Oscar, a-t-elle résisté au temps? Fingal lui-même n'a-t-il pas succombé, et les salles de ses aïeux n'ont-elles pas oublié l'empreinte de ses pas? Et toi, barde décrépit, tu resterais sur cette terre d'où les héros ont disparu! Non, mais ma gloire restera; elle y croîtra comme le chêne de Morven, qui oppose sa large tête à l'orage et se rit des efforts des vents.

XIV

Voici un fragment retrouvé d'une élégie d'Ossian lui-même, très-célèbre dans les montagnes d'Écosse:

MINVANE

Minvane, triste, le visage enflammé, se penchait du haut du rocher de Morven sur la vaste étendue des mers. Elle vit nos jeunes guerriers s'avancer, couverts de leurs armes brillantes: «*Où es-tu, Ryno? où es-tu?*»

Nos regards, tristes et baissés, lui disaient que Ryno n'était plus, que l'ombre de son amant s'était envolée dans les nuages, qu'on entendait sa faible voix murmurer avec le zéphyr dans le gazon des collines.

«Quoi! le fils de Fingal est tombé dans les vertes plaines d'Ullin! Le bras qui l'a terrassé était donc bien puissant! Et moi, hélas! je reste seule. Non, je ne resterai pas seule, ô vents qui soulevez ma noire chevelure, je ne mêlerai pas longtemps mes soupirs à vos sifflements. Il faut que je dorme à côté de mon cher Ryno. Cher amant, je ne te vois plus revenir de la chasse avec les grâces de la jeunesse. L'ombre de la nuit environne l'amant de Minvane, et le silence habile avec Ryno!

Où sont tes dogues fidèles? Où est ton arc? ton épée semblable au feu du ciel? ta lance toujours ensanglantée?

Hélas! j'aperçois tes armes entassées dans ton vaisseau. Je les vois couvertes de sang: on ne les a donc pas placées près de toi dans ta sombre demeure, ô mon cher Ryno! Quand la voix de l'aurore viendra-t-elle te dire: «*Lève-toi, jeune guerrier! les chasseurs sont déjà dans la plaine; le cerf est près de ta demeure?*» Retire-toi, belle aurore, retire-toi, Ryno dort: il n'entend plus ta voix; les cerfs bondissent sur sa tombe. La mort environne le jeune Ryno; mais je marcherai sans bruit, ô mon héros! et je me glisserai doucement dans le lit où tu reposes. Minvane se couchera en silence à côté de son cher Ryno. Mes jeunes compagnes me chercheront, mais elles ne me trouveront point: elles suivront, en chantant, la trace de mes pas; mais je n'entendrai plus vos chants, ô mes compagnes! je m'endors auprès de Ryno.»

Ce poëme finit par une magnifique apostrophe au soleil, que Césarotti et Lormian ont imitée.

CARTHON

Événements des siècles passés, actions des héros qui ne sont plus, revivez dans mes chants! Le murmure de tes ruisseaux, ô Lora, rappelle la mémoire du passé. Le frémissement de tes forêts, ô Germallat, plaît à mon oreille. Malvina, ne vois-tu pas ce rocher couronné de bruyère? Trois vieux pins pendent de son front sourcilleux; à son pied s'étend une vallée verdoyante. Là brille la fleur de la montagne: elle balance sa tête au souffle des zéphyrs; là croît le chardon solitaire dont la chevelure blanchie est le jouet des vents. Deux pierres à moitié cachées dans la terre montrent leurs têtes couvertes de mousse: le chevreuil de la montagne s'enfuit à l'aspect du fantôme qui garde ce lieu sacré. Deux guerriers fameux, ô Malvina, reposent dans cette vallée...

Revivez dans mes chants, événements des siècles passés, actions des héros qui ne sont plus!

Quel est celui qui revient de la terre des étrangers, entouré de ses mille guerriers? L'étendard de Morven, déployé dans les airs, marche devant lui: son épaisse chevelure semble lutter avec les traits farouches de la guerre. Il paraît calme comme le rayon du soir qui luit au travers des nuages sur la paisible vallée de Cona. Quel autre serait-ce que le fils de Comhal, que Fingal, ce roi fameux par ses exploits? Il revoit avec joie ses collines: il ordonne à ses bardes de chanter, et mille voix s'élèvent à la fois:

«Habitants des pays lointains, vous avez fui sur vos plaines! Le roi du monde, assis dans son palais, apprend la défaite de ses guerriers: il lance des regards indignés, et saisit l'épée de son père. Enfants des pays lointains, vous avez fui!»

Ainsi chantaient les bardes, quand ils arrivèrent au palais de Selma. On alluma mille flambeaux que Fingal avait conquis sur l'étranger. La fête fut préparée et la nuit se passa dans la joie. «Où est Clessamor, dit Fingal, où est le compagnon fidèle de mon père, où est-il au jour de ma fête? Triste et solitaire, il passe sa vie dans la vallée de Lora; mais je l'aperçois: il s'élance de la colline comme le coursier vigoureux qui, averti par les vents, sent de loin ses compagnons dans la plaine, et secoue dans les airs sa brillante crinière. Salut à Clessamor: pourquoi a-t-il été si longtemps absent de Selma?»

«Fingal revient donc triomphant? répondit Clessamor. Tel revenait Comhal des combats de sa jeunesse. Nous avons souvent traversé le torrent de Carun pour fondre sur les étrangers, nos épées revenaient teintes de leur sang, et les rois du monde ne se réjouissaient pas.

«Mais pourquoi rappeler les combats de ma jeunesse? L'âge a mêlé des cheveux blancs à ma noire chevelure. Ma main oublie à bander l'arc, et je ne lève que des lances légères.

«Ah! quand ressentirai-je la joie que j'éprouvai à la première vue de l'aimable fille des étrangers, de la belle Moïna?»

«Raconte-nous, lui dit Fingal, les aventures de ta jeunesse; la tristesse, comme un nuage sur le soleil, obscurcit l'âme de Clessamor: seul, sur les bords du Lora, tu ne roules que de sombres pensées. Dis-nous quels chagrins ont flétri jadis tes beaux jours.»

«Ce fut pendant la paix que j'arrivai à Balclutha. Les vents rugissaient dans mes voiles, et les ondes de Clutha reçurent mon vaisseau poussé par la tempête. Je restai trois jours dans le palais de Reuthamir. Mes yeux contemplèrent la beauté de sa fille. On remplit à la ronde la coupe de la paix, et le héros en cheveux blancs me donna la belle Moïna. Sa gorge était comme l'écume des vagues; ses yeux comme les étoiles de la nuit: l'aile du corbeau est moins noire que ses cheveux; son âme était généreuse et tendre: mon amour pour Moïna fut extrême, et mon cœur nageait dans le plaisir.

Un chef étranger, épris aussi de la belle Moïna, arrive au palais de Reuthamir. Sans cesse il tenait des discours insolents. Souvent il tirait à moitié son épée. «Où est le puissant Comhal, disait-il, ce guerrier qui ne se repose jamais? Sans doute, il vient à Balclutha, à la tête de son armée, puisque Clessamor est si hardi.»

«Apprends, lui dis-je, que mon âme brûle de son propre feu; que je reste intrépide entouré de milliers d'ennemis, quoique les braves soient absents. Étranger, tu parles avec audace à Clessamor, parce qu'il est seul; mais mon épée frémit à mon côté, impatiente de briller dans ma main. Ne parle plus de Comhal, enfant de Clutha!

Son orgueil s'indigna. Nous combattîmes: il tomba sous mes coups.

Ô toi, qui roules au-dessus de nos têtes, rond comme le bouclier de mes pères, d'où partent tes rayons, ô soleil! D'où vient ta lumière éternelle? Tu t'avances dans ta beauté majestueuse. Les étoiles se cachent dans le firmament. La lune pâle et froide se plonge dans les ondes de l'occident. Tu te meus seul, ô soleil: qui pourrait être le compagnon de ta course? Les chênes des montagnes tombent: les montagnes elles-mêmes sont détruites par les années; l'Océan s'élève et s'abaisse tour à tour: la lune se perd dans les cieux: toi seul es toujours le même. Tu te réjouis sans cesse dans ta carrière éclatante. Lorsque le monde est obscurci par les orages, lorsque le tonnerre roule et que l'éclair vole, tu sors de la nue dans toute ta beauté, et tu te ris de la tempête.

Hélas! tu brilles en vain pour Ossian. Il ne voit plus tes rayons, soit que ta chevelure dorée flotte sur les nuages de l'orient, soit que ta lumière tremble aux portes de l'occident. Mais tu n'as peut-être, comme moi, qu'une saison, et tes années auront un terme: peut-être tu t'endormiras un jour dans le sein des nuages, et tu seras insensible à la voix du matin.

Réjouis-toi donc, ô soleil, dans la force de ta jeunesse. La vieillesse est triste et fâcheuse: elle ressemble à la pâle lumière de la lune, qui se montre au travers des nuées déchirées par le vent du nord, lorsqu'il est déchaîné dans la plaine, que le brouillard enveloppe la colline, et que le voyageur tremble au milieu de sa course.

XV

Le chant de Trathal est remarquable par le touchant épisode de la mort de douleur de son épouse Sulandona.

L'épouse de Trathal était restée dans sa demeure. Deux enfants aimables élevaient au-dessus de ses genoux leurs têtes ombragées de boucles ondoyantes. Ils se penchent sur sa harpe pendant que ses blanches mains touchent les cordes tremblantes. Elle s'arrête; ils prennent eux-mêmes la harpe, mais ils ne peuvent trouver le son qu'ils admiraient. «Pourquoi, disent-ils, ne nous répond-elle pas? Montre-nous la corde où le chant réside.» Elle leur dit de la chercher jusqu'à ce qu'elle soit de retour, et leurs doigts délicats errent parmi les fils de métal.

Sulandona regarde si son bien-aimé paraît; l'heure de son retour est passée. «Trathal, de quels ruisseaux parcoures-tu les rives? dans quelles forêts tes pas se sont ils égarés? Puissé-je, de cette hauteur, contempler ta stature majestueuse! puissé-je voir le sourire égayer tes joues vermeilles! Entre les boucles blondes de ta jeunesse, tu ressembles au soleil du matin.»

Elle monta sur la colline, semblable au nuage blanc où monte la rosée, lorsque, sur les rayons du matin, il s'élève du vallon retiré et agite à peine les têtes brunes des buissons. Elle découvrit un esquif balancé sur les vagues; elle vit ses bords couverts de lances. «Sûrement, dit-elle, c'est l'ennemi qui dresse ses lances, et Trathal est seul. Un seul homme, quelque fort qu'il soit, peut-il combattre des milliers d'hommes?»

Ses cris se font entendre. Les vallées et tous leurs ruisseaux y répondent. Les jeunes gens se précipitent du haut des montagnes, et, marchant d'un air égaré, tremblent pour leur chef. Dans leur colère, ils songeaient à fondre sur les guerriers de Colgul. Mais Trathal éleva sa voix sur les vagues, et leur commanda de retenir leurs lances. Ils se réjouirent en entendant sa voix, en les voyant amener son navire près de la côte.

Cependant, on s'assemble autour de Colgul; mais Colgul avait l'air sombre, et le feu ne jaillissait plus de ses yeux. Ses guerriers l'entouraient, tristement immobiles; mais plusieurs d'entre eux étaient étendus sur la bruyère, comme les feuilles sèches sur la plaine obscure, quand les vents de l'automne ébranlent les chênes. Nous leur aidons à élever leurs tombes, et d'abord nous creusons celle de Colgul. Un jeune homme se baisse pour placer la lance derrière lui. Sa cotte d'armes, en se soulevant, se détache de deux globes de neige. Calmora tombe sur le cadavre de son amant. Sulindona vient et la trouve expirée. Elle reconnut la fille de Cornglas. Ses larmes coulèrent sur elle dans le tombeau. Elle donna des louanges à la belle de Sorna.

«Fille de la beauté, tu n'es plus. Une rive étrangère reçoit ta dépouille; mais tu te réjouiras sur ton nuage, car tu sommeilles dans la tombe avec Colgul. Les ombres de Morven ouvriront leurs salles à la jeune étrangère, lorsqu'elles te verront approcher. Au milieu des nuages, autour de la table où circulent des coquilles vaporeuses, les héros t'admireront, et les vierges toucheront en ton honneur la harpe de brouillard. Tu te réjouiras, ô Calmora; mais ton père sera triste dans Sorna. Les pas de sa vieillesse erreront sur le rivage. Le mugissement des vagues lui parviendra des rochers lointains. «Calmora, dira-t-il, est-ce ta voix que j'entends?» Le fils du rocher lui répondra seul: «Retire-toi dans ta demeure, ô Cornglas! abandonne la rive orageuse: car ta fille ne t'entend pas; elle chevauche loin de toi sur les nuages avec Colgul. Peut-être, sur les rayons de la lune, elle visitera tes songes, quand le silence habitera Sorna. Fille de la beauté, tu n'es plus; mais tu sommeilles dans la tombe avec Colgul.»

Ainsi l'épouse de Trathal chanta l'infortunée Calmora.

Le bouclier de Fingal a retenti; les rochers des collines lui répondent. Les cerfs l'entendent, et se lèvent de leur couche moussue. Les oiseaux l'entendent, et agitent leurs ailes dans l'arbre du désert. Le loup, voyageur nocturne, l'a entendu comme il visitait le champ du carnage, dans l'espérance de trouver une proie. Il retourne en grondant se cacher dans sa caverne, l'œil ardent de sa rage famélique. Enfants des bois, évitez sa rencontre!

Nous dirigeâmes nos pas vers Fingal. Suloicha regarda si les étoiles pâlissantes s'étaient retirées du côté de l'orient. Son pied donna contre un des chefs de Dargo. Il était appuyé au flanc d'un rocher grisâtre. Une moitié de bouclier est l'oreiller sur lequel repose sa tête; elle est couverte de sa chevelure ensanglantée. «Pourquoi, dit-il à Suloicha, pourquoi tes pas errants troublent-ils le repos du guerrier, lorsqu'il n'est plus en état de lever la lance? Pourquoi as-tu chassé, comme un vent du désert, le songe qui m'occupait? Je voyais l'aimable Roscana: mon âme se serait envolée avec le rayon de mon amour. Pourquoi l'as-tu rappelée?»

«Ce rayon de ton amour, dit Suloicha, cette Roscana, qu'était-elle? Ses yeux ressemblaient-ils aux étoiles qui brillent à travers une pluie fine? Sa voix était-elle harmonieuse, comme la harpe d'Ullin? Ses pas avaient-ils la douceur du zéphyr, lorsqu'il courbe mollement la verdure à peine effleurée? Sa contenance avait-elle la majesté de la lune, lorsque, dans le calme des nuits, elle glisse d'un nuage à l'autre? La trouvas-tu, comme le cygne, portée sur le sein de l'onde, aimable dans sa douleur, quoique solitaire? Oui, tu l'as trouvée comme je la dépeins, et cette Roscana fut mienne. Étranger, qu'as-tu fait de ma bien-aimée?»

—«Je trouvai cette belle sur le sein de l'onde. Elle avait vogué dans son esquif à la caverne de l'île. «Là, disait-elle, un chef de Morven devait la venir rejoindre;» mais il ne vint pas. Je sollicitai son amour, et l'invitai à me suivre dans la plaine d'I-una. Elle me dit d'attendre que trois lunes fussent écoulées. «Suloicha, dit-elle, viendra peut-être.» Elle fut consumée par la douleur avant la fin de la troisième lune. Elle mourut avant que sa lumière fût tout à fait épuisée. Elle tomba, comme le sapin verdoyant d'I-una, desséché dans sa jeunesse, dont le vent a dépouillé les branches, dont les enfants harmonieux de l'air ont déserté les rameaux. J'élevai sa tombe sur le rivage de l'île. Deux pierres grisâtres y sont à demi enfoncées dans la terre. Non loin d'elles, un if déploie son noir feuillage; une source murmurante jaillit au-dessus d'un rocher couvert de lierre, et baigne le pied de l'arbre de deuil. Là, sommeille l'aimable Roscana; là, le matelot, quand il arrête son navire dans une nuit orageuse, voit son ombre charmante, vêtue du plus blanc des brouillards de la montagne. «Tu es aimable, dit-il, ô Roscana! Le nuage dont ta robe est formée est plus beau que mes voiles.» Telle je viens de la voir en songe. Pourquoi n'a-t-il pas été permis à mon âme de s'enfuir avec cette aimable lumière? Reviens dans mes songes, ô Roscana; tu es un rayon de lumière, lorsque tout est sombre alentour.»

—«Chef d'I-una, tu as élevé la tombe de ma bien-aimée. Si nulle herbe des montagnes ne peut guérir tes blessures, ta pierre grisâtre et ta renommée s'élèveront sur Morven. Roscana, tu as donc gémi à cause de moi. Jeune arbre de Moi-ura, tes branches vertes sont-elles flétries? Les guerres de Fingal m'appelèrent. J'envoyai un de mes amis: mais on n'a revu ni lui ni son esquif. Au matin, mon premier regard embrassait les mers; le soir, mon dernier coup d'œil était sur les vagues. La nuit, ma tête s'appuyait sur le rocher; mais je ne voyais Roscana que dans mes songes.

La mort de Crimoïna, épouse de Dargo, une amie d'Ossian, lui fournit un nouvel épisode:

«Un jour que nous poursuivions le cerf sur la bruyère de Morven, les vaisseaux de Lochlin parurent dans l'étendue de nos mers, avec toutes leurs voiles blanches et leurs mâts qui se balançaient dans l'air. Nous crûmes qu'on venait redemander Crimoïna. «Je ne combattrai point, dit Connan à l'âme faible, que je ne sache si cette étrangère aime notre race. Chassons le sanglier, et teignons de son sang la robe de Dargo. Puis, portons-le dans sa demeure, et voyons comment elle s'affligera de sa perte.»

Sous de funestes auspices, nous prêtâmes l'oreille au conseil de Connan. Nous poursuivîmes un sanglier terrible; nous le renversâmes dans le bois.

Deux d'entre nous le tinrent, malgré sa rage, tandis que Connan le transperçait avec sa lance.

Dargo s'étendit auprès. Nous l'arrosâmes de son sang: nous le portâmes sur nos lances à Crimoïna, et chantâmes en marchant l'hymne de mort. Connan courait devant nous avec la peau du sanglier. «Je l'ai tué, dit-il: mais ses défenses cruelles avaient déjà percé le cœur de Dargo; car sa lance était rompue, et le roc avait manqué sous ses pas.»

Crimoïna entendit le chant funèbre. Elle vit son cher Dargo qu'on lui apportait comme s'il eût été mort. Silencieuse et pâle, elle demeura debout, sans mouvement, pareille à la colonne de glace qui, dans la saison des frimas, est suspendue au rocher de Mora. Enfin elle prit sa harpe, et la toucha doucement en l'honneur de son bien-aimé. Dargo voulait se lever; mais nous l'en empêchâmes jusqu'à ce qu'elle eût fini, car sa voix était douce comme celle du cygne blessé, lorsqu'il épanche son âme dans ses chants et qu'il sent dans sa poitrine le dard fatal du chasseur. Ses compagnons attristés s'assemblent autour de lui. Ils charment sa douleur par leurs concerts, et invitent les ombres des cygnes à porter la sienne au lac aérien, qui s'étend au-dessus des montagnes de Morven.

«Penchez-vous du haut de vos nuages, disait Crimoïna, ancêtres de Dargo. Emportez-le au séjour de votre éternelle paix; et vous, vierges du royaume aérien de Trenmor, apprêtez-lui sa brillante robe d'air et de vapeurs. Ô Dargo! pourquoi t'ai-je si tendrement aimé? Nos âmes n'en faisaient qu'une, nos cœurs se confondaient, et comment pourrais-je survivre à leur séparation? Nous étions deux fleurs qui croissions dans la fente du rocher; et nos têtes, chargées de rosée, souriaient aux rayons du soleil. Les fleurs étaient deux, mais leur racine était unique. Les vierges de Cona les aperçurent et s'en détournèrent, de peur de les blesser. «Elles sont, dirent-elles, solitaires, mais aimables.» Le cerf, dans sa course, les franchissait sans les toucher, et le chevreuil ne se permettait pas d'en faire sa pâture. Mais le sanglier sauvage est venu dans sa rage impitoyable; il a arraché l'une d'entre elles, l'autre courbe sur sa compagne sa tête languissante, et toutes deux ont perdu leur beauté, flétrie comme l'herbe que le soleil a desséchée.

Il est couché le soleil qui m'éclairait sur Morven, et je suis environnée des ténèbres de la mort. De quel éclat mon soleil brillait à son matin! Il épanchait autour de moi ses rayons dans tout le charme de son sourire. Mais il s'est couché avant le soir pour ne plus se lever. Il me laisse dans une nuit froide, éternelle. Ô Dargo! pourquoi t'es-tu couché si promptement? Pourquoi ton visage, qui souriait naguère, est-il voilé d'un nuage si épais? Pourquoi ton cœur brûlant s'est-il refroidi? Pourquoi ta langue harmonieuse est-elle devenue muette? Ta main qui, il y a si peu de temps, brandissait la lance à la tête des guerriers, est là raide et glacée; et tes pieds, qui ce matin devançaient tous les chasseurs, gisent aussi immobiles que la terre qu'ils foulaient. Jusqu'à ce jour, ô mon bien-aimé, je t'ai suivi de loin, sur les mers, les montagnes et les collines. En vain mon père attendit mon retour, en vain ma mère pleura mon absence. Leurs yeux étaient souvent fixés sur la mer; les rochers entendirent souvent leurs cris. Ô mes parents! je fus sourde à votre voix, car mes pensées ne se détournaient plus de Dargo. Plût au ciel que la mort renouvelât sur moi le coup qui l'a frappé, que le sanglier fatal eût aussi déchiré le sein de Crimoïna! alors je ne pleurerais plus sur Morven, j'accompagnerais avec joie mon amant dans son nuage. La nuit dernière, j'ai dormi à ton côté sur la bruyère. N'y a-t-il point de place cette nuit dans ton linceul? Oui, je me coucherai près de toi. Je dormirai encore cette nuit avec toi, mon bien-aimé, mon Dargo...»

Nous entendîmes sa voix s'affaiblir; nous entendîmes les notes languissantes expirer sous ses doigts. Nous fîmes lever Dargo; mais il était trop tard. Crimoïna n'était plus... La harpe glissa de ses mains; elle exhala son âme dans ses chants: elle tomba près de Dargo.

Il lui éleva un tombeau sur le rivage, de même qu'à sa première épouse, et il a préparé au même lieu les pierres qui doivent former le sien.

Depuis ce jour, deux fois dix étés ont réjoui les plaines, et deux fois dix hivers ont blanchi les forêts. Durant tout ce temps, l'homme de douleur a vécu seul dans sa caverne. Il n'écoute que les chants qui respirent la tristesse. Souvent, je chante pour lui dans le calme du midi, et je vois Crimoïna se pencher vers nous du sein des vapeurs où elle chevauche en silence.

XVI

Telles sont les mélancoliques images dont les chants d'Ossian sont empreints. Elles sont vagues comme les formes des nuages et décolorées comme les ombres de la nuit; mais elles sont touchantes et communicatives comme les symphonies du cœur humain. Les hommes qui croient que l'esprit de déception et de supercherie est capable de ces prodiges sont dans l'erreur, ils méconnaissent la portée du génie humain; les vraies beautés d'Ossian sont dans les mœurs plus que dans l'intelligence. Il n'est donné à personne d'inventer des mœurs. Les mœurs sont les couleurs des tableaux. Les peintres les copient, mais ils ne peuvent les créer. Ce sont les siècles, les climats, les civilisations qui les créent. J'aimerais autant à penser que l'*Iliade* ou la *Bible* sont des rapsodies, qu'Hébé et Jupiter, que Jéhovah et les prophètes sont des parodies. La vraie critique se refuse à admettre l'impossible; la conscience de l'esprit humain a son évidence, comme la conscience du cœur. Elle a cent mille organes intérieurs pour se prouver à elle-même ces vérités, qu'on ne saurait lui démontrer; elle fait ainsi ces actes de foi. Est-il démontré que l'histoire d'Écosse et d'Irlande, écrite en langue *erse* et *gallique*, ait laissé des monuments de poésie historique, chantés *lyriquement* et épiquement par les *bardes* ou poëtes primitifs, dont Ossian, son père Fingal, son fils Oscar et beaucoup d'autres plus ou moins célèbres ont immortalisé les récits?

Oui!

Est-il prouvé que ces poésies en vers, ou ces chants en prose cadencée, se soient conservées dans les traditions ou dans les antiques manuscrits de ces contrées? Oui! car ces débris de la langue gallique existent encore.

Est-il prouvé que les pasteurs écossais des hautes montagnes, race solitaire et méditative, chantent jusqu'à aujourd'hui des fragments obscurs où se retrouvent des parties du chant d'Ossian et de ses bardes? Oui!

Est-il prouvé que Macpherson les ait retrouvés, grâce aux souvenirs de ces pasteurs, compulsés pendant dix ans avant de les recueillir et de les rédiger pour ses compatriotes, qui les ont reconnus eux-mêmes? Oui encore!

Est-il prouvé que les ecclésiastiques érudits de ces montagnes lui aient prêté leur concours pour enlever à ces victimes du pays et à ces chants restés populaires, surtout dans la haute Écosse, la mémoire de ces chants? Oui!

Est-il prouvé qu'un seul homme, en 1762, ne pouvait ressusciter à lui seul toute une civilisation éteinte depuis deux mille ans? Que cet homme était à la fois assez grand poëte pour imaginer toute une poésie originale, et assez maniaque pour s'obstiner, pendant quarante ans, au plus stérile et au plus ingrat des travaux d'esprit? Qu'il ait vécu et qu'il soit mort sous le nom et pour la gloire d'Ossian, et que cet homme religieux et probe ait laissé en expirant, par testament, des sommes considérables pour éditer et confirmer mensongèrement sa découverte littéraire? Non.

Enfin, est-il prouvé que cette découverte authentique ait trompé pendant un siècle entier l'Écosse, l'Irlande, l'Angleterre et le monde, pour accréditer une supercherie sans fondement, et que les chants véritablement magnifiques du barde Ossian n'aient pas fait une révolution dans l'univers lettré et n'aient point passionné le monde autant que les premières œuvres épiques et poétiques des plus grands génies antiques ou modernes l'aient jamais fait? L'invention, le style, les images ossianiques ne sont-ils pas restés dans toutes les langues de l'Europe, depuis l'Espagne, l'Italie, l'Allemagne et la France, une partie du trésor connu de l'intelligence? Gœthe dans Weimar, Césarotti dans Vérone, Chateaubriand dans Paris, n'en ont-ils pas dérobé et multiplié les couleurs dans leurs œuvres? *Atala*, *René* et tant d'autres ne sont-ils pas des parents des héros et des héroïnes d'Ossian? La mélancolie tout entière n'est-elle pas l'écossaise, depuis l'apparition de cette littérature des ombres et du tombeau? Oui encore!

Que répondre à cette masse d'évidences?

Que l'on conjecture que Macpherson et ses amis, entraînés quelquefois eux-mêmes par le succès de leur découverte, aient poussé l'imitation un peu plus loin que la vérité, et qu'ils aient ajouté aux œuvres des bardes écossais quelques fragments de leur propre main dans le même style, cela est naturel, vraisemblable, admissible; cela n'enlève rien à l'authenticité de l'œuvre historique; une bonne imitation n'a jamais décrédité un excellent original. Mais rien n'a justifié, depuis même, ces suppositions, et Ossian subsiste autant que jamais, entier, et mémorable comme la mémoire même des temps passés. On ne s'inscrit pas en faux contre une évidence.

XVII

Voilà pour l'originalité de ces merveilleuses poésies. Quant à leur beauté propre, on n'a qu'à se rappeler leurs splendides passages devenus classiques en naissant.

Tel est le dialogue suprême entre Connal et son amante la belle Crimora:

«Oui, sans doute, je peux périr; mais alors élève ma tombe, ô Crimora! Quelques pierres grisâtres et un léger monceau de terre conserveront ma mémoire; arrête sur ma tombe tes yeux baignés de larmes; frappe dans ta douleur ton sein palpitant. Quoique tu sois belle comme la lumière du jour, plus douce que le zéphyr de la colline, ô mon amie! je ne puis rester avec toi. Adieu, souviens-toi d'élever mon tombeau.

CRIMORA.

Eh bien! donne-moi ces armes éclatantes, cette épée, cette lance d'acier; je veux aller avec toi au-devant du terrible Dargo; je veux secourir mon aimable Connal. Adieu, rochers d'Arven; adieu, chevreuils, et vous, torrents de la colline! Nous ne reviendrons plus: nous allons chercher des tombeaux dans les pays lointains.

Ne revirent-ils donc jamais les rochers d'Arven? dit la belle Utha en poussant un soupir! Le brave Connal périt-il dans le combat, et Crimora put-elle lui survivre? Ah! sans doute, elle se cacha dans la solitude, et son âme regretta toujours son cher Connal. N'était-ce pas un jeune et beau guerrier?

Ullin vit couler les pleurs d'Utha; il reprit sa harpe harmonieuse. Ces chants inspiraient une douce mélancolie. Chacun se tut pour l'écouter.

Le sombre automne, continua-t-il, règne sur nos montagnes; l'épais brouillard repose sur nos collines. On entend siffler les tourbillons de vent. Le fleuve roule des ondes fangeuses dans l'étroite vallée. Un arbre solitaire s'élève au sommet de la colline et marque l'endroit où repose Connal: le vent fait voler et tournoyer dans les airs ses feuilles desséchées; la tombe du héros en est jonchée: les ombres des morts apparaissent quelquefois en ce lieu, quand le chasseur pensif se promène seul à pas lents sur la bruyère. Qui peut remonter à l'origine de ta race, ô Connal? Qui peut compter tes aïeux? Ta famille croissait comme un chêne de la montagne, dont la cime touffue brave la fureur des vents. Mais maintenant cet arbre superbe est arraché du sein de la terre. Qui pourra jamais remplacer Connal?

Ce fut là qu'on entendit le choc affreux des armes et les gémissements des mourants. Que les guerres de Fingal sont sanglantes, ô Connal! Ce fut là que tu péris. Ton bras lançait la foudre, ton épée était un trait de feu, ta stature s'élevait comme un rocher sur la plaine, tes yeux étincelaient comme une fournaise ardente, et ta voix, dans les combats, était plus forte que le bruit de la tempête; les guerriers tombaient sous ton épée, comme les chardons volent sous la baguette d'un enfant. Dargo s'avance, semblable au nuage qui porte le tonnerre: ses yeux creux s'enfoncent sous des sourcils épais et menaçants. Les épées étincellent dans la main des deux héros, et leurs armes se choquent avec un horrible fracas.

Près d'eux, la fille de Vinval, Crimora, brillait sous l'armure d'un jeune guerrier; ses blonds cheveux flottaient négligemment; un arc pesant chargeait sa main délicate; elle avait suivi son amant, son cher Connal, au combat. Elle bande son arc et tire sur Dargo; mais, ô douleur! le trait s'égare, et va percer Connal. Il tombe... Que feras-tu, fille infortunée? Elle voit couler le sang de son amant, son cher Connal expire! Le jour, la nuit, elle criait en pleurant: «Ô mon ami! mon amant! mon cher Connal!» Mais enfin la douleur termina ses jours.

C'est ici que la terre renferme ce couple aimable; l'herbe croît entre les pierres de leur tombe. Je viens souvent m'asseoir sous l'ombrage, dans ce triste lieu; j'entends soupirer le vent dans le gazon, et leur souvenir se réveille dans mon âme. Vous dormez ensemble dans la tombe, amants infortunés, et rien ne trouble votre repos sur ce mont solitaire.

«Reposez en paix, dit la belle Utha, couple malheureux! Je me souviendrai de vous en pleurant; je chanterai dans la solitude l'histoire de vos malheurs, quand le vent agitera les forêts de Tora et que j'entendrai rugir les torrents de ma patrie. Alors vous viendrez vous offrir à mon âme, et l'attendrir sur vos touchantes aventures.»

Les rois passèrent trois jours dans les fêtes, à Carrictura; le quatrième, leurs voiles blanchirent la surface de l'Océan. Le vent du nord conduisit le vaisseau de Fingal à Morven; mais l'esprit de Loda était assis sur sa nue, derrière suivait le vaisseau de Frothal; il se penchait en avant pour diriger les vents favorables, et pour enfler toutes les voiles; il n'a pas oublié le coup que Fingal lui a porté, et il redoute encore le bras du roi de Morven.

XVIII

Et ce début des chants de Selma:

CHANTS DE SELMA

Étoile, compagne de la nuit, dont la tête sort brillante des nuages du couchant, et qui imprimes tes pas majestueux sur l'azur du firmament, que regardes-tu dans la plaine? Les vents orageux du jour se taisent; le bruit du torrent semble s'être éloigné; les vagues apaisées rampent au pied du rocher; les moucherons du soir, rapidement portés sur leurs ailes légères, remplissent de leurs bourdonnements le silence des airs. Étoile brillante, que regardes-tu dans la plaine? Mais je te vois t'abaisser en souriant sur les bords de l'horizon. Les vagues se rassemblent avec joie autour de toi et baignent ta radieuse chevelure. Adieu, étoile silencieuse! que le feu de mon génie brille à ta place. Je sens qu'il renaît dans toute sa force; je revois, à sa clarté, les ombres de mes amis rassemblés sur la colline de Lora; j'y vois Fingal au milieu de ses héros. Je revois les bardes mes rivaux, le vénérable Ullin, le majestueux Ryno, Alpin à la voix mélodieuse, la tendre et plaintive Minona. Ô mes amis! que vous êtes changés depuis ces jours où, dans les fêtes de Selma, nous disputions le prix du chant, semblables aux zéphyrs du printemps qui volent sur la colline et viennent tour à tour, avec un doux murmure, agiter mollement l'herbe naissante!

Ce fut dans une de ces fêtes qu'on vit la tendre Minona s'avancer, pleine de charmes. Ses yeux baissés s'humectèrent de pleurs: les âmes des héros furent attendries quand elle éleva sa voix mélodieuse. Souvent ils avaient vu la tombe de Salgar et la sombre demeure de l'infortunée Colma; Colma, à qui Salgar avait promis de revenir à la fin du jour; mais la nuit descend autour d'elle: elle se voit abandonnée sur la colline, et seule avec sa voix. Écoutons sa tendre complainte:

COLMA.

Il est nuit... je suis délaissée sur cette colline, où se rassemblent les orages. J'entends gronder les vents dans les flancs de la montagne; le torrent, enflé par la pluie, rugit le long du rocher. Je ne vois point d'asile où je puisse me mettre à l'abri. Hélas! je suis seule et délaissée.

Lève-toi, lune, sors du sein des montagnes. Étoiles de la nuit, paraissez. Quelque lumière bienfaisante ne me guidera-t-elle point vers les lieux où est mon amant? Sans doute il repose, en quelque lieu solitaire, des fatigues de la chasse, son arc détendu à ses côtés, et ses chiens haletant autour de lui. Hélas! il faudra donc que je passe la nuit, abandonnée, sur cette colline! Le bruit des torrents et des vents redouble encore, et je ne puis entendre la voix de mon amant!

Pourquoi mon fidèle Salgar tarde-t-il si longtemps, malgré sa promesse? Voici le rocher, l'arbre et le ruisseau où tu m'avais promis de revenir avant la nuit. Ah! mon cher Salgar, où es-tu? Pour toi j'ai quitté mon frère; pour toi j'ai fui mon père. Depuis longtemps nos deux familles sont ennemies; mais nous, ô mon cher Salgar! nous ne sommes pas ennemis. Vents, cessez un instant. Torrents, apaisez-vous, afin que je fasse entendre ma voix à mon amant. Salgar, Salgar, c'est moi qui t'appelle! Salgar, ici est l'arbre, ici est le rocher, ici t'attend Colma! pourquoi tardes-tu?

Ah! la lune paraît enfin: je vois l'onde briller dans le vallon; la tête grisâtre des rochers se découvre, mais je ne le vois point sur leurs cimes. Je ne vois point ses chiens le devancer et l'annoncer à son amante. Malheureuse! il faut donc que je reste seule ici! Mais qui sont ceux que j'aperçois couchés sur cette bruyère? Serait-ce mon frère et mon amant? Ô mes amis, parlez-moi donc! Ils ne répondent point: mon âme est agitée de terreur. Ah! ils sont morts; leurs épées sont rougies de sang. Ah! mon frère, mon frère, pourquoi as-tu tué mon cher Salgar? Ô Salgar! pourquoi as-tu tué mon frère? Vous m'étiez chers tous deux! Que dirai-je à votre louange? Salgar, tu étais le plus beau des habitants de la colline. Mon frère, tu étais terrible dans le combat. Ô mes amis, parlez-moi, entendez ma voix! Mais, hélas! ils se taisent, ils se taisent pour toujours; leurs cœurs sont glacés et ne battent plus sous ma main.

Ombres chéries, répondez-moi du haut de vos rochers, du haut de vos montagnes; ne craignez point de m'effrayer. Où êtes-vous allés vous reposer? Dans quelle grotte vous trouverai-je? Je n'entends point leur voix au milieu des vents; je ne les entends point me répondre dans les intervalles de silence que laissent les orages.

Je m'assieds seule avec ma douleur, et je vais attendre dans les larmes le retour du matin. Amis des morts, élevez leur tombe; mais ne la fermez pas que Colma n'y soit entrée. Ma vie s'évanouit comme un songe. Pourquoi resterais-je après eux? Je veux reposer avec les objets de ma tendresse, près de la source qui tombe du rocher. Quand la nuit montera sur la colline, je viendrai, sur l'aile des vents, déplorer en ces lieux la mort de mes amis; le chasseur m'entendra de son humble cabane: il sera effrayé et charmé de ma voix, car mes accents seront doux et touchants quand je pleurerai deux héros si chers à mon cœur.

Ainsi chantait Minona, et une aimable rougeur colorait son visage. Nos cœurs étaient serrés, et nos larmes coulaient pour Colma. Ullin s'avança avec sa harpe et nous répéta les chants d'Alpin. La voix d'Alpin était pleine de charmes; l'âme de Ryno était de feu; mais alors ils étaient descendus dans la tombe, et leur voix ne retentissait plus dans Selma. Ullin, revenant un jour de la chasse, entendit leurs chants; ils déploraient la chute de Morar, le premier des mortels. Il avait l'âme de Fingal: son épée était terrible comme l'épée d'Oscar; mais il périt. Son père le pleura; sa sœur répandit des torrents de larmes... Cette sœur infortunée, c'était Minona elle-même. Quand elle entendit chanter Ullin, elle s'éloigna, semblable à la lune qui prévoit l'orage et cache sa belle tête dans un nuage. Je touchai la harpe avec Ullin, et le chant de douleur recommença.

RYNO.

Les vents et la pluie ont cessé; le milieu du jour est calme: les nuages volent dispersés dans les airs; la lumière inconstante du soleil fuit sur les vertes collines; le torrent de la montagne roule ses eaux rougeâtres dans les rocailles du vallon. Ton murmure me plaît, ô torrent! mais la voix que j'entends est plus douce encore. C'est la voix d'Alpin qui pleure les morts. Sa tête est courbée par les ans; ses yeux rouges sont remplis de larmes. Enfant des concerts, Alpin, pourquoi ainsi seul sur la colline silencieuse? pourquoi gémis-tu comme le vent dans la forêt, ou comme la vague sur le rivage solitaire?

ALPIN.

Mes pleurs, ô Ryno, sont pour les morts, ma voix pour les habitants de la tombe. Tu es debout maintenant, ô jeune homme! et, dans ta hauteur majestueuse, tu es le plus beau des enfants de la plaine. Mais tu tomberas comme l'illustre Morar; l'étranger sensible viendra s'asseoir et pleurer sur ta tombe. Tes collines ne te connaîtront plus, et ton arc restera détendu dans ta demeure. Ô Morar! tu étais léger comme le cerf de la colline, terrible comme le météore enflammé. La tempête était moins redoutable que toi dans ta fureur. L'éclair brillait moins dans la plaine que ton épée dans le combat. Ta voix était comme le bruit du torrent après la pluie, ou du tonnerre grondant dans le lointain. Plus d'un héros succomba sous tes coups, et les feux de ta colère consumaient les guerriers. Mais quand tu revenais du combat, que ton visage était paisible et serein! Tu ressemblais au soleil après l'orage, à la lune dans le silence de la nuit; ton âme était calme comme le sein d'un lac lorsque les vents sont muets dans les airs.

Mais maintenant, que ta demeure est étroite et sombre! En trois pas je mesure l'espace qui te renferme, ô toi qui fus si grand! Quatre pierres couvertes de mousse sont le seul monument qui te rappelle à la mémoire des hommes; un arbre qui n'a plus qu'une feuille, un gazon dont les tiges allongées frémissent au souffle des vents, indiquent à l'œil du chasseur le tombeau du puissant Morar. Ô jeune Morar! il est donc vrai que tu n'es plus! Tu n'as point laissé de mère, tu n'as point laissé d'amante pour te pleurer. Elle est morte, celle qui t'avait donné le jour, et la fille de Morglan n'est plus!

Quel est le vieillard qui vient à nous, appuyé sur son bâton? L'âge a blanchi ses cheveux; ses yeux sont encore rouges des pleurs qu'il a versés; il chancelle à chaque pas. C'est ton père, ô Morar! ton père, qui n'avait d'autre fils que toi; il a entendu parler de ta renommée dans les combats et de la fuite de tes ennemis. Pourquoi n'a-t-il pas appris aussi ta blessure? Pleure, père infortuné, pleure! Mais ton fils ne t'entend point; son sommeil est profond dans la tombe, et l'oreiller où il repose est enfoncé bien avant sous la terre. Morar ne t'entendra plus; il ne se réveillera plus à la voix de son père. Quand le rayon du matin entrera-t-il dans les ombres du tombeau? quand viendra-t-il finir le long sommeil de Morar? Adieu pour jamais, le plus brave des hommes; conquérant intrépide, le champ de bataille ne te verra plus; l'ombre des forêts ne sera plus éclairée de la splendeur de ton armure: tu n'as point laissé de fils qui rappelle ta mémoire. Mais les chants d'Alpin sauveront ton nom de l'oubli; les siècles futurs apprendront ta gloire, ils entendront parler de Morar.

Aux chants d'Alpin la douleur s'éveilla dans nos âmes, mais le soupir le plus profond partit du cœur d'Armin. L'image de son fils, qui périt à la fleur de ses ans, vient se retracer à sa pensée. Carmor était auprès du vieillard.— Armin, lui dit-il, pourquoi ce soupir si profond? Ces chants doivent-ils t'attrister? La douce mélodie des chants attendrit et charme les âmes; ils sont comme la vapeur qui s'élève du sein d'un lac et se répand dans la vallée silencieuse: les fleurs se remplissent de rosée, mais le soleil reparaît, et la vapeur légère s'évanouit. Pourquoi donc cette sombre tristesse, chef de l'île de Gorma?

ARMIN.

Oui, je suis triste, et la cause de mes regrets n'est pas légère. Carmor, tu n'as point perdu ton fils, tu n'as point perdu ta fille. Le vaillant Colgar et la charmante Anyra vivent sous tes yeux. Tu vois fleurir les rejetons de ta famille; mais Armin reste le dernier de sa race. Que le lit où tu reposes est sombre, ô Daura! ô ma fille! que ton sommeil est profond dans la tombe! Quand te réveilleras-tu pour faire entendre à ton père la douceur de tes chants? Ô nuit cruelle!... Levez-vous, vents d'automne, levez-vous, soufflez sur la noire bruyère: torrents des montagnes, rugissez; et vous, tempêtes, grondez dans la cime des chênes! Roule sur les nuages brisés, ô lune! montre par intervalles ta face mélancolique et pâlissante. Rappelle à mon âme cette nuit cruelle où j'ai perdu mes enfants, où le brave Arindal, mon fils, est tombé; où la belle Daura, ma fille, s'est éteinte...

Ô ma fille! tu étais belle comme la lune sur les collines de Fura; ta blancheur surpassait celle de la neige, et ta voix était douce comme l'haleine du zéphyr. Ô mon fils! rien n'égalait la force de ton arc et la rapidité de ta lance dans les combats; ton regard ressemblait à la sombre vapeur qui s'élève sur les flots, et ton bouclier au nuage qui porte la foudre.

Armar, guerrier fameux, vint à ma demeure et rechercha l'amour de Daura; il n'essuya pas de longs refus. Les amis de ce couple aimable concevaient, de leur union, de flatteuses espérances.

Le fils d'Odgal, Erath, furieux de la mort de son frère, qu'Armar avait tué, descend sur le rivage, déguisé en vieux matelot. Il laisse sa barque à flot. Ses cheveux semblaient blanchis par l'âge; son œil était sérieux et calme. «La plus belle des femmes, dit-il, aimable fille d'Arnim, non loin d'ici s'élève dans la mer un rocher qui porte un arbre chargé de fruits vermeils. C'est là qu'Armar attend sa chère Daura. Je suis venu pour lui conduire son amante au travers des flots.»

La crédule Daura le suit: elle appelle Armar; mais l'écho du rocher répond seul à ses cris: «Armar, Armar, mon amant, pourquoi me laisses-tu dans ces lieux mourante de frayeur? Écoute, Armar, écoute, c'est Daura qui t'appelle.» Le perfide Erath regagne le rivage en éclatant de rire. Elle élève la voix, elle appelle son frère, son père: «Arindal! Armin!... quoi! personne pour secourir votre Daura?» Sa voix parvient jusqu'au rivage. Arindal descendait de la colline tout hérissé des dépouilles de la chasse: ses flèches retentissaient à son côté, son arc était dans sa main; cinq dogues noirs suivaient ses pas. Il voit le perfide Erath sur le rivage; il l'atteint, le saisit, l'attache à un chêne; de robustes liens enchaînent ses membres; il charge les vents de ses hurlements. Arindal s'élance dans le bateau, il monte sur les flots pour ramener Daura sur le rivage. Armar accourt et le prend pour le ravisseur: transporté de rage, il décoche sa flèche; elle vole, elle s'enfonce dans ton cœur, ô mon fils! tu meurs, au lieu du perfide Erath. La rame reste immobile. Mon fils tombe sur le rocher, se débat et meurt. Quelle fut ta douleur, ô Daura, quand tu vis le sang de ton frère couler à tes pieds!

Les vagues brisent le bateau contre le rocher. Armar se jette à la nage, résolu de secourir Daura ou de mourir. Un coup de vent fond tout à coup du haut de la colline sur les flots. Armar s'abîme et ne reparaît plus.

Seule sur le rocher que la mer environne, ma fille faisait retentir les airs de ses plaintes. Son père entendait ses cris redoublés, et son père ne pouvait la secourir! Toute la nuit, je restai sur le rivage. J'entrevoyais ma fille à la faible clarté de la lune; toute la nuit j'entendis ses cris. Le vent soufflait avec fureur et la pluie orageuse battait les flancs de la montagne. Avant que l'aurore parût, sa voix s'affaiblit par degrés et s'éteignit comme le murmure du zéphyr mourant dans le feuillage; la douleur avait épuisé ses forces; elle expira... Elle te laissa seul, malheureux Armin. Tu as perdu le fils qui faisait ta force dans les combats; tu as perdu la fille qui faisait ton orgueil au milieu de ses compagnes...

Depuis cette nuit affreuse, toutes les fois que la tempête descend de la montagne, toutes les fois que le vent du nord soulève les flots, je vais m'asseoir sur le rivage, et mes regards s'attachent sur le rocher fatal. Souvent, lorsque la lune luit à son couchant, j'entrevois les ombres de mes enfants: elles s'entretiennent tristement ensemble. Quoi! mes enfants, n'auriez-vous point pitié d'Armin? Ne répondrez-vous jamais à sa voix? Hélas! ils passent et ne regardent point leur père. Oui, Carmor, je suis triste, et la cause de mes regrets n'est pas légère.

Tels étaient les chants des bardes dans Selma: ils fixaient l'attention de Fingal par les accords de leurs harpes et par les récits des temps passés. Les chefs accouraient de leur colline pour entendre leurs concerts harmonieux, et comblaient d'éloges le chantre de Cona, le premier des bardes. Mais maintenant la vieillesse a glacé ma langue, et mon âme est éteinte: j'entends encore quelquefois les ombres des bardes, et je tâche de retenir leurs chants mélodieux. Mais ma mémoire m'abandonne; j'entends la voix des années qui me crie en passant: «Pourquoi Ossian chante-t-il encore? Il sera bientôt étendu dans son étroite demeure, et nul barde ne célébrera sa renommée!»

Roulez sur moi, tristes années; et, puisque vous ne m'apportez plus de joie, que la tombe s'ouvre et reçoive Ossian; car ses forces sont épuisées. Les enfants des concerts sont allés jouir du repos; ma voix reste après eux, comme un bruit qui murmure encore dans un rocher battu des flots, quand tous les vents se taisent, et que le nautonier aperçoit de loin les derniers balancements des arbres.

Faut-il s'étonner que la poésie universelle ait pris un accent plus mélancolique et plus pathétique en Europe depuis l'apparition de ces chants? Que Gœthe en Allemagne, Byron en Angleterre, et qu'une société tout entière, au sortir des immolations et des désespoirs de 1793, aient trouvé pour ces tristesses de la parole une sympathie qu'elle ne connaissait pas? La douleur, la gloire et la guerre étaient devenues les muses sévères de ce temps.

XIX

Et ce goût passionné pour les poésies d'Ossian ne fut pas seulement un goût littéraire, une fantaisie d'imagination propre à la jeunesse et passager comme elle. Les hommes les plus sérieux de l'époque et les caractères les plus sévères partagèrent cet enthousiasme universel et se signalèrent par leur admiration pour cette *nouveauté antique* qui enflamma tout le monde comme un incendie général. Nous n'avons jamais considéré le premier des Bonaparte comme une autorité en matière de goût poétique, ni de haute raison philosophique et diplomatique, mais nous l'avons toujours reconnu le plus grand écrivain de son temps, et l'homme de la plus forte imagination, toutes les fois que ses passions ambitieuses ne l'emportaient pas à mille lieues, du triste et du vrai. Ses idées étaient des rêves, c'est pourquoi il les a portées jusqu'au surhumain. Il rêvait, en Égypte, quand il prétendait partir de Jaffa pour aller conquérir les Indes orientales avec une armée de Druses, peuplade qui n'aurait pas pu lui fournir deux ou trois mille soldats après une campagne; et la misérable forteresse de Saint-Jean-d'Acre, après sept ou huit assauts, avait fait échouer toute son entreprise en Orient. Il rêvait, quand il préparait à Boulogne son invasion en Angleterre sans songer au retour. Il rêvait, quand il emmenait sept ou huit cent mille hommes au fond de la Russie, pour combattre la disette et les frimas. Il rêvait, quand il refusait la paix à Dresde, et il venait expier son rêve à Leipsick. Il rêvait, partant avec huit cents hommes de l'île d'Elbe, pour combattre l'Europe entière au rendez-vous de Waterloo! Toute sa diplomatie ne fut qu'un rêve aussi inconsistant que son imagination. Le rêve, chez lui, anéantit sans cesse la réalité. Cet équilibre entre le possible et le chimérique lui manqua presque toujours, et il mourut grand pour ce qu'il avait conçu, petit pour ce qu'il avait accompli. C'est le propre des hommes à imagination disproportionnée.

Je ne récuse donc pas le génie d'imagination du premier Napoléon en matière de goût poétique. Je le reconnais, au contraire, pour le plus grand poëte armé de la France.

XX

Eh bien, ce grand poëte fut un des premiers à sentir avec enthousiasme la grandeur et la sauvage mélancolie des chants du barde écossais. De même qu'Alexandre fit construire une cassette d'or pour Homère, et emportait avec lui dans ses campagnes d'Ionie et de Perse, pour se faire un oreiller de ce chef-d'œuvre de l'esprit humain, l'*Iliade* et l'*Odyssée*; de même Bonaparte, général et premier consul, emporte constamment dans sa voiture, parmi les cinq ou six volumes de prédilection qu'il feuilletait toujours, les poëmes d'Ossian; et quand on lui demandait pourquoi il se nourrissait si assidûment de ces chants: «C'est plus grand que nature, répondait-il à ses aides de camp, c'est sombre et mystérieux comme l'antiquité, c'est éclatant comme la gloire et grand comme la mort; de telles poésies sont la nourriture des héros!»

LAMARTINE.

FIN DE L'ENTRETIEN CXLVI.

Paris.—Typ. de Rouge frères, Dunon et Fresné, rue du Four-St-Germain, 43.

CXLVIIe ENTRETIEN
DE LA MONARCHIE LITTÉRAIRE & ARTISTIQUE
OU
LES MÉDICIS

I

Un des plus étranges phénomènes du monde politique, c'est cette monarchie spiritualiste fondée, sans le secours des armes, au centre de l'Italie, dans le quatorzième siècle, par la famille des Médicis.

L'Italie, à cette époque, était (ce qu'elle est encore aujourd'hui) une contrée en formation, un recueil vivant de municipalités tendant à se constituer en nation: républiques maritimes, comme à Venise et à Gênes; républiques militaires, comme à Pise, Lucques, Sienne, etc.; monarchies féodales, comme à Ferrare, Ravenne, Bologne; théocraties, comme à Rome; royautés ou vice-royautés, comme à Naples et en Sicile; tyrannies, enfin, comme en Lombardie et en Piémont.

Des familles puissantes, telles que les Visconti, les Scala, les Borgia, la maison d'Este, régnaient passagèrement sur ces diverses contrées. Cours lettrées et élégantes à Ferrare, immortalisées par le Tasse et l'Arioste; démocraties féroces à Florence et à Pise, soulevant l'empire par des assassinats ou s'écroulant dans des anarchies turbulentes: telle alors était l'Italie.

II

En dehors de ces États mal assis, Rome, enrichie par ses alliances pontificales et fortifiée par ses alliances temporelles, tenait d'une main habile la balance de la politique italienne; elle croissait en force et en ascendant sur le monde. Rome luttait avec l'Allemagne, tantôt lui résistant comme parti guelfe au nom de l'indépendance sacrée de l'Italie, tantôt s'unissant à elle comme parti gibelin, au nom de l'ordre dans la Péninsule. C'est ce qui fait encore aujourd'hui que les plus grands esprits de l'Italie, tels que le Dante, bannis de leur patrie comme partisans de l'empire, sont vénérés comme patriotes, quoique ayant trahi leur pays en faveur des Gibelins, partisans de l'empereur.

Confusion et non-sens partout.

III

Au milieu de ce dédale d'hommes et de choses où chacun se trompe, en appliquant aux idées du présent les dénominations d'hier, une seule nation véritablement indépendante conservait une forte individualité: c'était la Toscane.

Les Toscans, la moelle de l'Italie proprement dite, avaient précédé les Romains de Romulus dans la civilisation de l'Italie, sous le nom mystérieux d'Étrusques. Leur existence, mystérieuse aussi, est restée un mystère, malgré les savantes recherches des historiens les plus érudits. Leur architecture dite *cyclopéenne*, où la main de l'homme conserve dans ses ouvrages l'empreinte monumentale et divine de la force des temps et de la rusticité de la nature, l'élégance dorienne de leurs ruines de temples, le dessin inexpliqué de leurs vases, plus grecs que la Grèce elle-même, et aussi naïfs que l'âge primitif de l'homme, tout cela atteste qu'une science inconnue de l'humanité civilisée a coulé aux bords de l'Arno des rochers de la Toscane.

Tout ce qu'on sait, c'est que les Étrusques, d'abord conquis, ont adouci les Romains et donné à leurs mœurs et à leur langue ce raffinement prématuré qui fait l'élégance des races.

IV

Les Romains les entraînèrent aisément dans leur courant de force et de gloire.

On les revoit, sous Catilina, prendre part aux guerres civiles et aux grandes séditions de la fin de la république; un grand nombre d'entre eux périrent héroïquement avec le chef des insurgés. Cicéron, consul alors, les foudroyait de son éloquence; César, indécis encore, les ménageait; il voulait profiter de la victoire sans se compromettre dans le combat.

V

Au commencement de leur établissement en Italie, les Toscans bâtirent dès lors Fiésole, village fortifié, sur la colline qui borde l'Arno. Puis ils descendirent dans la vallée et construisirent Florence sur les deux rives du fleuve. Le commerce et les arts s'y installèrent avec eux. Ils ne s'y donnèrent d'autre gouvernement que leurs mœurs, une espèce de république d'abeilles humaines, où le travail et la fortune firent les rangs, où l'autorité et le peuple démocratique luttaient quelquefois, s'entendaient le plus souvent, dans des élections turbulentes et où la popularité flottante créait et renversait tour à tour les grands citoyens et leurs partis.

C'était une république indécise, cherchant son aplomb et ne le trouvant plus. Pise, Sienne, Lucques, cités voisines, quelquefois alliées, plus souvent jalouses, combattaient tantôt pour, tantôt contre les Florentins. Rome aurait voulu les englober; la puissance et la politique des papes les menaçaient ou les caressaient à l'envi; mais le nerf républicain de Florence contenait les Romains des papes, et la fière indépendance des Toscans subsistait sous la déférence ecclésiastique.

VI

Le commerce, qui faisait les riches, ne devait pas tarder à faire les rois.

Dès l'année 1424, la famille des Médicis, alliée au pape Jean XXIII, apparaît dans l'histoire de Florence comme quelque chose de plus grand qu'un citoyen. Le pape se fit accompagner au concile de Constance par Côme de Médicis, dont la présence et le crédit devaient imposer le respect à ses ennemis. Il échoua dans sa brigue et revint découronné à Florence, où Côme lui donna néanmoins une généreuse hospitalité jusqu'à sa mort.

VII

Côme, immensément enrichi par l'économie et la modération héréditaire de sa maison, inspira de la jalousie à quelques magistrats principaux de la république; ils l'emprisonnèrent, puis le délivrèrent eux-mêmes en convertissant sa prison en exil de dix ans à Venise, ou à une distance de cent soixante et dix milles de Florence.

Moins d'un an après cet exil, Côme fut rappelé par l'inconstance ordinaire du peuple. Il rentra dans sa patrie, avec un grand nombre de savants ou de poëtes, fanatiques partisans des lettres grecques, et entre autres de Platon, le grand spiritualiste de l'antiquité. Il fonda une académie à Florence, et s'attacha ainsi la faveur des hommes de lettres de sa patrie. Les bibliothèques de Florence datent de lui.

Sa vie s'avançait dans ces douces occupations; il la voyait s'écouler avec une philosophique indifférence, il vivait surtout à la campagne.

Je suis allé souvent visiter ces simples monuments de son loisir champêtre, *Careggi* et *Caffagiolo*, deux maisons carrées d'architecture presque rustique où rien ne sent le prince, mais le simple citoyen.

«Là il s'occupait du soin d'améliorer ses terres, dont il tirait un revenu considérable; mais ses plus heureux moments étaient ceux qu'il consacrait à l'étude des lettres et de la philosophie, ou au commerce et à la conversation des savants. Quand il faisait un séjour de quelque temps à sa maison de Careggi, il se faisait ordinairement accompagner par Ficino, dont il était devenu le disciple dans l'étude de la philosophie platonicienne, après avoir été son protecteur. Ficino avait entrepris, pour son usage, ces laborieuses traductions des ouvrages de Platon et de ses disciples, qui furent ensuite achevées et publiées pendant la vie et par les soins généreux de Laurent. Parmi les lettres de Ficino, on en trouve une de son vénérable protecteur, dans laquelle la trempe d'esprit de ce grand homme, et son ardeur à acquérir des connaissances, même dans l'âge le plus avancé, se peignent avec une grande vivacité. «Hier, dit-il, j'arrivai à Careggi, non pas tant avec le projet d'améliorer mes terres que de m'améliorer moi-même.—Venez me voir, Marsile, aussitôt que vous le pourrez, et n'oubliez pas d'apporter avec vous le livre de votre divin Platon *sur le souverain bien.*—Je présume que vous l'aurez déjà traduit en latin, comme vous me l'aviez promis; car il n'y a pas d'occupation à laquelle je me dévoue avec autant d'ardeur qu'à celle qui peut me découvrir la route du vrai bonheur. Venez donc, et ne manquez pas d'apporter avec vous la lyre d'Orphée.»

Quels que fussent les progrès de Côme dans la doctrine de son philosophe favori, il y a lieu de croire qu'il appliquait à la vie active et réelle les préceptes et les principes qui étaient pour les subtils dialecticiens de son siècle une source si abondante de disputes interminables. Quoique sa vie eût été si pleine et si utile, il regrettait souvent le temps qu'il avait perdu. Midas n'était pas plus avare de son or, dit Ficino, que Côme ne l'était de son temps.

«L'influence et les richesses que Côme avait acquises l'avaient, depuis longtemps, rendu l'égal des plus puissants princes de l'Italie, avec lesquels il aurait pu contracter des alliances par le mariage de ses enfants; mais, craignant qu'une pareille conduite ne le fît soupçonner d'avoir des projets contraires à la liberté de l'État, il aima mieux étendre son crédit parmi les citoyens de Florence par l'établissement de ses enfants dans les familles les plus distinguées de cette ville.

«Pierre, l'aîné de ses fils, épousa Lucretia Tornabuoni, de laquelle il eut deux enfants: Laurent, né le 1er janvier 1448, et Julien, né en 1453. Pierre eut aussi deux filles: Nannina, qui épousa Bernard Rucellai; et Bianca, qui fut mariée à Guglielmo, de la famille des Pazzi. Jean, le second fils de Côme, épousa Cornelia d'Alessandri, dont il eut un fils qui mourut très-jeune, et auquel lui-même ne survécut pas longtemps: il mourut en 1461, à l'âge de quarante-deux ans. Comme il avait toujours vécu sous l'autorité de son père, son nom ne se montre que rarement dans les pages de l'histoire: mais les mémoires littéraires attestent que, par ses talents naturels et par ses connaissances acquises, il ne dérogeait pas à cette ardeur pour les études, à cet attachement pour les hommes d'un savoir éminent qui avaient été l'apanage constant de sa famille.

«Outre ses enfants légitimes, Côme laissa aussi un fils naturel, Charles de Médicis, qu'il fit élever avec soin, et qui, par les vertus dont il donna l'exemple, effaça la tache de sa naissance. On pourrait excuser sur les mœurs de ce siècle une circonstance qui paraît démentir la gravité du caractère de Côme de Médicis: mais lui-même dédaigna une pareille apologie, et, reconnaissant les erreurs de sa jeunesse, il voulut réparer auprès de la société l'atteinte qu'il avait portée à des règlements salutaires, en s'occupant avec intérêt de donner à son fils illégitime des principes de vertu et une existence honorable. Charles devint, par l'appui de son père, chanoine de Prato, et l'un des notaires apostoliques; et comme il résidait ordinairement à Rome, son père et ses frères eurent souvent recours à lui pour se procurer, par ses soins et par ses conseils, les manuscrits anciens et les autres précieux restes de l'antiquité, dont la possession était l'objet de leurs désirs.

«La mort de Jean de Médicis, sur lequel Côme avait placé ses principales espérances, et la faible santé de Pierre, qui le rendait incapable de supporter le travail des affaires publiques dans une ville aussi agitée que Florence, faisaient vivement craindre à ce grand homme qu'après son trépas la splendeur de sa famille ne s'éteignît tout à fait. Cette pensée répandait l'amertume sur ses derniers jours; et peu de temps avant sa mort, comme on le portait dans les appartements de son palais, au moment où il venait de recevoir la nouvelle de la mort de son fils, il s'écria avec un soupir: *Cette maison est trop grande pour une famille si peu nombreuse!* Ces inquiétudes étaient justifiées, à quelques égards, par les infirmités qui affligèrent Pierre pendant le petit nombre d'années qu'il fut à la tête du gouvernement de la république; mais les talents de Laurent dissipèrent bientôt ces nuages d'un moment, et élevèrent sa famille à un degré d'illustration et d'éclat dont il est probable que Côme lui-même avait eu peine à se former l'idée.»

VIII

Bien qu'il fût âgé de soixante et quinze ans, sa taille élevée, la majesté de ses traits, la grâce de son visage, si conforme au titre de *Père de la patrie* que les Florentins avaient d'eux-mêmes ajouté à son nom, la bienveillance de son accueil, la cordialité de son amitié le rendaient aussi agréable que dans sa belle jeunesse.

Sa vie avait été celle d'un philosophe, sa mort fut celle d'un sage. Quand les premières atteintes de l'âge lui annoncèrent sa fin prochaine, il ne résista pas, il se résigna avec sérénité aux lois de la nature, il repassa avec sa famille et ses amis l'état de son immense fortune, noblement acquise, généreusement occupée pour la gloire des arts et des lettres; il indiqua à ses héritiers l'usage qu'il convenait d'en faire après lui pour l'accroître et la conserver par sa destination au bien public. Sa mort ne fut qu'un départ pour un séjour plus permanent. On ne peut pas dire qu'il mourut en chrétien; Platon était son Christ et la philosophie grecque était sa foi; il confondait dans cette foi la divinité de l'Évangile avec ces révélations de la sagesse humaine, émanées des inspirés de Dieu, dont il avait propagé le culte en Italie; fidèle aux formes du catholicisme, plus fidèle à l'esprit dont il les animait. C'est pour cela qu'il avait consacré en Grèce et en Italie ses réserves commerciales, à faire arriver en masse à Rome, à Florence, à Venise les débris du naufrage intellectuel de l'Ionie, et les maîtres dépaysés du génie homérique et platonique: il était à lui seul la Renaissance, il avait affrété la monarchie de l'esprit humain. C'est par là que sa famille d'opulents parvenus, sortie d'un médecin célèbre, s'était insensiblement élevée par le commerce et les arts au premier rang de la république.

Après avoir préparé son âme à attendre avec calme ce grand et terrible événement, ses inquiétudes se portèrent sur le bonheur des personnes de sa famille qu'il laissait après lui; il désirait leur communiquer d'une manière solennelle le résultat de l'expérience d'une vie longue et toujours active. Ayant donc fait appeler dans son appartement Contessina, son épouse, et Pierre, son fils, il leur fit le récit de toute sa conduite dans l'administration des affaires publiques, leur donna des détails exacts et très-circonstanciés sur ses immenses relations de commerce, et s'étendit sur la situation de ses intérêts domestiques. Il recommanda à Pierre la plus sévère attention sur l'éducation de ses fils, dont les talents prématurés et les heureuses dispositions méritaient ses éloges, et lui faisaient concevoir les plus favorables espérances. Il exprima le désir que ses funérailles se fissent avec le moins de pompe qu'il serait possible, et finit ses exhortations paternelles en annonçant qu'il était entièrement résigné et prêt à se soumettre à la Providence, aussitôt qu'il lui plairait de l'appeler. Ces avertissements ne furent pas perdus pour Pierre, qui, dans une lettre adressée à Laurent et à Julien, leur fit part de l'impression qu'ils avaient faite sur son âme. Ne pouvant en même temps se dissimuler l'état d'infirmité où il était lui-même, il les exhortait à ne se plus considérer comme des enfants, mais comme des hommes; car il prévoyait que les circonstances où ils allaient se trouver les réduiraient bientôt à la nécessité de mettre à l'épreuve leurs talents et leurs moyens personnels. «On attend à toute heure l'arrivée d'un médecin de Milan, leur dit-il; mais pour moi, c'est en Dieu seul que je mets ma confiance.» Soit que le médecin ne fût pas arrivé, ou que le peu de confiance que Pierre avait dans ses secours fût bien fondé, environ six jours après, le premier jour d'août de l'année 1464, Côme mourut, à l'âge de soixante et quinze ans, profondément regretté du plus grand nombre des citoyens de Florence, qui s'étaient sincèrement attachés à ses intérêts, et qui craignaient que la tranquillité de la ville ne fût troublée par les dissensions qui allaient probablement être la suite de ce triste événement.

IX

Côme, en mourant, laissa son héritage à Pierre de Médicis, son fils, et son génie à Laurent de Médicis, son petit-fils. Pierre était sensé, mais infirme, il ne devait pas vivre longtemps; il cultiva l'esprit de Laurent par des voyages et l'initia promptement aux grandes affaires. Les Pitti et les Acciajuoli, familles puissantes, tentèrent de conspirer contre Pierre, mais furent abandonnés par le chef des conjurés, Luca Pitti, qui retomba dans la misère et perdit tout crédit sur le peuple. Le magnifique palais Pitti, qui ne garda que son nom, ne put être achevé alors et devint plus tard le palais des Médicis.

Les Florentins, attaqués près de Bologne par la ligue des Sforzes, des Vénitiens et autres États de la basse Italie, et secourus par le roi de Naples, livrèrent une bataille, racontée par Machiavel, et dans laquelle personne ne perdit la vie. Les deux partis se retirèrent pour aller prendre des quartiers d'hiver. Pierre, rassuré par la paix, s'occupa de ce qui avait fait la gloire et la puissance de son père, Côme. Ses deux fils, Laurent et Julien de Médicis, donnèrent à Florence de magnifiques tournois, célébrés par les poëtes et particulièrement par Politien, très-jeune homme dont les vers révélèrent le génie antique. Julien et son frère se rencontrèrent peu de temps après dans les bois et dans le monastère de Camaldoli, solitude à la fois solennelle et gracieuse, voisine de Valombreuse, avec d'autres poëtes et philosophes toscans. Leur rencontre et leurs entretiens rappellent les doux loisirs de Boccace pendant la peste qui consterna Florence.

Landino, un des interlocuteurs, raconte ainsi cette entrevue sous le titre de *Conversations aux Camaldules*:

Dans l'introduction de cet ouvrage, Landino nous apprend qu'étant parti de sa maison de Cosentina, avec son frère Pierre, pour aller à un monastère dans le bois de Camaldoli, il y trouva Laurent et Julien de Médicis, qui venaient d'arriver, avec Alamanni Rinuccini, et Pierre et Donato Acciajuoli, tous hommes d'un savoir et d'une éloquence distingués, et qui s'étaient singulièrement appliqués à l'étude de la philosophie. Le plaisir qu'ils eurent d'abord à se rencontrer fut encore augmenté par l'arrivée de Leo Battista Alberti, qui, en revenant de Rome, avait rencontré Marsile Ficino, et l'avait engagé à passer avec lui le temps des chaleurs de l'automne dans la retraite délicieuse de Camaldoli. Mariotto, abbé du monastère, présenta les uns aux autres ses doctes amis; et le reste du jour, car c'était vers le soir que cette rencontre eut lieu, se passa à écouter les discours d'Alberti, dont Landino nous peint le génie et les talents sous le jour le plus favorable.

«Le lendemain, toute la compagnie, après l'accomplissement des devoirs religieux, se rendit, à travers les bois, sur le sommet d'une colline, et arriva bientôt dans un lieu solitaire, où les branches étendues d'un hêtre touffu ombrageaient une source d'eau transparente. Là, Alberti commença l'entretien en remarquant qu'on peut regarder comme jouissant d'un bonheur solide et réel ceux qui, après avoir perfectionné leur esprit par l'étude, peuvent se soustraire de temps en temps au fardeau des affaires publiques et à la sollicitude des intérêts privés, et, dans quelque retraite solitaire, se livrer sans contrainte à la contemplation de l'immense variété d'objets que présentent la nature et le monde moral. «Mais si c'est une occupation convenable aux hommes qui cultivent les sciences, elle est encore plus nécessaire pour vous, continua Alberti en s'adressant à Laurent et à Julien; pour vous, que les infirmités toujours croissantes de votre père mettront probablement bientôt dans le cas de prendre la direction des affaires de la république. En effet, mon cher Laurent, quoique vous ayez donné des preuves d'un mérite et d'une vertu qui semblent à peine appartenir à la nature humaine; quoiqu'il n'y ait point d'entreprise, si importante qu'elle soit, dont on ne puisse espérer de voir triompher cette prudence et ce courage que vous avez développés dès vos plus jeunes années; et quoique les mouvements de l'ambition, et l'abondance de ces dons de la fortune qui ont si souvent corrompu des hommes dont les talents, l'expérience et les vertus donnaient les plus hautes espérances, n'aient jamais pu vous faire sortir des bornes de la justice et de la modération, vous pouvez néanmoins, pour vous-même et pour cet État dont les rênes vont bientôt vous être confiées, ou plutôt dont la prospérité repose déjà en grande partie sur vos soins, tirer de grands avantages de vos méditations solitaires ou des entretiens de vos amis sur l'origine et la nature de l'esprit humain: car il n'y a point d'homme qui soit en état de conduire avec succès les affaires publiques, s'il n'a commencé par se faire des habitudes vertueuses, et par enrichir son esprit des connaissances propres à lui faire distinguer avec certitude pour quel but il a été appelé à la vie, ce qu'il doit aux autres et ce qu'il se doit à lui-même.»

Alors commença entre Laurent et Alberti une conversation dans laquelle ce dernier s'attache à montrer que, comme la raison est le caractère distinctif de l'homme, l'unique moyen pour lui d'atteindre à la perfection de sa nature, c'est de cultiver son esprit, en faisant entièrement abstraction des intérêts et des affaires purement mondaines. Laurent, qui ne se borne pas à jouer un rôle passif dans cet entretien, combat des principes qui, poussés à la rigueur, isoleraient l'homme et le rendraient étranger à ses devoirs; il soutient qu'on ne doit pas séparer la vie contemplative de la vie active, mais que l'une doit servir de base et de moyen de perfection à l'autre. Il appuie son opinion par une telle variété d'exemples, qu'il est aisé d'apercevoir que, bien que le but de Landino, sous le nom d'Alberti, fût d'établir les purs dogmes du platonisme, c'est-à-dire que la contemplation abstraite de la vérité constitue seule l'essence du vrai bonheur, Laurent avait élevé des objections auxquelles l'ingénuité du philosophe, dans la suite de l'entretien, n'ôte presque rien de leur force. Le jour suivant, Alberti, continuant de traiter le même sujet, explique à fond la doctrine de Platon sur le but et la véritable destination de la vie humaine, et il s'attache à l'éclaircir par les opinions des plus célèbres sectateurs de ce philosophe. Enfin, Alberti consacre les entretiens du troisième et du quatrième jour à un commentaire sur l'*Énéide*, et il tâche de démontrer que, sous le voile de la fiction, le poëte a prétendu représenter les dogmes principaux de cette philosophie qui a été le sujet des discussions précédentes. Quoi qu'on puisse penser de l'exactitude d'un pareil jugement, il est certain qu'il y a dans ce poëme beaucoup de passages qui paraissent fortement appuyer cette opinion. Au reste, l'idée mise en avant par Alberti est appuyée d'une érudition si étendue et si variée, que son commentaire dut être extrêmement amusant pour ses jeunes auditeurs.

«Il ne faut pas pourtant s'imaginer qu'au milieu de ses études et de ses occupations sérieuses, Laurent fût insensible à cette passion qui, dans tous les temps, a été l'âme de la poésie, et qu'il a représentée dans ses propres écrits avec tant de philosophie et sous des aspects si variés. L'amour est en effet le sujet auquel il a consacré une grande partie de ses ouvrages: mais il est un peu étrange qu'il n'ait pas cru devoir, dans aucune circonstance, nous apprendre le nom de sa maîtresse; il n'a pas même voulu lui donner un nom poétique, et satisfaire au moins jusque-là notre curiosité. Pétrarque avait sa Laure, et Dante sa Béatrix; mais Laurent s'est appliqué avec soin à cacher le nom de la souveraine de ses affections, laissant aux mille descriptions brillantes qu'il a faites de sa rare beauté et de ses perfections le soin de la faire connaître. Ordinairement, c'est l'amour qui fait les poëtes; mais, chez Laurent il paraît que ce fut la poésie qui fit naître l'amour. Voici les circonstances de cet événement, telles qu'il les a rapportées lui-même: «Une jeune dame douée de grandes qualités personnelles et d'une extrême beauté mourut à Florence: comme elle avait été l'objet de l'amour et de l'admiration générale, elle fut universellement regrettée; et cela n'était pas étonnant, puisque, indépendamment de sa beauté, ses manières étaient si engageantes, que chacun de ceux qui avaient eu occasion de la connaître se flattait d'avoir la première place dans son affection. Sa mort causa la plus vive douleur à ses adorateurs; et comme on la portait au tombeau, le visage découvert, ceux qui l'avaient connue pendant sa vie s'empressaient d'attacher leurs derniers regards sur l'objet de leur adoration, et accompagnaient ses funérailles de leurs larmes[15].

Morte bella parea nel suo volto. (PETR.)
Dans ses traits enchanteurs la mort paraissait belle.

«Cette perte cruelle fut déplorée par tout ce qu'il y avait à Florence d'hommes spirituels et éloquents; ils s'empressèrent de célébrer, soit en vers, soit en prose, la mémoire d'une personne si accomplie. Je composai aussi quelques sonnets sur ce sujet; et pour les rendre plus touchants, je m'efforçai de me persuader que j'avais perdu moi-même l'objet de mon amour, et de faire naître dans mon âme tous les sentiments qui pouvaient me rendre capable d'émouvoir la compassion des autres. Entraîné par cette illusion, je me mis à considérer combien était cruelle la destinée de ceux qui l'avaient aimée; ensuite j'examinai s'il y avait dans cette ville quelque autre dame qui méritât tant d'honneurs et de louanges, et je pensai à la félicité dont jouirait un mortel assez heureux pour rencontrer un objet si digne de ses vers. Je cherchai donc pendant quelque temps, sans avoir la satisfaction de rencontrer une personne qui méritât, du moins autant que j'en pouvais juger, un attachement constant et sincère; mais, comme j'étais près de renoncer à tout espoir de succès, le hasard me fit rencontrer ce qui jusque-là s'était refusé à mes recherches les plus obstinées, comme si le dieu d'amour eût voulu choisir ce moment pour me donner une preuve irrésistible de sa puissance. Il se fit une fête publique à Florence, et tout ce qu'il y avait de noble et de beau dans la ville s'y trouvait. J'y fus entraîné malgré moi, en quelque sorte, par plusieurs de mes compagnons, et sans doute aussi par ma destinée: car depuis un certain temps j'évitais ces sortes de spectacles, ou si quelquefois je m'y rendais, c'était moins par goût pour ces amusements que par égard pour l'usage. Parmi les dames que cette fête avait rassemblées, j'en remarquai une dont les manières étaient si douces et si séduisantes, que je ne pus m'empêcher de dire en la regardant: *Si cette dame a l'esprit, la délicatesse et les perfections de celle qui mourut il n'y a pas longtemps, il faut avouer qu'elle lui est bien supérieure par l'éclat de sa beauté.*

. . . .

«M'abandonnant donc à ma passion, je cherchai, par tous les moyens possibles, à découvrir si les charmes de sa conversation répondaient à ceux de sa figure; et alors je trouvai un assemblage de qualités si extraordinaires, qu'il était difficile de dire si les grâces de son esprit l'emportaient sur celles de sa personne. Ses traits étaient, comme je l'ai déjà dit, d'une beauté ravissante, et elle avait le teint d'une fraîcheur admirable. Son maintien était sérieux sans être sévère; ses manières affables et pleines d'amabilité, sans être légères ni communes. Ses yeux, d'un éclat doux et majestueux, n'annonçaient ni orgueil ni mélancolie; sa taille était si parfaitement proportionnée, qu'on la distinguait, au milieu des autres femmes, par un air de dignité imposante, exempt néanmoins de toute espèce de prétention ou d'affectation. À la promenade, à la danse et dans les autres exercices propres à développer les charmes extérieurs, tous ses mouvements étaient pleins de grâce et de décence.—Ses idées étaient toujours justes et frappantes, et m'ont fourni le sujet de quelques-uns de mes sonnets; elle parlait toujours à propos, toujours avec tant de convenance, qu'il n'y avait rien à ajouter, rien à retrancher à ce qu'elle avait dit. Quoique ses observations fussent souvent fines et piquantes, elle y mettait tant de réserve et de modération, que jamais on ne s'en offensait. Son esprit l'élevait au-dessus de son sexe, mais sans lui donner la plus légère apparence de vanité ou de présomption; et elle s'était garantie d'un défaut trop commun parmi les femmes, qui, lorsqu'elles se croient de l'esprit et de la pénétration, deviennent pour la plupart insupportables. Le détail de toutes ses qualités brillantes m'entraînerait trop loin du but que je me suis proposé. Je finirai donc en affirmant qu'il n'y a rien de ce qu'on peut désirer dans une femme d'une beauté et d'un mérite accomplis qui ne se trouvât en elle au plus haut degré. Ces rares perfections me captivèrent au point, que bientôt il n'y eut pas une puissance ou une faculté de mon corps ou de mon âme qui ne fût asservie sans retour; et je ne pouvais m'empêcher de considérer la dame dont la mort avait causé tant de douleurs et de regrets comme l'étoile de Vénus, dont l'éclat du soleil éclipse et fait disparaître entièrement les rayons.» Telle est la description que Laurent nous a laissée de l'objet de sa passion, dans le commentaire qu'il a fait sur le premier sonnet qu'il écrivit à sa louange[16]; et à moins que l'on n'en mette une grande partie sur le compte de l'amour, toujours partial dans ses jugements, il faut avouer qu'il y a eu bien peu de poëtes assez heureux pour trouver un objet aussi propre à exciter leur enthousiasme, et à justifier les transports de leur admiration.

«Les effets de cette passion sur le cœur de Laurent furent tels qu'on pouvait les attendre d'une âme jeune et sensible. Au lieu de se plaire, comme auparavant, au milieu des fêtes magnifiques, du tumulte de la ville et des embarras des affaires publiques, il sentit naître en lui un attrait inconnu pour le silence et la solitude; et il se plaisait à associer l'idée de sa maîtresse aux impressions que produisait sur son âme le spectacle varié de la nature champêtre[17]. Cette passion devint le sujet habituel de ses vers, et il nous reste de lui un nombre considérable de sonnets de *canzoni*, et d'autres compositions poétiques, dans lesquels, à l'exemple de Pétrarque, tantôt il célèbre la beauté de sa maîtresse et les qualités de son esprit en général, tantôt il s'arrête sur une des perfections particulières de sa figure ou de son âme, d'autres fois il s'attache à décrire les effets de sa passion; il les peint et les analyse avec toute la finesse et toute la grâce possibles, jointes à une grande perfection de poésie et quelquefois même à une philosophie profonde.

«Après le tableau que nous venons de faire de la passion de Laurent, on peut se permettre sans doute de demander quel était l'objet d'un amour si délicat, quel était le nom de cette femme qu'il adore sans la désigner autrement que d'une manière vague, qu'il célèbre sans la nommer. Heureusement que les amis de Laurent ne se piquèrent pas, sur ce point, d'autant de discrétion que lui: Politien, dans son poëme sur Julien, a célébré la maîtresse de Laurent sous le nom de Lucretia; et Ugolino Verini, dans sa *Fiammetta*, a adressé à cette dame un poëme latin, en vers élégiaques, dans lequel il plaide avec beaucoup de chaleur en faveur de Laurent, et il prétend que, quelles que puissent être ses rares perfections, elle trouve en lui un amant digne de toute sa tendresse. Valori nous apprend que Lucretia était de la noble famille des Donati, qu'elle était également distinguée par sa beauté et par sa vertu, et qu'elle descendait de ce Curtio Donato que ses hauts faits militaires avaient rendu célèbre dans toute l'Italie[18].

«Il est assez difficile de savoir si les assiduités de Laurent et les prières de ses amis parvinrent, à la fin, à fléchir la fierté avec laquelle il y a lieu de croire que Lucretia reçut ses premiers hommages. À en juger par les sonnets qu'il fit à cette occasion, il éprouva tous les degrés et toutes les vicissitudes de l'amour: il triomphe, il se désespère; il brûle, et la crainte le glace; il célèbre avec ravissement des jouissances ineffables, trop grandes, trop au-dessus d'un simple mortel, et il ne saurait s'empêcher d'applaudir à cette vertu sévère que ses plus ardentes sollicitations ne peuvent ébranler. Que conclure de tant de témoignages contradictoires? Laurent nous a donné lui-même le mot de cette énigme inconcevable. On peut juger, d'après le récit qu'il a fait de l'origine de sa passion, que Lucretia était la maîtresse du poëte, et non de l'homme: il cherchait un objet propre à fixer ses idées, à leur donner la force et l'effet nécessaires à la perfection de ses productions poétiques, et il trouva dans Lucretia un sujet convenable à ses vues, et digne de ses louanges; mais il s'arrêta à ce degré de réalité, et laissa à son imagination le soin d'embellir et d'orner l'idole à son gré. Tous les mouvements, tous les sentiments de sa dame occupent sans cesse sa pensée: elle sourit, ou elle s'irrite; elle refuse, ou elle est près de céder; elle est absente, ou présente; elle s'introduit le jour dans sa solitude, ou elle lui apparaît dans ses songes de la nuit, précisément au gré du caprice de l'imagination qui le guide. Au milieu de ces illusions délicieuses, Laurent fut obligé de redescendre aux tristes réalités de la vie. Il était alors dans sa vingt et unième année, et son père pensa qu'il était temps de l'attacher au lien conjugal; dans cette vue, il avait négocié un mariage entre Laurent et Clarice, fille de Giacopo Orsini, de la noble et puissante famille de ce nom, qui avait si longtemps disputé à Rome la prééminence à celle des Colonne. Soit que Laurent désespérât du succès de son amour, ou qu'il crût devoir faire céder ses sentiments à la voix de l'autorité paternelle, il est certain que, dès le mois de décembre de l'année 1468, il fut accordé avec une femme que probablement il n'avait jamais vue, et la cérémonie du mariage se fit dans le mois de juin de l'année suivante. Il paraît incontestable que le cœur de Laurent n'eut aucune part à la conclusion de ce mariage, à en juger par la manière dont il s'exprime à ce sujet dans ses Mémoires, où il nous apprend qu'*il prit ou plutôt qu'on lui donna Clarice Orsini pour femme* [19]. Malgré cette indifférence apparente, on peut penser qu'ils eurent l'un pour l'autre une affection sincère; et tout nous autorise à croire que Laurent eut toujours pour elle des égards et une estime particulière. Leurs noces furent célébrées avec une grande magnificence. On donna deux fêtes militaires, dont l'une représentait un combat de cavalerie, et l'autre l'attaque d'une citadelle fortifiée.

X

Cependant l'état maladif de Pierre de Médicis, aggravé par les embarras du pouvoir et par les exigences de ses partisans, amena sa mort, en 1469. Sa veuve Lunegite lui survécut.

Tout était en paix. Alphonse d'Aragon régnait à Naples. Son règne était triomphant. Galéas Visconti gouvernait Milan, par ses vices plus que par ses vertus. Pie II, majestueux pontife, donnait à ses neveux les lambeaux des États voisins de Rome. Florence ne pouvait se maintenir et s'élever que par la politique et la littérature.

Laurent, que la faiblesse et l'infirmité de son père avaient mêlé au gouvernement, fut accompagné au Palais-Vieux, siége du pouvoir de la république, par les nombreux amis de sa maison. Ils le conjurèrent de prendre la direction du gouvernement comme de son patrimoine; il sentit qu'il ne pouvait impunément l'abdiquer. Un abîme était derrière lui, une audace devant; il préféra l'audace, mais il la voila de modestie et de légalité. Il n'usurpa rien; il reçut tout et se prépara à conquérir davantage de l'estime de ses concitoyens. Sans jalousie pour son frère Julien, jeune homme de dix-sept ans, très-distingué et déjà très-populaire par son goût pour les arts et pour les lettres, il lui donna les maîtres les plus éminents pour achever son éducation. L'amitié des deux frères servit d'exemple aux grands. Une légère insurrection de Bernardo Nardi, réprimée par Petrucci et par Ginori, citoyen de Florence, écrasa dans l'œuf cette première tentative des ennemis des Médicis. Une ligue contre les Turcs, fomentée par le pape, rallia Florence aux Vénitiens. Son commerce avec l'Orient accrut ses richesses à la proportion d'un grand État. Laurent fonda Livourne et la marine toscane, et mit sous les auspices de la religion le commerce de son pays; il plaça sur la flotte douze jeunes gens des premières familles de Florence, et séduisit les grands seigneurs ottomans par la magnificence de ses présents: l'Égypte et ses trésors s'ouvrirent ainsi devant lui; il prit à bail toutes les mines d'Italie et s'empara ainsi, en bénéfice, de tous les immenses revenus intérieurs.

Ses comptoirs couvrirent Rome, Naples, Gênes, Venise et toute l'Italie. Son monopole, acquis par les voies loyales de trafic, fut reconnu et servi même par ses ennemis. L'or fut son premier sujet et lui enchaîna sans bruit tous les autres. Il reçut au nom de la république et combla d'accueil et de fête Galéas Sforze, duc de Milan, et sa femme Bona; il s'attacha les premiers poëtes et les savants éminents de ses États, tels que Pulci, mais surtout le jeune Politien, cet Ovide de la Toscane. Il en fit ses hôtes et ses commensaux à Fiésole, à Carreggi, à Caffagiolio, ces Tiburs de sa famille. Politien, génie vraiment antique et digne d'Horace ne s'enivra pas de cette faveur; il était né d'une bonne famille à Montepulciano, petite ville de la Toscane, comme Flaccus, en Calabre; c'est de là qu'il prit son nom. «Je ne me sens pas plus enorgueilli des flatteries de mes amis, ou humilié des satires de mes ennemis, disait-il, que je ne le suis par l'ombre de mon corps; car, quoique mon ombre soit plus grande le matin ou le soir qu'elle ne l'est au milieu du jour, je ne me persuaderai point que je sois plus grand moi-même dans l'un ou l'autre de ces moments que je ne le suis à midi.»

XI

Le pape étant mort en ce temps-là, Laurent de Médicis fit un voyage à Rome, pour recommander Julien, son jeune frère, à Sa Sainteté, dans le but de le faire élire au cardinalat. Le nouveau pape était Paul III della Rovere.

Il accueillit bien d'abord Laurent et lui promit cette dignité pour son frère. Mais ayant pressenti le danger de la faveur des Médicis pour les lettres, il conçut contre le chef de cette famille une haine invincible et se livra contre lui à des entreprises qui attestent cette inimitié.

XII

La passion de Laurent pour les lettres et surtout pour Platon, apôtre de Socrate, se mêlait à ses soins pour le gouvernement. Il la signala à cette époque par un poëme sur le vrai bonheur, sous la forme d'un entretien champêtre entre un pasteur de Toscane et un philosophe. Le philosophe était lui.

«Dis-moi quel sujet t'amène en ces lieux? Pourquoi as-tu quitté les théâtres, les temples, les palais magnifiques de la ville? Pourquoi sembles-tu leur préférer notre humble hameau? Que regardes-tu dans ces bocages? Viens-tu apprendre à priser davantage les délices, la pompe et la splendeur de la ville, en comparaison de notre pauvreté?—Je lui répondis: Je ne sais s'il est des trésors plus précieux, un bonheur plus doux et plus touchant que celui qu'on goûte ici, loin des discordes civiles. Chez vous, heureux bergers, la haine, la perfidie, l'ambition cruelle n'ont point établi leur empire. Vous jouissez sans envie du peu que vous possédez; vous vivez heureux dans une douce indolence. On ne sait point ici dire le contraire de ce qu'on pense: dans ces estimables et paisibles retraites, au milieu de l'air pur qui vous environne, on ne voit point le sourire sur la bouche de celui dont le cœur est rongé de chagrins; le plus heureux parmi vous est celui qui fait le plus de bien, et la sagesse suprême ne consiste pas à savoir déguiser et dissimuler la vérité avec le plus d'artifice.»

Cependant le berger ne paraît point convaincu de la supériorité que le poëte accorde à la vie champêtre, et, dans sa réponse, il présente avec beaucoup de force les peines et les nombreux travaux auxquels elle est inévitablement exposée. Au milieu de cette contestation, on voit approcher le philosophe Marsile, et les deux antagonistes consentent à lui soumettre la décision de leur différend. Cela lui donne occasion de développer les dogmes philosophiques de Platon; et après avoir soigneusement examiné la valeur réelle de tous les biens d'un ordre inférieur, de tous les avantages purement matériels et temporels, il conclut que ce n'est ni dans la condition brillante et élevée de l'un, ni dans l'état humble et obscur de l'autre, qu'il faut chercher le véritable et solide bonheur; mais qu'on ne saurait le trouver, en dernière analyse, que dans la connaissance et l'amour de la première cause, de l'Être suprême et infini.

Pour donner plus de stabilité à ces études, Laurent et ses amis formèrent le projet de renouveler avec un éclat solennel la fête annuelle qui avait été célébrée en l'honneur de la mémoire de Platon, après la mort de ce grand philosophe, jusqu'au temps de ses disciples Plotin et Porphyre, et qui depuis avait été interrompue pendant l'espace de douze cents ans. Le jour de l'exécution de ce dessein fut fixé au 7 novembre, qu'on supposait être l'anniversaire non-seulement de la naissance, mais aussi de la mort de Platon. Il mourut, dit-on, dans un festin, au milieu de ses amis, précisément à la fin de sa quatre-vingt-unième année. Laurent nomma pour présider à cette fête, dans la ville de Florence, François Bandini, que son rang et son savoir rendaient extrêmement propre à figurer dans cette circonstance; et, le même jour, il se fit à Careggi une autre réunion à laquelle il présidait lui-même. Dans ces assemblées, où se rendaient les plus savants hommes de l'Italie, c'était la coutume que quelqu'un s'occupât, après le dîner, de choisir certains passages des ouvrages de Platon, qu'on soumettait à la discussion de la compagnie, et chacun des convives entreprenait d'éclaircir et de développer quelque point important ou douteux de la doctrine de ce philosophe. Cette institution, qui dura plusieurs années, soutint le crédit de la philosophie platonicienne, et lui donna même un éclat tel, que ceux qui la professaient furent considérés comme les hommes les plus respectables et les plus éclairés de leur siècle. Tout ce que Laurent entreprenait de protéger devenait l'admiration de Florence, et, par suite, de toute l'Italie. Il était devenu en quelque sorte l'arbitre du bon ton; et ceux qui avaient les mêmes goûts et les mêmes opinions que lui, étaient sûrs d'avoir part à la gloire et aux applaudissements publics qui semblaient s'attacher à toutes les actions de sa vie.

XIII

Pendant que Florence jouissait ainsi de la paix philosophique sous un citoyen digne de rappeler Périclès, le reste de l'Italie était bouleversé par des crimes et des assassinats. Galéas Sforze, seigneur et tyran de Milan, périssait assassiné sur le seuil de la cathédrale, au milieu d'une procession solennelle, crime punissant un crime. Le peuple, au lieu de courir à la liberté, tua sur place deux des principaux conjurés qui croyaient s'armer pour la délivrance.

Le plus jeune d'entre eux, semblable à Brutus, fut chassé de la maison de son père, où il avait cherché asile. Il se nommait Girolamo Olgiato et mourut en Romain sur l'échafaud; dépouillé et nu devant le bourreau, il prononça ces paroles latines qui retentirent dans beaucoup de cœurs: *Mors acerba, fama perpetua, stabit vetus memoria facti.—Mort amère, éternelle mémoire! le bruit de cet événement subsistera à jamais!* Après ces paroles, les bourreaux l'écartelèrent avec ses complices.

Un enfant de huit ans, Jean Galéas, hérita de ce sang. Son infâme tuteur, Louis Sforze, persécuta sa veuve pour usurper sur le fils la puissance ducale; il fit périr Simonetta, ministre intègre de la pauvre mère.

XIV

Laurent ne pouvait être indifférent à un crime qui le touchait de si près. L'exemple d'un assassinat impuni menaçait sa vie et sa popularité.

Cette popularité des Médicis était presque souveraine en Toscane. Le peuple n'en recevait que des bienfaits; la jeunesse et la beauté de Laurent et de Julien y ajoutaient le prestige de l'avenir, et la séduction de tous les cœurs. Rien ne manquait à cette maison pour changer cet empire volontaire en sceptre. Il ne fallait qu'un événement pour passionner l'enthousiasme de ce peuple et du sang pour sacrer cette monarchie de l'opinion. Cet événement se préparait dans l'ombre.

La jalousie des grandes familles de Toscane, fomentée par la haine ambitieuse du pape Sixte IV, de son neveu Riario et surtout de l'archevêque de Florence, les secondait. Le principal ennemi des Médicis était François Pazzi, un des chefs de cette illustre maison. Il habitait plus souvent Rome que Florence. Selon les mœurs de ce temps, il y avait établi un comptoir qui rivalisait de pouvoir et d'opulence avec les comptoirs des Médicis. Rien ne semblait autoriser cette haine des Pazzi contre Laurent et Julien, si ce n'est quelques vieux démêlés de justice entre les deux familles, unies en apparence cependant par des bienfaits et des alliances.

Le germe de cette fameuse conjuration fut couvé d'abord à Rome entre Francesco Pazzi et le neveu du pape, Riario. Pazzi, dit-on, se flattait, après avoir abattu les Médicis, de prendre leur place à Florence. Le pape se flattait d'y régner par lui. L'archevêque de Pise, Salviati, élevé à cette dignité en dépit de Laurent, voulait se venger. Ainsi l'ambition, l'envie, la vengeance, les passions les plus sanglantes des hommes se coalisaient pour un crime commun. Ajoutez-y tout ce que la débauche, l'esprit d'aventure, la cupidité à tous risques, présentait d'appât aux conspirateurs, dans Salviati, neveu de l'archevêque; dans Bandini, le plus licencieux des hommes; dans Montesicco, condottiere au service du pape; dans Maffei, prêtre de Volterra, et dans

Bagnone, un des secrétaires apostoliques. Le pape ordonna secrètement au roi de Naples, alors son allié, de faire avancer deux mille hommes vers les États toscans pour seconder ses desseins lorsque la conjuration serait accomplie. Riario, neveu du pontife, alla s'établir en attendant dans le palais des Pazzi.

Le plan du complot était dressé; les complices n'avaient point reculé devant le sacrilége uni à l'assassinat. Un seul, Montesicco, avec le reste de loyauté qui honore toujours même le crime dans l'homme dévoué, ayant appris qu'il fallait frapper ses victimes dans une église, au pied de l'autel, au moment de l'élévation qui courbe toutes les têtes devant l'image de Dieu, se récusa, non pour le crime, mais pour le lieu de la scène; les deux prêtres, Maffei et Bagnone persévérèrent.

Le jeune Riario cependant exprima, comme envoyé du pape, son oncle, le désir d'assister au sacrifice solennel, le dimanche 26 avril 1478. Laurent l'invita en conséquence à venir le prendre dans son palais pour l'accompagner avec sa suite. La cérémonie était commencée quand François Pazzi et Bandini, voyant que l'une des principales victimes, Julien, était en retard et manquait au sacrifice, allèrent au-devant de lui pour presser sa marche, et l'ayant trouvé en chemin, affectèrent l'enjouement et la familiarité d'anciens compagnons de plaisirs, pour le prier de se rendre à l'église et pour tâter, en l'embrassant, s'il n'avait point de cuirasse sous ses habits; ils badinèrent même avec lui en entrant dans l'église, pour prévenir tout soupçon et l'empêcher de songer à revenir sur ses pas.

XV

Julien entre sans ombrage; il se place en avant de son frère; l'office commence; les prêtres sont à l'autel. Le signal qui devait être donné par eux est attendu par l'œil attentif des conjurés. Au moment où tous les fronts s'inclinent devant l'hostie consacrée par le célébrant, et où les cloches qui retentissent occupent l'attention des fidèles, Bandini s'élance et plonge son poignard dans la poitrine de Julien. Julien fait quelques pas et tombe inanimé aux pieds de ses assassins. François Pazzi se précipite sur lui pour l'achever, et, dans son impatiente fureur, se perce lui-même la cuisse en cherchant à le frapper de son épée.

Les deux prêtres qui s'étaient chargés de l'immolation de Laurent furent moins habiles ou moins résolus; Maffei dirigea son poignard au cou de Laurent, mais ne fit que l'effleurer derrière la nuque. L'intrépide Laurent déroula son manteau, qu'il tenait du bras gauche, et, tirant son épée de la main droite, disputa sa vie aux conjurés. Les deux prêtres, repoussés par ses domestiques, s'enfuirent. Bandini, plus résolu, se jeta sur lui avec son poignard encore dégouttant du sang de Julien; mais il rencontra François

Nori, un des familiers des Médicis, accouru au secours de son maître, qui le fit tomber mort à ses pieds.

Cependant les amis les plus rapprochés des Médicis se groupèrent en foule autour de lui, et, lui faisant un rempart de leurs corps, le poussèrent dans la sacristie, dont Politien ferma les portes de bronze sur lui. Un de ses jeunes amis, craignant que l'épée du prêtre Maffei ne fût empoisonnée, suça la blessure. Le tumulte, la confusion, les cris d'horreur furent tels, autour du chœur, que les assistants crurent à un tremblement de terre, et se réfugièrent, par toutes les issues, dans les cloîtres et autour de Santa-Maria. La jeunesse florentine, un peu revenue de la première terreur de l'événement, se forma d'elle-même en escorte autour de Laurent et le conduisit à son palais par un détour, afin de lui éviter le spectacle du cadavre de l'infortuné Julien.

FIN DE L'ENTRETIEN CXLVII

LAMARTINE.

Paris.—Typ. Rouge frères, Dunon et Fresné, rue du Four-St-Germain, 43

CXLVIIIe ENTRETIEN
DE LA MONARCHIE LITTÉRAIRE & ARTISTIQUE
OU
LES MÉDICIS
(SUITE)

I

Pendant que ces meurtres s'accomplissaient dans le sanctuaire de la cathédrale, une autre scène, plus confuse encore, avait lieu sur la place du Gouvernement, dans le palais de la Seigneurie.

Le jeune archevêque de Pise, un des agents les plus envenimés du complot, certain qu'il allait s'accomplir, et désirant ou en éviter l'horreur, ou en saisir plus vite l'à-propos, avait pris le chemin du palais et montait à pas pressés l'escalier immense et sombre de ce palais, semblable à une forteresse du moyen âge. Il était suivi de trente hommes de son parti, marchant un peu en arrière, destinés à porter la main sur les officiers de la Signoria. Il marchait le premier à une certaine distance.

L'intrépide défenseur de Prato, Petrucci, était en ce moment gonfalonnier de Florence. Ayant appris que l'archevêque de Pise était entré dans la première salle, il voulut aller, par respect, au-devant de lui. L'archevêque se troubla à son aspect; il rougit, pâlit, et, cherchant à gagner du temps, il balbutia je ne sais quelle excuse de sa démarche, disant à Petrucci que le pape lui envoyait par lui la permission d'un emploi pour son fils; mais il était si embarrassé dans sa prétendue explication, que Petrucci observa qu'il changeait de couleur et qu'il jetait fréquemment des regards obliques vers les portes, comme s'il eût attendu le secours de quelqu'un. Ses complices s'étaient égarés dans le vaste palais; ils étaient, par bonheur, fourvoyés dans une autre salle. Petrucci, alarmé par le trouble évident de l'archevêque, venait d'entr'ouvrir la porte des bureaux et d'appeler du monde à son aide. On accourut; il rencontra d'abord Poggio, un des complices de l'archevêque, le terrassa et le traîna par les cheveux. Les gens du palais se saisirent de toutes les armes et de tous les ustensiles domestiques qu'ils trouvèrent sous la main pour se défendre ou pour attaquer la suite de l'archevêque qui s'enfuyait.

À ce moment, ils ouvrirent les fenêtres du palais sur la place et aperçurent Giacomo Pazzi qui appelait le peuple à l'insurrection et annonçait l'assassinat du tyran dans l'église. Petrucci, indigné du crime, fit pendre Poggio, son prisonnier, à une des fenêtres, et saisir l'archevêque et les autres conjurés trouvés dans le palais. Tous furent massacrés ou pendus, excepté un seul, qui avait trouvé un asile dans un lambris et qui, après avoir échappé dans sa cachette pendant trois jours, se découvrit à la fin et reçut sa grâce comme ayant assez souffert par le spectacle dont il avait été si longtemps témoin. Le peuple de Florence, au lieu de répondre au cri de liberté, poursuivit dans les rues Giacomo Pazzi et les siens, auteurs d'un crime odieux et qui s'étaient trompés d'heure et de victimes.

Laurent, informé de ces justices populaires, envoya délivrer le jeune cardinal Riario, neveu du pape, qui s'était réfugié à l'ombre de l'autel et qui jurait de son innocence. Il affecta de le croire pour ne pas augmenter le nombre de ses ennemis et pour se ménager la réconciliation avec le pape. Tout le reste périt par la colère du peuple. Florence n'était qu'une scène de carnage où l'on portait à la pointe des lances les têtes des conjurés. Francesco Pazzi fut découvert couché dans un lit pour y étancher le sang de sa blessure. Son cousin Giacomo Pazzi parvint à s'évader de la ville; mais, reconnu dans un village, il fut ramené par les paysans irrités, qu'il conjura en vain de lui donner la mort pour lui éviter le supplice. Salviati, pendu à côté de lui dans ses habits pontificaux, s'attacha avec les dents au corps nu de Pazzi et ne cessa de le déchirer qu'en cessant de vivre.

Un pauvre jeune homme innocent nommé René Pazzi fut confondu avec ses parents, et expira pour le nom et pour le crime de ses oncles. Laurent ne fut pour rien dans ces vengeances, le peuple fit tout. Médicis eut beaucoup de peine à lui inspirer sa magnanimité. Les cadavres des Pazzi, déterrés par le peuple, furent jetés hors des murs et livrés aux oiseaux de proie. Les deux prêtres réfugiés dans le couvent des bénédictins furent découverts et mis en pièces. Les bénédictins eux-mêmes faillirent payer de leurs vies cette hospitalité suspecte. Montesiero, qui fut arrêté, confessa la complicité du pape et subit un supplice moins mérité. Bandini, le premier des assassins, s'échappa jusqu'à Constantinople. Le sultan, par égard pour Laurent, le renvoya au supplice.

II

Une foule immense assiégeait d'acclamations le palais de Laurent. Il demanda généreusement grâce pour ses ennemis. Le peuple entendit, admira, applaudit, mais n'accorda rien qu'à sa rage.

Julien avait reçu dix-neuf coups de poignard de Bandini et de Pazzi; on lui fit des funérailles expiatoires à San-Lorenzo.

Politien, son ami, le décrit comme un homme d'une beauté accomplie: taille élevée, constitution solide et souple, force à la lutte, habileté à manier les coursiers, bravoure modèle, goût de tous les arts, passion pour la poésie, grâce pour les femmes, discrétion dans ses amours, tel fut son éloge ratifié par son temps. Ce ne fut qu'après sa mort que l'abbé Antonio de Sangullo révéla confidentiellement à Laurent l'existence d'un enfant né, un an auparavant, des amours de Julien avec mademoiselle Irma, personne de la famille des Goxini.

Laurent courut chercher l'enfant et l'adopta. Cet enfant célèbre fut pape sous le nom de Clément VII, et contribua à sauver l'Église. Machiavel écrivit son histoire.

III

Le corps de troupes que le pape avait fait marcher s'arrêta et se retira après l'assassinat manqué. Laurent ne se fia ni à cet acte, ni aux dispositions du roi de Naples, dont le fils, duc de Calabre, faisait trembler l'Italie. Laurent amnistia tous les parents des coupables. Le frère de l'archevêque de Pise, Salviati, fut appelé par lui, et il lui donna sa fille en mariage. Il reconquit de même par le pardon et des bienfaits le frère de son assassin Maffei de Voltini; le pape Sixte, auquel il avait renvoyé son neveu Riario, qui resta pâle toute sa vie par suite de sa terreur pendant l'exécution du crime, l'excommunia pour toute reconnaissance. Le poëte Alfieri fit mentir la tragédie, comme Sixte avait fait mentir l'excommunication contre Laurent, coupable d'avoir échappé au poignard!

IV

Une armée papale assiégea Arezzo pendant deux ans, jointe à l'armée de Naples. Les Médicis rallièrent à leur cause Malateste, Constantin Sforza, le duc de Mantoue et enfin les Vénitiens. Des revers et des succès signalèrent cette guerre inique, mais les Florentins commençaient à murmurer, quand un acte héroïque de Laurent émut tous les cœurs et changea les esprits.

Il s'évade une nuit de son palais, prend la route de Naples, s'arrête à San-Miniato, ville de Toscane, et publie inopinément une lettre aux états florentins.

La voici:

«Si je ne vous ai pas confié la cause de mon départ avant de quitter la ville, ce n'est pas sans doute par oubli du respect qui vous est dû, mais parce que j'ai pensé que, dans les circonstances critiques où se trouve notre patrie, il était plus nécessaire d'agir que de délibérer. Il me semble que la paix est devenue d'une nécessité indispensable pour nous; et comme tous les autres moyens de l'obtenir ont été jusqu'ici sans succès, j'ai mieux aimé m'exposer moi-même à quelque danger, que de laisser la ville dans la détresse où elle se trouve: je prétends donc, si vous le permettez, me rendre directement à Naples; espérant que, puisque c'est contre moi personnellement que sont dirigés les coups de nos ennemis, je pourrai, en me livrant entre leurs mains, rendre la paix à mes concitoyens. Ou le roi de Naples n'a que des intentions favorables à la république, comme il l'a souvent assuré, et comme quelques-uns l'ont cru, et il aspire même par sa conduite hostile envers vous à vous rendre service, plutôt qu'à vous priver de votre liberté; ou, dans le fait, il veut la ruine de Florence. S'il est favorablement disposé à votre égard, il n'y a pas de meilleur moyen pour éprouver ses intentions que de me livrer moi-même entre ses mains; c'est, j'ose le dire, la seule manière de nous procurer une paix honorable. Si, au contraire, les projets du roi sont d'anéantir notre liberté, nous nous en apercevrons bientôt; et il vaut mieux acquérir cette lumière par la ruine d'un seul que par celle de tous... D'un autre côté, comme j'ai joui au milieu de vous de plus d'honneurs et de considération sans doute que je n'avais droit d'en attendre, et que peut-être on n'en a accordé à aucun simple citoyen, je me crois plus particulièrement obligé qu'aucun autre à servir les intérêts de mon pays, même aux dépens de ma propre vie. Je suis parti dans cette intention; et peut-être est-ce la volonté de Dieu, que, comme cette guerre a commencé par le sang de mon frère et par le mien, elle se termine aujourd'hui par mon intervention. Si le succès de cette démarche répond à mes vœux, je me réjouirai d'avoir rendu la paix à mon pays, et recouvré la sécurité pour moi-même. Si la fortune en décide autrement, du moins mon malheur sera adouci par l'idée qu'il était nécessaire au bien public: car si nos ennemis ne veulent que ma ruine, je serai entre leurs mains. Si leur ambition menaçait la liberté publique, je ne doute point que mes concitoyens ne s'unissent pour la défendre jusqu'à la dernière extrémité, et, je l'espère, avec autant de succès que nos ancêtres l'ont fait autrefois. Tels sont les sentiments avec lesquels je vais poursuivre l'exécution de mon dessein, suppliant le ciel de m'accorder dans cette occasion la grâce de faire tout ce que chaque citoyen doit être prêt à entreprendre dans tous les instants pour le bonheur de sa patrie.»

De San-Miniato, le 7 décembre 1479.

V

Ce départ était un de ces actes subits d'honneur que le cœur tente avant que la réflexion l'ait mûri; il étonna amis et ennemis dans Florence. C'est le propre de ces coups: ils déroutent, et c'est leur force. La politique a ses illuminations comme le champ de bataille. Peu de mois auparavant cependant, le roi Ferdinand de Naples passait pour avoir fait précipiter d'une fenêtre le fameux Piccini, à qui François Sforza, duc de Milan, venait de donner sa fille Druziane en mariage.

Laurent s'embarqua à Pise. Son arrivée, quoique inopinée, lui parut de bon augure. Il fut surpris de se voir attendu. Le fils et le petit-fils du roi étaient venus au-devant de lui sur la darse; et la foule se portait sur la route d'un homme si célèbre. Dès la première entrevue avec le roi, Médicis se montra ce qu'il était, grand politique. Il fit comprendre à Ferdinand le contre-sens qu'il y avait pour les voisins d'un pontife ambitieux à affaiblir la Toscane, alliée naturelle et nécessaire de Naples. Il lui raconta dans ses détails secrets l'horrible conjuration à laquelle il venait d'échapper et qui l'avait privé d'un frère. Le roi fut convaincu et surtout touché: *vixit præsentia famam*. Il ne promit rien, mais il fit tout pressentir.

Laurent gagna les ministres et séduisit le peuple par ses fêtes et ses libéralités. Il partit enfin, au bout de trois mois de séjour, emportant un traité d'alliance. Mais, à peine en mer, le roi lui expédia un vaisseau pour le ramener, sous prétexte que le pape voulait signer aussi la réconciliation. Laurent, heureux de sa témérité, ne voulut pas en risquer le prix par une imprudence inutile; il continua sa navigation. Politien, son ami, célébra ce retour par un salut poétique.

Les mouvements de Mahomet II contre l'Italie, où il vint assiéger Otrante, obligèrent le pape à changer de dessein et à lever l'interdit qui frappait la Toscane.

VI

Ainsi le génie de Laurent, secondé par la fortune, le rendait cher à son pays; une conjuration sanglante avait été le sacre de sa maison. Il faut une émotion au peuple pour que son cœur et son imagination s'attachent à un homme nouveau.

Du moment où leur sang eut coulé, les Médicis furent rois sans couronne. Julien, en succombant sous les coups des Pazzi, avait légué le sceptre à son frère.

L'absence d'ambitions froissées, dans Laurent, et ses goûts littéraires et philosophiques donnaient à la Toscane la sécurité qu'elle désirait. Il briguait le trône par son désintéressement même. La paix qu'il venait de rapporter à son pays lui laissait le loisir de se livrer aux arts et aux lettres.

Il écrivait à Marcile Ficino, son ami et son correspondant intime: «Quand mon âme est lasse du fracas des affaires publiques, et que mes oreilles sont assourdies par les cris tumultueux des citoyens, comment supporterais-je une pareille gêne si je ne trouvais un délassement dans l'étude!»

Pic de la Mirandole, le prodige lettré d'Italie, dans ses Mémoires, disait que le génie de Laurent était à la fois si énergique et si souple, qu'il paraissait avoir été formé pour triompher dans tous les genres. «Ce qui m'étonne surtout, ajoutait ce juge si compétent, c'est qu'au moment où il est le plus engagé dans les affaires de la république, il peut ramener l'entretien sur des sujets de littérature et de philosophie avec autant de liberté et de facilité que s'il était le maître de son temps comme de ses pensées.»

Il écrivait des sonnets, restés classiques, et s'excusait en ces termes de se livrer à la poésie, crime illustre dont on l'accusait:

«Il y a quelques personnes, dit-il, qui m'accuseront peut-être d'avoir perdu mon temps à écrire des vers et des commentaires sur des sujets amoureux, précisément lorsque j'étais plongé dans des occupations très-graves et très-multipliées. Je réponds à cela que sans doute je serais très-condamnable, si la nature avait accordé aux hommes la faculté de pouvoir s'occuper dans tous les instants des choses qui sont le plus véritablement dignes d'estime; mais comme cette faculté n'a été donnée qu'à un petit nombre d'individus, et que ceux-là mêmes ne trouvent pas souvent dans le cours de leur vie l'occasion d'en faire usage, il me semble, en considérant l'imperfection de notre nature, que l'on doit accorder le plus d'estime aux occupations dans lesquelles il y a le moins à reprendre.—Si les raisons que j'ai apportées déjà ne paraissaient pas suffire à ma justification, ajoute-t-il ensuite, je n'ai plus qu'à me recommander à l'indulgence de mes lecteurs. Persécuté comme je l'ai été dès ma jeunesse, peut-être me pardonnera-t-on d'avoir cherché quelque consolation dans ce genre de travail.»

Dans la suite de ses Commentaires, il a cru devoir donner quelques détails sur sa situation particulière.

«J'avais le projet, dit-il en faisant l'exposition de ce sonnet, de rapporter les persécutions que j'ai éprouvées; mais la crainte de paraître orgueilleux et plein d'ostentation me détermine à passer rapidement sur ces circonstances: véritablement, il est difficile d'éviter ces imputations lorsqu'on parle de soi. Le marin qui nous raconte les dangers qu'il a courus dans sa navigation a plutôt en vue de nous faire admirer ses talents et sa prudence, que les faveurs dont il est redevable à sa bonne fortune; et souvent, il lui arrive d'exagérer ses périls pour augmenter notre admiration: de même les médecins ne manquent guère à présenter la situation de leur malade comme beaucoup plus alarmante qu'elle ne l'est en effet, afin que, s'il vient à mourir, ce malheur soit plutôt attribué à la force de la maladie qu'à leur défaut d'habileté; et que s'il en réchappe, le mérite de la cure paraisse encore plus grand. Je me bornerai donc à dire que j'ai éprouvé des angoisses cruelles, car j'avais pour ennemis des hommes dont l'habileté égalait la puissance, et bien décidés à consommer ma ruine par tous les moyens dont ils pourraient disposer; tandis que, d'un autre côté, n'ayant à opposer à de si formidables ennemis que ma jeunesse et mon inexpérience (et, je dois le dire aussi, l'assistance que je tirais de la bonté divine), je me vis réduit à un tel degré d'infortune, que j'eus en même temps à supporter la terreur religieuse d'une excommunication et le pillage de mes propriétés, à résister aux efforts qu'on faisait pour me dépouiller de mon crédit dans l'État, mettre le désordre dans ma famille, et me priver de la vie par des attentats sans cesse renouvelés, en sorte que la mort même me paraissait le moindre des maux que j'avais à éviter. Dans une situation si déplorable, on ne s'étonnera pas, sans doute, que j'aie tâché de détourner ma pensée sur des objets plus agréables, et que j'aie cherché à me distraire un moment de tant d'inquiétudes, en célébrant les charmes de ma maîtresse.»

C'était le superflu de sa grande âme, le luxe de son génie.

VII

Ici, vous oubliez que vous lisez l'histoire du fondateur d'une grande dynastie et vous croyez lire l'histoire d'un grand poëte. Pétrarque était mort en 1374, Boccace en 1375. Tout se taisait, on balbutiait; Laurent, amoureux comme Pétrarque, écrivit comme lui ces sonnets qui immortalisent les flammes du cœur. La vigueur de son imagination et la pureté de son style le distinguaient de tous ceux, excepté Politien, qui vivaient alors dans sa familiarité à Florence. Il fut le second restaurateur de la belle poésie italienne, en sorte que s'il n'eût pas été Médicis, il eut été un second Pétrarque. Les descriptions dont il embellit ses pensées sont comparables aux plus pittoresques de Virgile lui-même.

Speluncæ, vivique lacus, ac frigida Tempe,
Mugitusque boum, mollesque sub arbore somni.

L'ulivia, in qualche dolce piazzia aprica
Secundo il vento par or verda or bianca.

(L'olivier, dans quelque douce plaine sauvage, paraît, selon le vent qui agite ses feuilles, sombre ou verdoyant.)

Les *Selve* d'amour, autre genre de composition pastorale, ne présentent pas de moins douces images:

Al dolce tempo, il bon pastor informa
Lasciar le mandre, ove nel verno giaque
Il luto grege che ballando in torma
Torma all alte montique alle fresch aque;
L'agnel trottendo pur la materna orma
Sequi; et selum che puror ora naque
L'ammoral pastor, in braccia porta:
Il fido a lutti fu le scorta.

«Au retour des temps doux, le pasteur sollicite son troupeau à quitter les étables, à gagner les hautes montagnes et les bords des ruisseaux rafraîchissants. Le troupeau, bondissant de joie, le précède et l'agneau suit les traces de sa mère, et si quelqu'un d'eux vient de naître à l'instant sur le sentier, le berger l'emporte dans ses bras, pendant que le chien fidèle veille sur tous et leur fait escorte.»

De telles images sont d'un vrai poëte. On y reconnaît le cœur de l'enfant qui suivait Côme, son père, dans les pâturages de Coreggio. Ce n'est pas la cour, c'est la nature qui fait les poëtes, ces hommes de grand air!

«Souvent, dit-il dans un de ces sonnets, où il montra la charité produisant l'amour, souvent Apollon, le dieu de la flamme, cueille ses rayons dorés sur les monts glacés du Nord.»

Et dans un autre sonnet, sur les larmes de sa Beauté:

«Qu'elles étaient belles, grands dieux! ces larmes que fit couler le désir impatient d'une dure contrainte, lorsque la juste douleur dont le cœur était pénétré éleva un nuage de pleurs sur des astres de l'amour! Elles coulaient, ces larmes divines, sur des joues où le lis semble mêlé d'une teinte légère d'incarnat; elles coulaient sur cette peau délicate et tendre, comme ferait un clair ruisseau dans une prairie émaillée de fleurs blanches et roses. L'amour satisfait recevait cette pluie amoureuse, comme l'oiseau brûlé par l'ardeur du soleil reçoit avec joie les gouttes de la rosée si longtemps désirée. Puis en pleurant dans ces yeux où il a fixé son asile, l'amour faisait sortir de ces larmes si belles et si touchantes de brillantes et douces étincelles.»

VIII

Mais le sonnet n'est qu'un soupir, court et fugitif comme lui; c'est vrai, cependant il résume une passion en un mot, et ce mot est immortel. Quel poëte mettez-vous au-dessus de Pétrarque; il n'a fait que des sonnets et des canzoni. Les canzoni (odes) sont mortes, le sonnet vit et a donné la vie à Laure. Les *Selve d'amor* de Laurent sont un poëme plus long. Un autre poëme de lui, intitulé *Umbra*, du nom d'un ruisseau qui coule encore auprès de sa maison de campagne de Poggio à Cajano, lui fournit un autre genre de succès. C'est le poëme de toutes ses amitiés; Politien y tient le premier rang. Cela ressemble à Horace à Tibur ou dans son voyage en Campanie, doux, gai, varié comme le délassement de ce maître.

Mais, à mesure qu'il mûrissait, son génie devenait plus grave. Il remontait à Platon et à Dieu.

«Ranime, ô mon esprit, tes facultés endormies; chasse de tes yeux ce sommeil perfide qui leur dérobe la vérité; réveille-toi enfin, et reconnais combien est vaine, inutile et trompeuse toute action qui n'est pas dirigée par une raison supérieure à nos désirs. Ah! pense au faux éclat dont nous éblouissent les honneurs, les richesses et les plaisirs qu'on croit les plus propres à nous rendre heureux. Pense à la dignité de ton intelligence, qui ne t'a pas été donnée pour l'employer à la poursuite d'un bien mortel et périssable, mais au moyen de laquelle le ciel même peut devenir l'objet de ton ambition. Tu connais par expérience le prix de ce que le vulgaire appelle des biens; biens aussi éloignés du véritable bonheur, que l'orient l'est de l'occident. Ces attraits de la beauté qu'Amour présentait à tes yeux, et qui te séduisirent dès tes plus jeunes ans, t'ont privé de toute la paix et de tout le bonheur dont tu devais jouir. Plaisir léger, volage, fugitif, qu'accompagnent mille tourments, à travers l'éclat trompeur dont tu nous éblouis, tu caches des maux cruels, et ta riche et brillante parure couvre des monstres hideux. Oh! de quel bonheur nous jouirions si la raison, qui doit régler toutes nos actions, avait eu sur nous plus d'empire! Si l'emploi de tant de temps, de génie, d'artifices, avait eu un plus juste et plus digne objet, dans quel calme heureux et consolant tu verrais aujourd'hui s'écouler ta vie! Hélas! si tu avais su t'aimer davantage toi-même, peut-être qu'aujourd'hui tu distinguerais mieux ce qu'il y a de bon et de mauvais parmi les objets qui flattent tes désirs et tes espérances. Tu as consumé sans fruit le printemps de ton âge, et peut-être en sera-t-il ainsi du reste de ta vie, jusqu'à la dernière soirée de ton hiver. Une illusion perfide te persuadera, sous mille faux prétextes, que c'est à la fragilité de ton cœur que tu dois attribuer ce malheur.—Ah! brise enfin ces chaînes honteuses; arrache tes bras de ces liens funestes dont les a chargés une beauté trompeuse. Bannis de ton cœur la vaine espérance; que la partie plus noble et plus calme reprenne son empire sur tes sens; armée d'une force irrésistible et d'une prudence plus grande, qu'elle soumette à ses lois tout désir contraire à sa volonté, et que ton funeste ennemi, désormais terrassé, n'ose plus dresser contre toi sa tête venimeuse.»

C'est ainsi qu'il méditait en vers longtemps avant l'époque des *Méditations*.

Il passa de là aux harmonies sacrées où Dieu remplit tout, et me montra à moi-même la vraie route et le vrai but de toute poésie.

Politien, son ami et le précepteur de ses fils, composa alors le poëme d'*Orphée*. Laurent, aussi soigneux de sa popularité que de son génie, usa de la liberté du carnaval pour composer des poésies dansantes dont les belles filles des campagnes de Florence venaient le remercier avec des guirlandes de fleurs en main devant son palais. Toutes les classes lui devaient des loisirs et des joies; la patrie toscane adorait son souverain dans son poëte; ce David de l'Arno dansait lui-même dans ces fêtes populaires.

Le plus autorisé des critiques de la langue et de la littérature italiennes, le célèbre Guicciardini en parle en ces termes:

«Mais dans cette décadence des lettres, après Dante, Pétrarque, il s'éleva un homme qui les préserva d'une ruine absolue et sembla l'arracher du précipice prêt à l'engloutir: c'était Laurent de Médicis, dans les talents duquel elle trouva l'appui qui lui était devenu si nécessaire. Jeune encore, il fit briller, au milieu des ténèbres de la barbarie qui s'étaient étendues sur toute l'Italie, une simplicité de style, une pureté de langage, une versification heureuse et facile, un goût dans le choix des ornements, une abondance de sentiments et d'idées, qui firent encore une fois revivre la douceur et les grâces de Pétrarque.»

Si l'on ajoute à ces témoignages respectables les considérations suivantes, que les deux grands écrivains dont on prétend établir la supériorité sur Laurent de Médicis employèrent principalement leurs talents dans un seul genre de composition, tandis qu'il exerça les siens dans une foule de genres différents; que, dans le cours d'une longue vie consacrée aux lettres, ils eurent le loisir de corriger, de polir, de perfectionner leurs ouvrages, de manière à les mettre en état de supporter la critique la plus minutieuse, tandis que ceux de Laurent, presque tous composés à la hâte, et, pour ainsi dire, impromptu, n'eurent quelquefois pas l'avantage d'un second examen, on sera forcé de reconnaître que l'infériorité de sa réputation comme poëte ne doit pas être attribuée à la médiocrité de son génie, mais aux distractions de sa vie publique.

Jusqu'au grand Frédéric II, en effet, l'Europe moderne n'avait pas vu dans un même homme une telle association de génies divers: l'universalité était la seule vocation de Laurent, grand commerçant, grand politique, grand poëte.

IX

Il mania, avec sa loyauté et son habileté honnête, le timon de la république entre Naples, Venise, Rome, pendant quelques années. Celui-là même qui avait obtenu de Mahomet II le renvoi d'un premier assassin, Bandini, de Constantinople à Florence, conspira contre lui et fut exécuté. C'était Faccibaldi. Mais il finit par rétablir une troisième fois la concorde de la paix en Italie.

Les affaires intérieures appelaient aussi sa prudence. La démocratie de Florence, gouvernée par les corps de métiers et surtout par les *ouvriers de la laine*, ne l'inquiétait pas au dedans, mais l'inquiétait pour le gouvernement extérieur, qui demande plus de suite que la multitude n'en met dans ses passions. Il y remédia en créant un sénat, corps aristocratique plus empreint de l'intelligence du gouvernement. Sa police était douce, mais attentive. Voici ce qu'en dit un historien contemporain:

«On n'entend parler ici, dit-il, ni de vols, ni de désordres nocturnes, ni d'assassinats; de jour et de nuit, tout individu peut vaquer à ses affaires avec la plus parfaite sécurité: on n'y connaît ni espions ni délateurs: on ne souffre point que l'accusation d'un seul trouble la tranquillité générale; car c'est une des maximes de Laurent, qu'il vaut mieux se fier à tous qu'à un petit nombre.»

Son influence diplomatique en faisait le juge de paix de l'Europe. Le roi de France, l'empereur, la reine d'Angleterre, le roi de Portugal, celui de Hongrie, le sultan lui-même le comblaient d'égards et de présents. Guicciardini décrit ainsi son règne:

«Depuis dix siècles entiers, l'Italie n'avait pas éprouvé un seul moment de prospérité égale à celle dont elle jouit à cette époque. Alors on vit la culture la plus active étendre ses bienfaits sur cette belle et fertile contrée: non-seulement ses plaines riantes et ses fécondes vallées furent couvertes de fruits, mais même le sol stérile et ingrat des montagnes fut forcé de payer un tribut à l'industrie du cultivateur; et, sans reconnaître d'autre autorité que celle de sa noblesse et de ses chefs naturels, l'Italie était heureuse à la fois par le nombre et la richesse de ses habitants, par la magnificence de ses princes, par la grandeur et l'éclat imposant de plusieurs de ses cités... Abondante en hommes distingués par leur mérite dans l'administration des affaires publiques, illustres dans les arts et dans les sciences; elle jouissait au plus haut degré de l'estime et de l'admiration des nations étrangères. Plusieurs causes concoururent à maintenir cette prospérité extraordinaire, que diverses circonstances favorables avaient produite; mais on s'accorde généralement à l'attribuer en grande partie au génie actif et aux vertus de Laurent de Médicis. Ce citoyen s'élève tellement au-dessus de la médiocrité d'une condition privée, qu'il parvint à régler par ses conseils les affaires de la république de Florence, plus considérable alors par sa situation, par le génie de ses habitants et par la promptitude de ses ressources que par l'étendue de son territoire. Jouissant de la confiance la plus entière du pontife de Rome, Innocent VIII, il rendit son nom illustre, et lui donna la plus grande influence dans les affaires de l'Italie; mais, convaincu d'ailleurs que l'agrandissement de l'un quelconque des États qui avoisinaient la république ne pouvait que devenir funeste à lui-même et à sa patrie, il employa tous ses efforts à maintenir entre les puissances de l'Italie un équilibre si parfait, que la balance ne pût pencher en faveur d'aucune d'elles en particulier: ce qui ne pouvait se faire qu'en s'appliquant à conserver la paix entre elles, et en portant la plus scrupuleuse attention sur tous les événements, les moins importants en apparence.»

On ne peut s'empêcher de regretter que ces jours de prospérité aient été de si courte durée. Semblable à ces moments de calme qui précèdent les ravages de la tempête, à peine on avait commencé à en goûter les douceurs, qu'elles s'évanouirent sans retour, l'édifice de la félicité publique, élevé par les travaux de Laurent et conservé par ses soins assidus, ne demeura ferme et entier que pendant le peu de temps qu'il vécut encore; mais, à sa mort, on le vit s'abîmer comme ces palais enchantés que créa l'art de la magie, et il entraîna pour un temps dans sa ruine les descendants mêmes de son fondateur.

Il ne manqua à ce règne que la durée.

X

Les rapports passionnés que Laurent établit entre la Grèce et l'Italie, les livres dont il enrichit sa patrie, les hommes célèbres auxquels il offrit un asile, furent le signal de la *Renaissance*, époque brillante où un monde moral nouveau sort tout à coup d'un monde qui s'éteint.

Politien chantait ce que Laurent faisait. Son Ode à Horace égale son modèle et rend à Laurent l'honneur de cette résurrection:

«Poëte dont les accents sont plus doux que ceux du chantre de la Thrace; soit qu'épris d'admiration, les fleuves impétueux suspendent leur course pour t'entendre; soit que tu veuilles, par le charme de tes accords, adoucir la férocité des hôtes des bois, ou attendrir les rochers mêmes qui leur servent d'asile;

«Rival heureux des poëtes de l'Eolie, toi qui le premier sus tirer des sons harmonieux de la lyre latine, dont le vers audacieux et sévère imprima l'opprobre et la honte sur le front coupable des pervers,

«Quelle main propice a rompu tes indignes entraves, et, dissipant le nuage épais et sombre où t'avaient enseveli des siècles de barbarie, te rend aux danses légères paré de toutes tes grâces, et brillant d'une jeunesse nouvelle?

«Le temps destructeur t'avait couvert de ses ombres affreuses; la triste vieillesse s'était appesantie sur toi, et voici que tu reparais à nos yeux avec un visage aimable et riant, le front ceint de fleurs odorantes!

«Ainsi, lorsque le printemps, succédant aux glaces de l'hiver, rend à la terre sa brillante parure, on voit le serpent, quittant son ancienne dépouille, étaler avec joie sa robe éclatante aux yeux de l'astre du jour;

«Ainsi Landino, ce digne émule de la gloire des anciens, t'a rendu ta grâce et les doux accords de ta lyre; tel on te vit sous les frais ombrages de Tibur faire résonner les cordes de ton luth harmonieux.

«Livre-toi maintenant aux doux plaisirs et aux jeux folâtres; tu peux te mêler aux danses légères de la jeunesse, ou amuser les jeunes filles par tes aimables chansons.»

XI

«Non content de son intimité avec Politien, le Villemain de ce siècle, et qu'il avait choisi pour le conseiller suprême de l'éducation de ses enfants, avec qui il se promenait à cheval dans ses domaines, Laurent témoignait la même faveur au jeune Pic de la Mirandole.

Pic était né à Mirandola. Après des études précieuses dans la maison du prince, son père, il vint à Rome et offrit de soutenir une joute littéraire sur vingt-deux langues et sur neuf cents questions philosophiques. «C'était, dit son rival Politien, un homme ou plutôt un être extraordinaire, à qui la nature avait prodigué tous les avantages du corps et de l'esprit. Sa taille était noble et élégante; il y avait dans toute son apparence quelque chose de divin; doué d'une pénétration d'esprit inconcevable, d'une mémoire infaillible, d'une ardeur infatigable au travail, parlant avec autant d'éloquence que de netteté, on ne savait ce que l'on devait le plus admirer, de ses talents ou de ses vertus. Ses connaissances profondes dans toutes les parties de la philosophie étaient encore étendues et fortifiées par l'avantage de posséder plusieurs langues, et par l'instruction qu'il avait sur toutes les sciences dignes d'estime; en sorte que l'on peut dire qu'il n'y a point d'éloges qui ne soient au-dessous de son mérite.»

Il mourut jeune.

«Politien avait aimé Alessandra, fille de Bartolommeo Scala. C'était une beauté ravissante, aussi célèbre par ses grâces que par ses talents. Mais Alessandra lui préféra Marcellus, aussi savant et plus beau que lui. Les vers que Marcellus adresse, en latin, au père de sa maîtresse ont été conservés comme preuve de son talent et de la chasteté de ses amours:

Casta carmina, castior vita!

«Politien entretenait aussi une correspondance amoureuse avec Cassandra Fidelis, jeune et belle Vénitienne, aussi érudite qu'aimable. Il alla la visiter à Venise et lui rendit l'hommage qu'elle méritait.

«Hier, écrivait-il à son illustre protecteur, hier j'allai voir la célèbre Cassandra, à laquelle je présentai vos hommages; c'est véritablement une femme étonnante par la profonde connaissance qu'elle a de sa langue naturelle et de la langue latine: je lui trouve une physionomie très-agréable; je l'ai quittée plein d'admiration pour ses talents. Elle est extrêmement dévouée à vos intérêts et parle de vous avec la plus grande estime: elle m'a avoué même qu'elle avait le projet d'aller vous voir à Florence; ainsi préparez-vous à la recevoir d'une manière digne de son mérite.»

Mais Cassandra s'était mariée, comme la Laure de Pétrarque, et avait déjà plusieurs enfants. Elle vécut près d'un siècle, et finit dans l'indigence.

Politien, à son retour, traduisit Homère tout entier. Son maître et son ami, Laurent de Médicis, le voyant en disgrâce auprès de sa femme Clarisse, l'envoya résider à Pistoja, auprès de ses enfants; puis à Caffagiolo, maison des champs de Côme, son père.

«Ne pensez pas, écrivait Politien à un de ses amis, qu'aucun des savants qui composent notre société, même ceux qui ont consacré leur vie tout entière à l'étude, puisse prétendre à quelque supériorité sur Laurent de Médicis, dans tout ce qui tient à la subtilité de la discussion et à la solidité du jugement, ou dans l'art d'exprimer ses pensées avec autant de facilité que d'élégance. Les exemples de l'histoire lui sont aussi présents que les amis qu'il admet à sa table, s'il m'est permis de m'exprimer ainsi; et lorsque le sujet le comporte, il sait répandre à pleines mains, dans sa conversation, ce sel précieux que l'on dirait recueilli dans l'Océan où Vénus prit naissance.»

Sa femme Clarisse et ses enfants étaient ordinairement les objets de ses plus charmantes plaisanteries. Il adorait les femmes, mais il respectait son épouse; trois fils et quatre filles composaient cette famille. Il jouait, comme Henri IV, à ces jeux familiers avec ses fils, dont l'un devait être pape, l'autre duc de Nemours. Politien lui écrivait quelquefois de Pistoja pour se plaindre de sa trop sévère autorité sur eux. Voici en quels termes il retrace les portraits de ces enfants:

«Pierre s'applique beaucoup. Nous faisons tous les soirs des courses dans le voisinage. Nous visitons les nombreux jardins dont cette ville est embellie. Jean sort à cheval pendant ce temps, et la foule s'amuse à le suivre.»

Ils allèrent passer l'hiver à Caffagiolo. Politien écrivit de là à la grand'mère de ses élèves, Lucretia, qui l'aimait toujours. Le ton de ces lettres est triste comme les événements de cette saison:

«Les seules nouvelles que je puisse vous apprendre d'ici, écrit-il à cette dame, c'est que la pluie est si continuelle qu'il est impossible de quitter la maison, et l'on est forcé de renoncer aux exercices de la campagne, pour se livrer, dans l'appartement, à des jeux tout à fait puériles. Je reste constamment au coin du feu, en pantoufles et en robe de chambre, et je pourrais représenter la Mélancolie assez au naturel. À dire le vrai, c'est l'état où je suis dans tous les moments, et rien de ce que je puis voir, entendre, ou faire, n'a le pouvoir de dissiper la sombre tristesse que m'inspire la pensée des maux qui nous affligent; que je dorme ou que je veille, elle est incessamment présente à mon esprit. Il y a deux jours que nous étions au comble de la joie, sur ce que nous avions ouï dire que la peste avait cessé; aujourd'hui, nous sommes retombés dans l'abattement en apprenant qu'il en reste encore quelques symptômes. Si nous étions à Florence, nous éprouverions quelque consolation, ne fût-ce qu'à revoir Laurent, lorsqu'il rentre chez lui; mais ici nous sommes dans une anxiété continuelle, et quant à moi, la solitude et l'ennui me tuent; la guerre et la peste sont sans cesse présentes à mes yeux: je déplore nos maux passés, j'anticipe sur ceux de l'avenir, et je n'ai plus à mes côtés ma chère madame Lucretia, dans le sein de laquelle je puisse épancher mes inquiétudes.»

À sept ans, Jean, depuis Léon X, dont la vocation était de devenir un grand pape, recevait des bénéfices ecclésiastiques de Louis XI. Les conseils de Laurent respirent la gravité de cette destinée.

XII

Son repos était magnifique comme son caractère; Laurent aimait surtout le palais des champs qu'il venait de construire à Poggio-Caiano, sur les bords de l'Umbra, qui fut son Tibur. Que de fois n'ai-je pas erré sur les traces de ce palais avec un digne successeur de Laurent, le dernier grand-duc de Toscane, aujourd'hui mort en exil, en Bohême!

«N'oubliez pas que nous ne sommes que des citoyens de Florence; mais son chef-d'œuvre de sagesse est la lettre pleine de conseils paternels qu'il écrit au jeune cardinal de Suza, se rendant alors à Rome; la voici:

«Nous avons, ainsi que vous, de grandes grâces à rendre à la Providence, non-seulement pour les honneurs et les bienfaits sans nombre qu'elle a répandus sur notre maison, mais plus particulièrement encore à cause qu'elle nous fait jouir, dans votre personne, de la plus éminente dignité qui ait jamais été accordée à notre famille. Cette faveur, si importante par elle-même, le devient plus encore par les circonstances qui l'ont accompagnée, et particulièrement par la considération de votre jeunesse et de notre situation dans le monde. Le premier sentiment donc que je voudrais vous inspirer, c'est celui de la reconnaissance envers Dieu, et de vous ressouvenir sans cesse que ce n'est ni à vos mérites, ni à votre prudence, ni à vos soins que vous devez une si rare faveur, mais à sa bonté seule, dont vous ne pouvez vous montrer reconnaissant que par une vie pieuse, exemplaire et pure; et vous êtes d'autant plus obligé de vous montrer rigide et scrupuleux observateur de ces devoirs, que vos jeunes années ont donné une attente plus légitime pour les fruits de l'âge mûr. Ce serait, en effet, une chose aussi humiliante pour vous que contraire à vos devoirs et à mes espérances, si vous veniez à oublier les préceptes de votre jeunesse et à quitter le sentier où vous avez marché jusqu'ici. Tâchez donc, par la régularité de votre vie et par votre persévérance dans les études qui conviennent à votre profession, de vous élever au niveau d'une dignité où vous avez été appelé de si bonne heure. J'ai appris avec bien de la satisfaction que, dans le cours de l'année passée, vous aviez souvent approché des sacrements de la confession et de la communion, de votre propre mouvement; et je ne connais rien qui soit plus capable d'attirer sur vous les faveurs du ciel, que de vous habituer à la pratique de ces devoirs et autres semblables.

«Je conçois bien qu'il vous sera plus difficile de mettre ces avis à profit, à Rome, dans ce séjour de corruption et d'iniquité où vous allez vivre désormais. L'influence de l'exemple est déjà un très-grand danger, mais vous

vous trouverez probablement avec des gens qui tâcheront de vous corrompre et de vous porter au vice. Vous devez comprendre vous-même que l'envie ne vous a pas vu avec indifférence parvenir si jeune à une si éminente dignité, et ceux qui n'ont pu réussir à vous exclure de cet honneur feront jouer toutes sortes d'intrigues pour le flétrir entre vos mains, en vous faisant perdre l'estime publique, et tâchant de vous entraîner dans le gouffre de turpitudes où ils sont eux-mêmes tombés; et sur ce point la considération de votre jeunesse redouble leur confiance. C'est à vous de lutter contre cet écueil avec d'autant plus de fermeté, qu'il y a désormais moins de vertus dans vos frères du collége des cardinaux. Je sais bien qu'il y en a parmi eux plusieurs qui sont à la fois éclairés et vertueux, dont la vie est exemplaire, et je vous recommande expressément de les prendre pour modèles de votre conduite. C'est en les imitant que vous vous ferez connaître et estimer à mesure que votre âge et les circonstances particulières de votre vie vous feront distinguer davantage entre vos collègues. Fuyez néanmoins l'hypocrisie, comme vous fuiriez les écueils de Charybde et de Scylla; évitez l'ostentation, soit dans votre conduite, soit dans vos discours; n'affectez ni l'austérité ni une gravité outrée. Vous comprendrez, j'espère, ces avis, et vous les mettrez en pratique lorsqu'il en sera temps, mieux que je ne puis vous les retracer ici.

«Vous n'ignorez pas l'importance extrême du caractère dont vous êtes revêtu, car vous savez très-bien que le monde chrétien jouirait de la paix et du bonheur si les cardinaux étaient ce qu'ils devraient être, puisque alors les papes seraient toujours vertueux, et que le repos de toute la chrétienté est essentiellement dans leurs mains. Tâchez donc de vous rendre tel que, si tous les autres vous ressemblaient, on pût goûter ce bonheur universel. Il serait trop difficile de vous donner des instructions précises sur ce qui regarde votre conduite et vos conversations; je me bornerai donc à vous recommander d'avoir avec les cardinaux et les autres personnes élevées en dignité le langage du respect et de la déférence, sans néanmoins renoncer à vous servir de votre propre raison, et vous laisser entraîner par les passions des autres, qui peuvent être égarés par des motifs peu estimables. Soyez toujours en état de vous rendre à vous-même ce témoignage, que jamais vous n'avez l'intention d'offenser personne dans vos discours; et si l'impétuosité du caractère vous porte à faire à quelqu'un une offense involontaire, comme son inimitié sera sans fondement légitime, elle ne saurait être de longue durée. Au reste, dans les premiers moments de votre séjour à Rome, il vous conviendra plus généralement d'écouter les autres, que de parler beaucoup vous-même.

«Vous êtes désormais consacré à Dieu et à l'Église, et pour cette raison vous devez constamment aspirer à être un bon ecclésiastique, et montrer que vous préférez l'honneur et l'état de l'Église et du saint-siége apostolique à toute autre considération. Et tant que vous serez pénétré de ces principes, il ne vous sera pas difficile de rendre à votre famille et à votre patrie des services importants; au contraire, vous pouvez devenir le lien heureux qui attachera plus étroitement cette ville à l'Église et votre famille à cet État; et, quoiqu'il soit impossible de prévoir quels événements peuvent arriver un jour, je ne doute point que cela ne se puisse faire avec un égal avantage pour tous, observant néanmoins que vous devez toujours préférer les intérêts de l'Église.

«Non-seulement vous êtes le plus jeune cardinal du sacré collége, mais encore le plus jeune homme qui ait jamais été élevé à cette dignité, et c'est pour cela que vous devez vous montrer à la fois le plus empressé et le plus humble dans toutes les circonstances où vous aurez à vous trouver avec les autres, sans jamais vous faire attendre soit à la chapelle, soit au consistoire, soit dans les députations. Vous saurez bientôt quels sont ceux dont la conduite est plus ou moins estimée. Il faudra éviter toute liaison intime avec ceux dont les mœurs sont décriées, non-seulement pour l'inconvénient de la chose en elle-même, mais aussi à cause de l'opinion publique, qu'il est bon de se concilier; parlez de choses générales avec chacun. Quant au train de votre maison, j'aimerais mieux que vous fussiez en deçà qu'au delà des bornes de la modération, et je préférerais une maison noble et élégante, des domestiques mis décemment et honnêtes, à une suite pompeuse et magnifique. Appliquez-vous à régler votre maison, réduisant insensiblement les choses sur le pied de la décence et de la modération, ce qui ne saurait être, dans ces premiers moments où le maître et les domestiques sont encore nouveaux et étrangers les uns aux autres. Les bijoux et la soie sont rarement bienséants aux personnes de votre état. J'aimerais mieux vous voir mettre votre luxe à rassembler les restes précieux de l'antiquité, ou des livres rares, à réunir autour de vous des hommes instruits et de bonnes mœurs, qu'à vous entourer d'un nombreux domestique. Montrez-vous plus empressé à recevoir chez vous, qu'à vous rendre aux repas où vous serez invité par d'autres, mais néanmoins sans excès et sans affectation. Adoptez pour votre nourriture ordinaire des mets simples et communs, et faites beaucoup d'exercice, parce qu'on est bientôt exposé à des infirmités, dans l'état que vous avez embrassé, si l'on ne sait pas prendre les précautions convenables. La dignité de cardinal n'offre pas moins de tranquillité que de grandeur, d'où il arrive que l'on se livre à une sorte de négligence; on croit avoir tout fait quand on s'est élevé à ce poste éminent et que l'on n'a plus rien à faire pour s'y maintenir, opinion aussi funeste à la vertu qu'à la véritable grandeur, et dont vous devez avoir grand soin de vous garantir; sur ce point, il vaut mieux pécher par trop de défiance que de tomber dans l'excès contraire. Un usage que je vous recommande surtout d'observer avec la plus scrupuleuse exactitude, c'est de vous lever chaque jour de bonne heure, parce qu'indépendamment de l'avantage qui en résulte pour la santé, on a le temps de penser à toutes les affaires de la journée et de les expédier; vous trouverez cette pratique extrêmement utile dans votre profession, ayant à dire l'office, à étudier, à donner audience, etc. Une autre pratique encore extrêmement nécessaire dans la situation où vous vous trouvez, c'est de penser chaque soir, surtout dans les premiers temps, à ce que vous aurez à faire le jour suivant, afin qu'il ne vous survienne aucune chose imprévue. Quant à vos opinions dans le consistoire, je crois qu'il sera plus convenable et plus louable de vous en rapporter, dans toutes les circonstances, aux sentiments et à l'avis de Sa Sainteté, alléguant votre jeunesse et votre inexpérience, qui a besoin d'être guidée par sa prudence et sa profonde sagesse. Probablement on vous priera, dans bien des circonstances, de parler à Sa Sainteté et d'intercéder auprès d'elle pour des affaires particulières. Ayez soin, dans ces commencements, de vous charger le moins possible de semblables demandes, et de l'importuner rarement, parce que c'est le moyen le plus sûr de lui être agréable. C'est une attention que vous devez avoir pour notre saint-père, que de ne pas le fatiguer de prières indiscrètes, de ne l'aborder jamais qu'avec des choses qui lui fassent plaisir; ou, si vous vous y croyez obligé, une requête humble et modeste lui plaira davantage et sera plus agréable à son humeur et à son caractère.»

Voilà l'âme d'un père chrétien et politique unissant le ciel à la terre pour protéger son fils.

XIII

Laurent avait choisi pour ami hors de ce monde le supérieur des augustins, l'abbé Mariano, à qui il avait fait construire pour ses religieux un magnifique monastère, dans lequel il se rendait quelquefois avec ses amis pour parler des choses plus hautes que la terre. Mariano, selon le récit de Politien, était le prédicateur le plus remarquable de ce temps. «Dernièrement, dit-il, je me laissai entraîner à un de ses sermons, plutôt, à dire le vrai, par curiosité que dans l'espoir d'y trouver un grand intérêt. Cependant son extérieur me prévint en sa faveur. Son début était frappant et son regard plein d'expression; je commençai à m'intéresser sérieusement à ce qu'il allait dire.—Il commence; je suis attentif: une voix sonore, des expressions choisies, des sentiments élevés.—Il établit les divisions de son sujet: je les saisis sans peine; rien d'obscur, rien d'inutile, rien de fade et de languissant.—Il développe ses arguments; je me sens embarrassé.—Il réfute le sophisme, et mon embarras se dissipe.—Il amène un récit analogue au sujet; je me sens intéressé.—Il module sa voix en accents variés qui me charment.—Il se livre à une sorte de gaieté; je souris involontairement.—Il entame une argumentation sérieuse; je cède à la force des vérités qu'il me présente.—Il s'adresse aux passions; les larmes inondent mon visage.—Il tonne avec l'accent de la colère; je frémis, je tremble; je voudrais être loin de ce lieu terrible.»

«Valori nous a laissé, sur les sujets particuliers qui occupaient l'attention de Laurent et de ses amis dans leurs entrevues au couvent de San-Gallo, des détails qu'il tenait de la bouche de Mariano lui-même. L'existence et les attributs de la Divinité, la probabilité et la nécessité morale d'un état futur, étaient les objets favoris des discours de Laurent. Il exprimait d'une manière très-positive son opinion sur ce point: «Celui, disait-il, qui n'a pas l'espoir d'une autre vie est mort même dès celle-ci.»

XIV

Un autre religieux d'un caractère enthousiaste, fanatique et populaire à la fois, véritable Masaniello du cloître, Savonarole, avait conquis en ce temps-là l'oreille de Florence. Laurent, trompé sur son mérite, l'avait appelé de Ferrare, sa patrie, à Florence. Il se fit tribun, au lieu de rester prédicateur. Laurent n'osa pas se compromettre avec l'Église, alors toute-puissante, en le réprimant. Il alla l'entendre et affecta de l'écouter avec respect. Toutes les fois que Laurent allait dans les jardins de son monastère, Savonarole se retirait par un respect religieux ou par une pudeur monastique. Ses invectives dans la chaire contre Laurent respiraient la haine et l'envie. C'était un des caractères les plus pervers et les plus ambigus qu'on pût haïr. Le peuple, qu'il excitait par son talent, lui attribuait la sainteté qui n'était que l'hypocrisie. Tartufe, tribun et fou, c'était la vraie définition de Savonarole. Il prêchait non des crimes, mais la haine qui produit tous les crimes. Nous avons connu, de nos jours, des hommes ainsi composés pour le peuple. Le peuple, trompé, les suivait à l'autel et à l'échafaud. Il adorait ce vague déclamateur d'illusions qui recevait ses rêves comme des révélations célestes. On le vit plus tard porter le défi au feu lui-même, et jurer qu'il n'oserait pas le consumer; puis, retirer son défi et demander pour l'accomplir qu'il consumât son Dieu avec lui; puis victime de ses honteuses tergiversations, périr sous la vengeance du peuple qu'il avait fasciné.

XV

La femme de Laurent, Clarisse Orsini, mère vertueuse de ses fils, charme de sa vie, mourut alors, en 1488. Sa mélancolie redoubla; la solitude du cœur, à un certain âge, est la mort anticipée. Il s'y prépara.

Mais son ennemi acharné, le neveu du pape, Riario, périt avant lui. Il avait épousé une sœur de Galéas Visconti, duc de Milan. Son déréglement de vie excita contre lui la haine des troupes. Trois assassins conjurés pénétrèrent dans la salle où il soupait: le premier le blessa au visage; il se jeta sous la table; le second l'y perça de son épée; il se releva encore pour s'enfuir par la porte; le troisième l'en empêcha par un dernier coup mortel. Les gardes ne parurent pas. On le dépouilla et on lança son cadavre par la fenêtre. Toute la ville applaudit à ce meurtre, hormis un corps de troupes enfermées dans la citadelle. Catherine obtint du peuple la permission d'aller parler aux troupes.

Elle ne leur parla que pour les affermir dans la révolte. Le peuple, irrité, vint au pied des remparts pour l'outrager de paroles et pour menacer de mort ses enfants. «Frappez-les! s'écrie cette femme énergique en montrant son sein à la multitude; il me reste des sens capables d'en avoir d'autres.» On vint à son secours, et sa générosité courageuse sauva sa patrie et ses jeunes fils.

XVI

Faenza, ville et principauté voisine de Florence, vit à peu près en même temps un crime encore plus atroce. Laurent de Médicis avait fait conclure un mariage entre la belle Francesca, fille de Jean de Bentivoglio, et Galeotto Manfredi, prince de Faenza. Un jour, qu'elle écoutait furtivement un entretien secret de son mari avec son astrologue confident, elle découvrit que le prince, déjà soupçonné d'infidélité conjugale, conspirait, en outre, contre la vie de son propre père Bentivoglio. Manfredi, auquel elle ne put cacher son indignation, répondit à ses reproches par des sévices et des coups; Bentivoglio, informé par sa fille de ces outrages, vint enlever violemment Francesca et son fils à la violence de son gendre et les ramena à Bologne. Une réconciliation fardée réunit de nouveau les deux époux. Laurent s'y employa, comme il s'était employé au mariage. Mais, soit vengeance, soit nouvelle jalousie, Francesca résolut de se délivrer de son époux. Elle feignit une maladie et fit prier Manfredi de venir dans sa chambre. Quatre assassins cachés sous le lit de Francesca se précipitèrent sur lui pour l'immoler; sa vigueur corporelle allait en triompher, quand l'épouse, inquiète et furieuse, s'élança de son lit, et saisissant une épée en perça elle-même le cœur de son mari. Laurent partagea l'indignation de l'Italie contre ce crime; mais il intervint cependant pour Francesca auprès des citoyens de Forli, et obtint du pape l'absolution de l'épouse coupable et de ses complices.

Bentivoglio fit valoir auprès de Laurent l'excuse, naïvement féroce: *que, d'ailleurs, il destinait à sa fille un autre époux.*

XVII

Les Médicis avaient la fortune de coïncider, en Toscane, avec la renaissance des lettres à laquelle ils avaient immensément concouru. Les arts les suivirent; les plus grands noms dans la sculpture, la peinture, la gravure des pierres précieuses, l'architecture faisaient de Florence, de Rome, de Venise l'atelier de l'Europe. La Grèce se sentait égalée et souvent surpassée. Cimabue, Giotto, à qui Laurent dédia un buste un siècle après sa mort; Mazaccio, Philippo Lippi, à qui il fit élever un monument dans sa patrie Spoleto; Guirlandaio, à qui il confia son portrait à faire, étaient autant de clients de cette famille. Nicolo Pisani, Guiberti Donatello et plusieurs autres se disputaient leur faveur. Leurs amis les plus dévoués, tels que Poggio, partageaient leur goût.

On en trouve un exemple encore plus frappant dans le zèle avec lequel Poggio poursuivait cet objet, dans une lettre de lui à un religieux nommé Francesco de Pistoie, qui avait parcouru la Grèce pour y recueillir des antiques. «Par votre lettre de Chio, lui dit-il, j'apprends que vous vous êtes procuré pour moi trois bustes, un de Minerve, un autre de Jupiter et le troisième de Bacchus. Cette lettre me fait le plus grand plaisir, car j'aime les morceaux de sculpture au delà de toute expression; je ne saurais me lasser d'admirer l'habileté d'un artiste qui sait travailler le marbre au point d'imiter la nature elle-même.

«Croyez-moi, mon ami, vous ne pouvez pas me faire de plus grand plaisir que de revenir chargé de pareils ouvrages, qui comblent délicieusement tous mes souhaits. Les hommes sont sujets à différentes manies: la mienne est une admiration profonde pour les productions des grands sculpteurs, et peut-être en suis-je possédé plus qu'il ne convient à un homme qui peut avoir quelque prétention à la science. La nature elle-même est, sans doute, toujours supérieure à ces imitations; cependant on est excusable d'admirer un art qui sait donner à la matière morte tant de vie et d'expression, qu'il semble qu'il ne faudrait que le souffle pour l'animer. Appliquez-vous donc, je vous en conjure, à obtenir, soit par des prières, soit à prix d'argent, tout ce que vous pourrez trouver qui ait quelque mérite: si vous pouvez vous procurer une figure entière, *triumphatum est*!»

LAMARTINE.

FIN DU CXLVIII[e] ENTRETIEN

Typ. de Rouge frères, Dunon et Fresné, rue du Four-St-Germain, 43

CXLIX[e] ENTRETIEN
DE LA MONARCHIE LITTÉRAIRE & ARTISTIQUE
OU
LES MÉDICIS
(SUITE)

I

La découverte d'un beau buste grec de Platon fut un événement pour l'âme platonique de Laurent. Ses jardins rappellent ceux d'Académus à Athènes. Michel-Ange enfant y eut le berceau de son génie. Son maître, le peintre Ghirlandaio, obtint pour lui de Laurent la permission d'aller dans ses jardins étudier les beaux vestiges d'art qui arrivaient de Grèce. Laurent s'attacha à cet enfant, lui ouvrit sa maison, le reçut à sa table avec ses propres enfants. Il pourvut, par une pension, aux besoins de son père. C'est là que, jusqu'à la mort de son protecteur, Michel-Ange connut tous les hommes remarquables de la Toscane et de l'Italie. Politien le devina et l'aima par analogie de génie. «Donnez-lui une bonne chambre dans le palais de Laurent,» écrit-il à ceux qui en disposent sous ses ordres. Le sculpteur devint ainsi peintre, poëte, architecte. Homme aussi grand qu'universel, il fit partie de la grandeur et de la gloire des Médicis: un grand homme féconde un grand siècle. Michel-Ange répandit son génie sur la Toscane et sur Rome, il égala l'antiquité sans l'imiter. La nature, en même temps, lui créa dans Raphaël d'Urbin un émule et un rival; ils s'admirèrent l'un l'autre en sentiment et ne se confondirent que dans la double immortalité qu'ils répandaient sur leur pays. Les Médicis les protégèrent, l'un le mérite, l'autre la popularité.

II

La mort, cependant, s'approchait de Laurent; il l'accueillait avec la même philosophique résignation qu'avait montrée Côme, son père. Il s'entourait, à Careggi, de la nature, de la solitude et de ses amis. Ses ennemis même venaient assister à ce spectacle. Le fourbe et fanatique Savonarole, qui voulait prendre pied sur un cadavre pour se montrer plus dévoué au peuple, osa troubler son agonie en venant lui offrir sa bénédiction dans des termes qui semblaient révoquer en doute sa foi chrétienne; il l'interrogea sur ses sentiments. Mais, lui ayant demandé s'il avait la résolution de remettre au peuple toscan la liberté anarchique dont il jouissait avant lui, Laurent ne daigna pas répondre. Savonarole alors se retira sans lui avoir donné sa bénédiction. L'homme d'État ne voulut pas mentir; l'homme d'Église ne voulut pas pardonner.

III

Politien ne le quitta plus; il fit venir à son insu un célèbre médecin de Ferrare, Lazaro de Ticino; il en attendait un miracle. Lazaro fit dissoudre des perles et des diamants qui ne firent qu'accroître le mal. Laurent fit approcher alors Pierre, son fils et son héritier, et lui parla longtemps des intérêts de la république et de sa famille.

«Je ne doute point, lui dit Laurent, que vous ne jouissiez, après moi, d'autant de crédit et d'autorité dans l'État que j'en ai eu moi-même; mais, comme la république, bien qu'elle ne forme qu'un seul corps, est composée d'un grand nombre de têtes, vous devez vous attendre qu'il ne vous sera pas possible de vous conduire, en toute occasion, de manière à obtenir l'approbation de chaque individu. Ressouvenez-vous donc de vous conformer toujours et dans tous les cas aux décisions de la plus stricte équité, et de consulter les intérêts du grand nombre plutôt que la satisfaction d'une portion des citoyens.»

IV

Il prit ensuite la main de Politien et la serra dans les siennes. Politien ne put retenir ses sanglots et se retira dans la chambre voisine pour cacher ses larmes. Celui qui avait chanté Dieu comme poëte le pria comme mourant. Il expira doucement, dans le silence et dans la contemplation des grandeurs et des volontés du Tout-Puissant. Il pressa, jusqu'au dernier soupir, sur ses lèvres le crucifix précieux qu'on lui avait apporté. Le nouveau Périclès venait de manquer, jeune encore, à la nouvelle Athènes. Il laissait après lui l'ordre au dedans, la paix au dehors; il n'avait combattu que pour la rétablir ou pour la maintenir partout. Pas une goutte de sang ne pesait sur son âme; il s'était borné à être ce qu'avait été son père, un grand citoyen. Sa modération était son titre à son pouvoir tout volontaire et tout électif. C'était le pouvoir de tous dans un seul.

V

C'était le 8 avril 1492; le désespoir saisit ses concitoyens. Son médecin courut consterné à la ville et se précipita dans un puits du faubourg. «Jamais personne, dit Machiavel à la fin de son *Histoire*, ni en Italie ni ailleurs, ne mourut avec une telle réputation de sagesse et de prudence, et ne causa un plus grand deuil à sa patrie; et comme sa mort devait entraîner de grandes ruines, de grands signes l'annoncèrent au monde.»

Il fut transporté sans pompe, mais non sans unanime douleur, à San Lorenzo, tombeau de sa famille. Michel-Ange décora plus tard ces sépulcres où manqua celui de Laurent. «Ce grand homme, s'écria le roi de Naples en apprenant sa fin, a vécu assez pour sa gloire, pas assez pour le bonheur de l'Italie. Plaise au ciel que l'ambition ne trame pas après lui des projets qu'elle n'aurait pas osé concevoir pendant qu'il vivait!»

VI

Son second fils, Jean de Médicis, écrivit de Rome à Pierre de Médicis, qui héritait de sa place et de son influence: «De quoi puis-je aujourd'hui t'entretenir, si ce n'est de ma douleur? car, en songeant à la perte que nous avons éprouvée par la mort de notre père, je suis bien plus disposé à verser des larmes qu'à parler de mes peines. Quel père, hélas! Jamais il n'en fut de plus tendre; tout le prouve et l'atteste: il n'est donc pas surprenant que je me plaigne, que je verse des pleurs, que je ne puisse goûter aucun repos. Si quelque chose au moins peut alléger ma douleur, c'est que tu me restes, ô mon frère, toi que j'honorerai toujours comme le père que j'ai perdu: tu commanderas, et je me ferai un devoir de t'obéir; tes ordres me feront toujours un plaisir inexprimable: éprouve-moi, commande, je n'hésiterai pas un instant. Je t'en conjure cependant, mon cher Pierre, fais en sorte d'être envers tout le monde, et surtout envers les tiens, tel que je le désire, bon, doux, affable, généreux: qualités par lesquelles il n'est rien qu'on n'obtienne et qu'on ne puisse conserver. Si je te fais ces représentations, ce n'est pas que je me défie de toi, mais c'est que mon devoir m'y oblige. Beaucoup de choses me soutiennent et me consolent; le concours de ceux qui pleurent avec nous notre perte, la douleur générale qui se manifeste dans toute la ville, le deuil public, et beaucoup d'autres considérations de cette nature, propres à adoucir en grande partie notre chagrin: mais ce qui me console le plus, c'est de t'avoir; c'est d'avoir un frère en qui j'ai plus de confiance et d'espoir que je ne le saurais dire. On n'a point entretenu Sa Sainteté sur l'objet dont tu avais recommandé qu'on lui parlât, parce que ce parti a paru plus sage; on prendra une autre voie, comme tu le verras par les lettres des ambassadeurs: je crois que l'on trouvera un moyen plus commode et plus facile, dont tu seras content; du moins je l'espère. Adieu. Ma santé est bonne autant qu'elle peut l'être.

«De Rome, ce 12 avril 1492.»

VII

Pierre avait la puissance, mais non la prudence de Laurent. L'Italie recommença à s'agiter; la main qui en tenait la balance s'était éteinte. Le roi de France, Charles, descendit à Milan, à la requête de Sforza, pour aller conquérir le royaume de Naples. Il attaqua Sarzana, forteresse florentine, en passant. Pierre, pour imiter gauchement Laurent, alla au-devant de Charles, commença à négocier, finit par supplier et par lui remettre lâchement Sarzana, Pietra Santa, Livourne, honneur et force de Florence. Les citoyens humiliés de la Toscane le contraignirent à se réfugier à Venise. Les Français entrèrent à Florence et dévastèrent les magnifiques monuments de Laurent. Pic de la Mirandole et Politien ne survécurent pas à leur ami. Ce dernier composa une élégie si pathétique sur la mort de Laurent, que sa raison s'égara et qu'il mourut à la fin de la seconde strophe:

«Oh! qui pourra prêter à mes yeux une source intarissable de larmes? La nuit, je verserai des pleurs; le jour, j'en veux répandre encore. Ainsi le tendre ramier, séparé de sa fidèle colombe, le cygne près d'expirer, le rossignol privé de ses petits, exhalent leurs douleurs en gémissements plaintifs. Ah! malheureux! malheureux! Ô douleur! ô douleur!—Le voilà gisant dans la poussière, et frappé par la foudre redoutable, ce *laurier* naguère la gloire de nos campagnes, cher à la troupe sacrée des Muses, aux chœurs des nymphes. Hélas! sous son ombre propice, la lyre de Phœbus rendait des sons plus touchants, la voix du poëte se modulait en accents plus remplis de charme. Désormais, un morne silence règne autour de lui; tout est sourd à nos plaintes.—Oh! donnez à mes yeux une source intarissable de larmes!... Etc.»

On calomnia jusqu'à sa douleur, en attribuant ces strophes, dont Politien mourut, aux regrets amoureux que lui inspira la mort d'un jeune Grec, son élève.

Le cardinal Bembo chanta sa mort et l'attribua à sa véritable cause, le désespoir de la mort de Laurent de Médicis. Il fut enseveli, selon ses désirs, dans l'église du couvent de Saint-Marc. Depuis les anciens, le monde n'avait pas entendu de pareils accents.

VIII

Savonarole profita de l'exil de Pierre pour incendier la populace de ses féroces déclamations. Un accès de démence parut avoir saisi le peuple et les moines. Vingt des principaux citoyens de Florence furent décapités par les ordres de Savonarole: théocratie gouvernée par des tribuns insensés. Quand on lit l'histoire authentique de ces temps, on s'étonne de voir de nos jours traiter de prophète ce moine furieux: il périt enfin, couvert de honte, dans le feu qu'il avait allumé. Sa fourberie reçut sa récompense.

IX

Pierre de Médicis s'allia à la France contre l'Espagne; il périt, après un exil de dix ans, dans un bateau surchargé de combattants, à la bataille de Garigliano; il avait cru sa fortune indestructible, il avait aspiré au despotisme. Peu de jours avant sa mort, il avait été réduit à demander à sa patrie la grâce d'un tombeau. Le cardinal Jean de Médicis se retira de Rome en France; après la bataille de Ravenne, il rentra à Rome et s'étudia à capter les Florentins. Soderini gouvernait alors Florence sous le titre de gonfalonier décennal. Les amis de sa famille renversèrent Soderini, et réhabilitèrent les Médicis. Le cardinal, leur chef, y fut rappelé et accueilli. À peine rapatrié, le conclave le rappela à Rome; il y fut nommé pape, à trente-sept ans, sous le nom de Léon X, qu'il immortalisa par les mêmes faveurs qui avaient valu à sa maison le sceptre moral de la Toscane. Il amnistia tous ses ennemis, et rappela Soderini à Rome; il plaça les fils et les filles de Laurent dans toutes les grandes familles royales de l'Italie et de l'Europe; il donna son nom à son siècle, et il mérita cette gloire. Ce fut le point culminant de l'Église romaine; Michel-Ange et Raphaël en furent les architectes, les praticiens et les peintres. La foi fournissait les trésors. Les trésors nécessitent la vente des indulgences; la simonie corrompit Rome. Luther insurgea l'Allemagne; l'unité se rompit sous le poids de l'or mal acquis; mais le génie de Léon X régnait toujours. Rome, comme capitale des lettres et des arts, régit l'Italie avec le génie de Laurent de Médicis. Elle égala, si elle ne surpassa pas, l'époque d'Auguste. Sa libéralité ne distingua pas entre Rome et Florence; il se fit une clientèle morale partout. Julien de Médicis, dernier fils de Laurent, fut nommé duc de Nemours par François Ier. Michel-Ange, dans la fameuse chapelle de San Lorenzo, lui construisit son sépulcre, à jamais célèbre: les statues de la Nuit et du Jour y représentent l'éternelle vicissitude des événements et la brièveté de la gloire. Julien n'avait point eu d'enfants de Philiberte de Savoie, qu'il avait épousée. Il ne laissa qu'un fils illégitime, qui fut le célèbre cardinal Hippolyte de Médicis.

X

Le descendant de Laurent par Lucrezia Salviati, sa fille, reprit le nom vénéré de Côme et le titre de grand-duc. Alexandre de Médicis fut nommé doge de la république par l'influence du pape Clément VII, Médicis lui-même. Alexandre n'était point méchant, mais ses mœurs étaient dépravées par l'amour; il fit de Florence le sérail de ses plaisirs; il corrompait ou séduisait les femmes ou les filles des plus illustres maisons de la capitale. Ce vice le perdit.

XI

Il y avait alors à Florence un jeune homme de la famille des Médicis nommé Lorenzino, en souvenir de Laurent. La petitesse de sa taille et la gentillesse apparente de son humeur lui avaient valu ce nom familier. Il avait longtemps habité Rome sous la protection du pape et sous le patronage de sa parenté avec les grandes familles de Florence. Quand Alexandre avait pris le titre de doge et affecté le despotisme, Lorenzino était venu à sa cour et avait conquis, par mille flatteries et par de honteux services, la confiance d'Alexandre. Il s'était fait le ministre de ses plaisirs secrets, le complaisant de ses débauches. Mais, soit conception, fort voilée sous une apparente complicité imitée de la folie de Brutus, soit tentation soudaine d'un crime mémorable, née en lui de la facilité et de l'occasion, il avait résolu d'être le meurtrier de son ami et le libérateur de sa patrie. Il faisait cependant des allusions obscures à la pensée qui le dominait en présence d'Alexandre lui-même. Benvenuto Cellini raconte qu'étant entré un jour au palais en montrant son portrait gravé au duc, il le trouva indisposé et couché sur le même lit que son cousin, et qu'ayant demandé à Lorenzino s'il ne consentirait pas à lui donner le sujet d'un revers de sa médaille, celui-ci lui avait répondu avec enjouement «qu'il fût tranquille et qu'en ce moment même il pensait à lui en fournir un digne de la gloire d'Alexandre, et qui étonnerait le monde.» Alexandre se tourna avec un sourire de pitié dédaigneuse sur son lit et se rendormit. La plaisanterie devint bientôt tragique.

XII

Alexandre poursuivait de ses assiduités une jeune femme vertueuse de Florence, épouse de Ginori, d'une des familles les plus considérables de la Toscane. Il venait d'envoyer son mari à Naples, comme ambassadeur, espérant ainsi éloigner sa surveillance; Lorenzino, feignant de presser la jeune dame de consentir aux désirs du duc, affecte enfin d'avoir reçu une réponse favorable et de la transmettre au prince. Il lui assigna une entrevue chez lui, dans une maison peu éloignée du palais, et fit préparer un appartement pour les deux amants. Il avait préalablement enrôlé dans le complot un de ces hommes d'action qui ne reculent devant aucun crime, pourvu qu'il leur présente des espérances indéfinies de salaire et de faveur. Cet homme, dont le nom vulgaire attestait la vileté de son métier, se nommait Scoroncocolo. L'instrument était ignoble comme le crime.

XIII

La nuit, à l'heure convenue, Alexandre, ayant couvert d'un masque son visage, suivit Lorenzino et entra furtivement dans sa maison, en apparence déserte. Après quelques badinages, il se coucha sur le lit de son cousin pour attendre l'arrivée de la jeune femme. Lorenzino, qui s'était évadé comme pour la recevoir et la conduire, plaça Scoroncocolo dans une antichambre d'où il pût venir à son aide au bruit de la lutte; puis, étant rentré dans la chambre et croyant Alexandre endormi, il lui demanda à voix basse s'il dormait déjà, et, s'approchant du lit, il lui perça la poitrine de son épée. Le duc, qui n'était que blessé, se précipite, pour s'évader, vers la porte.

Scoroncocolo l'empêcha de franchir le seuil et lui porta un coup de son poignard au visage. Lorenzino, le saisissant par le milieu du corps, le fit retomber sur le lit. Alexandre, dans l'étreinte, mordit le doigt de Lorenzino avec tant de fureur que Scoroncocolo, craignant de blesser son complice en le secourant, saisit son couteau et égorgea le prince; il n'apprit qu'alors que c'était le grand-duc qu'il venait de tuer; il resta anéanti de son crime et de son danger. Lorenzino lui dit que ce n'était pas l'heure de délibérer et qu'ils n'avaient que l'un de ces deux partis à prendre pour leur salut: ou sortir le poignard sanglant à la main et appeler le peuple à la liberté; ou s'évader pendant que le forfait était ignoré encore et aller rejoindre les émigrés. Ils s'arrêtèrent à ce dernier parti comme au plus sûr, franchirent la maison, qui ne renfermait plus qu'un cadavre, sautèrent à cheval et coururent vers Bologne.

XIV

Les émigrés, à la tête desquels était Philippe Strozzi, tentèrent de surprendre Florence dans le tumulte qui éclata quand on eut découvert l'horrible fin du duc. Philippe, fait prisonnier et gardé un an dans les cachots de Castille, mourut en Romain, en se frappant, comme Caton, de sa propre main. Côme II accourut et reçut l'empire sous le titre de chef de la république. Lorenzino se sauva jusqu'à Constantinople, revint ensuite à Venise, y vécut onze ans et mourut assassiné par deux soldats florentins, laissant une renommée équivoque entre l'héroïsme et la folie, juste punition d'un forfait plus semblable à un caprice qu'à une pensée.

Tout fut monarchie à Florence, excepté le nom.

XV

Les rois de l'Europe s'empressèrent de rechercher en mariage les filles de cette illustre maison, qui commença la dynastie par les alliances. Catherine de Médicis et Marie de Médicis régnèrent en France; l'Italie poétique et artistique émigra avec elles, les arts les suivirent; elles bâtirent le Louvre et le charmant château des Tuileries; leur règne fut le règne de quelques vices et de beaucoup de génie. C'est par elles que la France toucha à l'Italie et à la Grèce. Puis vint Louis XIV, qui lui rendit le caractère fanatique et somptueux de la Gaule et de l'Espagne. La littérature fleurit; mais après les Valois, les arts déclinèrent, l'influence des Médicis, excepté en Toscane, périt avec eux.

XVI

En remontant le cours des siècles, on ne trouve pas un autre exemple d'une monarchie entièrement fondée par le commerce, la fortune et l'estime que les simples vertus des citoyens étalèrent dans leur pays. Ils acquirent la richesse, mais ils ne la conquirent par aucune violence: leur or leur donna une clientèle, mais ne corrompit pas l'esprit public; ce fut la monarchie de la civilisation, la dynastie des familles.

Aussi ne trouve-t-on pas dans l'histoire une famille de simples citoyens offrant l'hérédité du mérite, du travail et des vertus continues, et rassemblés avec des qualités présentes diverses, tels que Côme Ier, Laurent, Julien et Côme II, chacun ajoutant un échelon de plus à la grandeur des autres. Ajoutons-y Léon X, plus Toscan et plus Médicis encore que pontife. L'Église ajouta sous ces deux papes sa puissance réelle et respective à l'influence des Médicis; les cours de France et d'Espagne y ajoutèrent leurs armes; estime, vénération, politique se réunirent aussi pour les consacrer, mais ce furent les lettres qui leur donnèrent l'empire. Leur supériorité fut toute morale, ce fut l'aristocratie de la littérature. Il faut toujours qu'on la retrouve quelque part, ou dans l'esprit, ou dans le trésor, ou dans le bras. Le genre humain n'est point de niveau, Dieu ne l'a point fait ainsi; la démocratie absolue est une chimère, l'égalité est une utopie. Robespierre ne la maintint que par le glaive; Platon, que par des rêves qui trompent les hommes en les séduisant; l'un est un bourreau, l'autre un sophiste; ni l'un ni l'autre ne fut un homme d'État. Jean-Jacques Rousseau ne fut qu'un écrivain chimérique, rédigeant bien des phrases, incapable de rédiger une loi. Il faut que, dans la démocratie même, l'autorité soit quelque part, sans quoi tout s'écroule. La supériorité n'est point un abus, c'est une loi de Dieu, volontaire et mobile dans la démocratie, immobile et tyrannique dans la monarchie absolue. Dans le siècle des Médicis, la supériorité fut dans la force qui civilise les hommes. C'est cette force qui les fit rois: leur supériorité s'élève naturellement comme une végétation du sol et de la mer. On les voyait grandir, on ne les sentait pas opprimer.

XVII

L'esprit humain, ébranlé par les grandes catastrophes de l'Orient et par la ruine des ruines de la Grèce à Athènes et à Constantinople, avait la passion de se reconstruire de ses propres débris; c'était ce qu'on appelle une renaissance. La passion universelle poussait les hommes vers cette reconstruction d'une humanité transcendante. Un Platon, un savant grec, un livre étaient une victoire sur la nuit. C'était une illusion, si vous voulez, mais de temps en temps l'humanité est saisie d'une de ces manies générales qui deviennent la passion du moment; la plus populaire est celle qui la sert le mieux.

Les Médicis, bourgeois de Toscane, ayant acquis de grandes richesses, les consacrèrent à seconder et à semer cette passion à Florence, à Naples, à

Venise; ils devinrent ainsi les apôtres de la renaissance, Évangile nouveau qui s'associait bien avec l'Évangile romain. Nul ne les égalant en zèle, nul ne pouvait les égaler en moyens; leurs navires couvraient toutes les mers pour opérer le sauvetage du vieux monde et le rapporter à l'ancien monde italien. Nous avons vu il y a quelques années, en France et en Angleterre, une illusion aussi généreuse s'emparer de tous les esprits pour ressusciter la Grèce, qui ne pouvait être ressuscitée, car on ne ressuscite pas les nations; mais on l'espérait, l'espérance fut du fanatisme. Cependant, les Médicis ramenaient quelque chose de réel en Italie, une langue, des marbres, des manuscrits, des savants, des traductions, des modèles, mais nous ne rapportions rien que des songes. Aussi nous ne faisions que ranimer des illusions. Les Médicis fondèrent un nom immortel et presque un empire; ils étaient, par le hasard de leur opulence et par le hasard de leur mérite, ceux de tous les citoyens du moment qui pouvaient le mieux se consacrer à l'idée en vogue: le rajeunissement de l'esprit humain. Ils n'étaient point guerriers, ils ne voulaient point l'être; leur pays natal était trop étroit pour les porter à la grande ambition des conquêtes; les Apennins d'un côté, Rome inviolable de l'autre faisaient de la Toscane une *avendie*, un rien; ils le comprirent et n'eurent que l'ambition pastorale et pacifique d'une famille de patriarches.

XVIII

La nature aussi les servit bien: leurs premiers ancêtres furent des hommes spéciaux et obscurs, qui s'élevèrent à la grande richesse par le commerce, qui n'offense personne et qui égalise tout le monde. Quand ils commencèrent à primer en Toscane, ils ne primèrent que par la démocratie, à laquelle ils furent utiles. Ils ne tenaient pas aux grandes résistances militaires du moyen âge, ils aidaient seulement le peuple à payer ces bandes de *condottieri* qu'on louait pour se défendre, et qui méprisaient ceux qui les payaient. La guerre achevée, ils les congédiaient, et la république restait libre. Lisez Machiavel et son *Borgia*: Borgia, tant de fois vainqueur en Italie, alla finir sa carrière d'aventurier au siége d'une bicoque en Espagne. Les Médicis ne voulaient ni de cette gloire soldée, ni de ces chutes honteuses; ils préféraient leur rôle civique et leur croissance régulière par l'estime publique dans un pays prospère et libre. Leur argent négociait pour eux, et ils prêtèrent plus d'une fois des sommes considérables au roi de Naples, à l'Espagne, à l'Angleterre, à la France, pour équilibrer le monde et pour se faire des clients des rois.

XIX

Quand enfin l'attention du monde se fut portée sur leur puissance, ils n'affectèrent point de prétentions orgueilleuses sur leurs concitoyens. Côme Ier fut le plus modeste des hommes; sa seule ambition fut de se confondre tellement avec la république, qu'on ne put le distinguer que par ses services et par ses vertus des meilleurs d'entre les Florentins. La fréquentation des hommes littéraires, l'accueil fait aux étrangers illustres de la Grèce, l'hospitalité européenne, la protection des lettres antiques, la fondation des académies, la gloire de son immense commerce, la culture utile de ses domaines rustiques à Careggi et ailleurs le rendaient l'égal des paysans toscans comme des princes de l'Europe. Sa vie fut celle d'un philosophe, sa mort fut celle d'un chrétien. Ses enfants furent des fils de la république; il partagea entre eux son âme et ses richesses. Il n'avait excité l'envie de personne, il mourait avec l'amitié de tous.

XX

Laurent hérita de toutes ses qualités, et il avait de plus cette vertu grandiose des hommes d'État qu'on appelle la *magnificence* et qui donne aux peuples le pressentiment de la souveraineté. On le sacra du nom populaire de *Laurent le Magnifique*, mais c'était lui-même qui s'était sacré de ce titre; il ne prit de l'autorité populaire que le soin de faire les honneurs de sa patrie; il en accomplit les devoirs avec héroïsme dans son voyage téméraire auprès du roi de Naples; il en rapporta la paix à Florence.

Le pape le haïssait et forma la conspiration mortelle des Pazzi ou des aristocrates contre lui. Il y perdit le plus séduisant des hommes, Julien, frappé à côté de lui sur les marches de l'autel. Ce danger et cette mort lui valurent l'enthousiasme du peuple; la nation vit qu'il fallait aimer celui que les grands et les étrangers voulaient perdre. On le délivra malgré lui de ses implacables ennemis; de ce jour il régna sans titres, mais avec quelle prudence et quelle modestie! On peut dire qu'il reçut l'investiture de ses vertus, et n'exerça d'autre dictature que celle de ses bienfaits; il n'employa sa puissance qu'à maintenir la paix partout en Italie. Il fut philosophe et poëte sur le trône. Quand il mourut, Florence était libre, la Toscane prospère, l'Italie pacifique, l'Europe édifiée de ses vertus; il fallait ou reconnaître son ascendant ou se déclarer le peuple le plus ingrat de la terre.

Son successeur, Pierre de Médicis, renouvela les troubles par son inhabile témérité. Il goûta de l'exil, et ses partisans émigrés ne rentrèrent que par la violence. Côme II fut forcé de régner, et régna avec un titre plus absolu, mais sur les principes de Laurent. La république fut anéantie, mais la Toscane appartint aux Médicis.

Le gouvernement doux et fraternel de cette maison déclina, comme toutes les choses humaines, et finit par devenir un fief impérial de la maison d'Autriche, une espèce de *noviciat* du trône impérial, où les héritiers présomptifs de l'empire s'exerçaient à régner. Joseph II, Léopold, influencés par la douceur traditionnelle du gouvernement des Médicis, y régnèrent par des lois de Platon. Le dernier grand-duc, chassé par les Piémontais, était un souverain digne du nom des Médicis. On n'a pas pu trouver un prétexte pour détrôner sa modération et sa vertu; il aurait été le type d'un gouvernement fédéral en Italie. Il subit son exil jusqu'à ce que le roi de l'Italie, unitaire contre la nature et l'histoire, transporte son trône ambulant de capitale en capitale pour trouver une bonne place sur la terre des Romains; il y détrône un pontife désarmé, sans soldats et sans peuple, vainqueur par les armes françaises, d'une théocratie qui ne devait être remplacée que par la liberté de Dieu sur la terre.

LAMARTINE.

XXI

La mort de Laurent le Magnifique, admirablement et pathétiquement racontée par Politien, son ami, résume sa vie. Nous vous traduisons cette lettre, qui fit pleurer l'Italie et qui est écrite pour faire pleurer la France. La voici:

Ange Politien a Jacobsons, antiquaire S. D.

«Ordinairement, quand on est un peu en retard pour répondre aux lettres de ses amis, on donne pour excuse de grandes occupations: quant à moi, si j'ai un peu trop tardé à vous écrire, je ne veux pas tant mettre ma faute sur le compte de mes occupations, quoiqu'elles ne m'aient pas manqué, que sur le chagrin bien amer de la perte de cet homme sous le patronage duquel j'étais naguère si heureux de me trouver, avec tous ceux qui font profession de littérature ou avec tous les gens de lettres. Maintenant que nous n'avons plus celui qui fut le premier auteur d'un travail d'érudit, mon ardeur à écrire s'éteint, et je n'ai presque plus ce grand bonheur que me donnait l'étude des anciens; cependant, si vous avez un si vif désir de connaître mon malheur, et comment s'est montré ce grand homme dans les derniers actes de sa vie, bien que je sois empêché par mes larmes, et que mon esprit recule même devant un souvenir qui doit renouveler ma douleur, je cède cependant à vos si vives et si honnêtes instances; et je ne veux pas manquer à l'amitié qui nous unit. Je me trouverais par trop impoli et inhumain, si j'osais vous refuser quoi que ce fût sur un homme de cette trempe et qui m'a tant aimé.

«Au reste, puisque ce que vous me demandez est d'une telle nature, qu'il est bien plus facile de la sentir en silence au fond de l'âme que de l'exprimer par des paroles, je vous obéis, à cette condition que je ne vous promets pas ce que je ne puis tenir, et que j'ai de bons motifs pour ne pas vous refuser.

«Pendant deux mois, Laurent de Médicis avait été tourmenté par ces douleurs qu'on appelle *hypocondriaques*, parce qu'elles s'attachent aux cartilages des viscères. Quoique ces douleurs, par leur violence, ne tuent personne, elles passent cependant, et à bon droit, pour les plus insupportables, parce qu'elles sont les plus poignantes. Dans Laurent, est-ce fatalité, ou ignorance et incurie des médecins? pendant le traitement pour ses douleurs, une fièvre se déclara, et la plus perfide de toutes; elle se glissa peu à peu, et finit par envahir non pas seulement, comme il arrive souvent, les artères et les veines, mais les membres, les viscères, les nerfs, les os et leur moelle.—Subtile, latente et d'abord peu sensible, elle se montra bientôt ouvertement; comme elle n'avait pas été traitée avec les soins et la promptitude qu'elle réclamait, elle affaiblit et abattit tellement le malade, que non-seulement ses forces, mais son corps lui-même semblaient se fondre: c'est pourquoi la veille du jour où il paya son tribut à la nature, malade et couché dans la villa Careggi, il fut tellement frappé tout à coup, qu'il ne laissa aucun espoir de salut. Avec sa prévoyance, il comprit son état et n'eut rien de plus à cœur que d'appeler le médecin de l'âme, pour lui faire, en vrai chrétien, la confession générale des manquements et des fautes de toute sa vie. J'ai presque entendu dire à ce digne prêtre, qui fut ensuite si admirable, qu'il n'avait jamais rien vu de plus grand, de plus incroyable que la constance et l'imperturbabilité de Laurent en face de la mort, sa mémoire de son passé, sa façon de disposer les choses présentes, et le soin si sage, si religieux qu'il montra dans sa prévoyance de l'avenir. Vers minuit, il reposait et méditait, lorsqu'on lui annonça la présence du prêtre avec le saint sacrement. Se secouant aussitôt, il s'écria: «Loin, bien loin de ma pensée de souffrir que mon Jésus qui m'a créé et qui m'a racheté vienne jusqu'à mon lit. Vite, vite, ôtez-moi d'ici pour que j'aille au-devant de mon Seigneur.» Ce disant, il se soulève autant qu'il le peut, et par la vigueur de son âme soutenant son corps, il s'avance entre les mains de ses familiers et va au-devant du vieillard jusqu'à son vestibule, et là, se traînant à ses genoux, suppliant et en larmes: «Mon doux Jésus, dit-il, vous daignez visiter le plus mauvais de vos serviteurs! que dis-je, serviteur? ennemi, devrais-je dire, et certes, le plus ingrat, lui qui, comblé par vous de tant de bienfaits, fut si peu docile à votre parole et qui offensa tant de fois votre majesté! Par cet amour qui vous fait embrasser tout le genre humain, qui vous a fait descendre du ciel et revêtir notre humanité nue, qui vous a fait souffrir la faim, la soif, le froid, la chaleur, le labeur, les moqueries, le mépris, les coups, la flagellation, la mort enfin sur une croix; par cet excès d'amour, ô mon Sauveur Jésus, je vous supplie et vous conjure de détourner vos regards, votre face de mes péchés, afin que cité à comparaître devant votre tribunal, ce que je sens devoir être très-prochain, je ne sois pas puni pour mes fraudes, mes péchés, mais pardonné par les mérites de votre croix: qu'il plaide, qu'il plaide en ma faveur, ce sang, le plus précieux de tous, que vous avez répandu sur ce sublime autel de notre rédemption, et pour rendre l'homme libre, donner à l'homme la liberté.» Après ces paroles et d'autres encore, devant tous les assistants en pleurs, le prêtre ordonna qu'on le relevât et qu'on le mît dans son lit pour qu'on lui administrât plus facilement le sacrement: il s'y opposa d'abord; mais, de crainte de manquer d'obéissance au vieillard, il se laissa fléchir, et répétant avec fermeté les paroles sacramentales, déjà sanctifié et vénérable par une sorte de majesté divine, il reçut le corps et le sang du Seigneur. Il donna des consolations à Pierre, l'un de ses fils, car ses autres frères n'étaient pas là; il l'exhorta à supporter avec égalité d'âme la violence de la nécessité; il lui dit que la protection du ciel, qui n'avait jamais fait défaut au père dans la bonne et la mauvaise fortune, ne manquerait pas à son fils; qu'il s'évertuât seulement à être un homme de bien et un bon esprit; que les choses mûries par la réflexion produisaient, dans la pratique, des fruits excellents. Après ces paroles, il se reposa quelque temps comme dans la contemplation. Bientôt, il appela encore ce fils seul, lui donna des avertissements sur bien des choses, des leçons sur beaucoup d'autres qui n'ont pas encore transpiré au dehors, mais qui, comme nous l'avons entendu dire, étaient pleines d'une sagesse et d'une sainteté exquises. Je vous en écris une qu'il m'a été permis de savoir: «Les citoyens te reconnaîtront pour mon successeur, je n'en doute pas. Je ne crains pas non plus que ton autorité soit inférieure à celle que j'ai eue jusqu'à ce jour: mais parce qu'une cité entière est un corps à plusieurs têtes, comme l'on dit, et qu'on ne peut pas être au gré d'un chacun, souviens-toi, au milieu de cette diversité, de suivre toujours le dessein que tu jugeras le plus honnête, et d'avoir égard à l'intérêt de tous plutôt qu'à l'intérêt d'un seul.» Il donna ensuite des ordres pour ses funérailles, pour qu'elles se fissent à l'instar de celles de son aïeul Côme, dans la mesure enfin qui convient à un simple particulier. Ticine Lazare, votre médecin, réputé très-habile, vint. Appelé un peu tard, il se mit à essayer d'un remède composé avec une poudre de toutes sortes de pierres précieuses pilées. Laurent s'enquit alors d'un de ses familiers, car plusieurs de nous avaient été admis près de lui, de ce qu'élaborait le médecin. Je lui répondis qu'il préparait un cataplasme pour lui réchauffer les entrailles. Il reconnut à l'instant ma voix, et me regardant avec complaisance, selon son habitude: «Eh! mon cher Politien!» se mit-il à dire, et soulevant avec peine ses bras presque sans force, il me saisit et me serra les deux mains. J'éclatais en sanglots et en larmes que je voulais cacher, en m'efforçant de détourner ma tête; mais lui, nullement ému, me prenait et me reprenait les mains. Mais il les laissa peu à peu, insensiblement, et comme en dissimulant, comme pour venir en aide à mes larmes. Je me jetai aussitôt et en pleurant vers le fond du lit, et là, pour ainsi dire, je lâchai la bride à ma douleur et à mes larmes. Je repris bientôt ma place, après avoir, autant que je le pouvais, essuyé mes yeux. Laurent, en le voyant, et il le vit aussitôt, me rappela et me demanda, avec un surcroît de douceur, ce que faisait son ami Pic de la Mirandole. «Il est en ville, répondis-je, parce qu'il a craint d'être fâcheux en venant ici.—Et moi aussi, ajouta-t-il, si je ne craignais que la course le dérangeât, je voudrais bien lui dire un dernier adieu avant de vous quitter.—Désirez-vous qu'il vienne?—Oui, et le plus tôt possible.» Voici ce que je fis: il était déjà venu et s'était assis près de moi, qui me tenais contre les genoux de Laurent, pour entendre plus facilement sa voix qui commençait à baisser. Bon Dieu! avec quelle politesse, quelle humanité et presque quelles caresses il accueillit Mirandole! Il le pria d'abord de l'excuser de lui avoir donné cette peine et de la mettre sur le compte de l'affection et de la bienveillance qu'il avait pour lui; qu'il rendrait plus volontiers l'âme s'il avait d'abord rassasié ses yeux mourants de la vue d'un ami qui lui était si cher. Alors il nous jeta quelques paroles toujours remplies, selon sa coutume, d'urbanité, d'affection et d'amitié; il plaisantait même avec nous, et, en nous regardant tous deux: «J'aurais bien voulu, nous dit-il, que la mort eût différé son arrivée jusqu'au jour où j'aurais entièrement complété votre bibliothèque; il ne s'en fallait pas de beaucoup.» À peine Pic s'était éloigné, que Jérôme de Ferrare, homme remarquable et par son savoir et par sa sainteté, prédicateur distingué de la science céleste, entra dans la chambre à coucher et l'exhorta à bien garder sa foi: «Oui, et inébranlable, répondit-il avec assurance;» de prendre la résolution de vivre le plus irréprochablement possible: «Sans aucun doute, répondit-il encore avec fermeté»; qu'enfin, s'il le fallait, il supportât la mort avec calme: «Rien ne m'est plus agréable que de mourir, si Dieu le veut.» Après cela, Jérôme se retirait, lorsque Laurent: «Hé! votre bénédiction, mon père, avant de me quitter.» Aussitôt, courbant la tête, abaissant son regard et offrant la plus parfaite image de la piété, il répondit de mémoire et sacramentalement aux paroles et aux prières du prêtre, nullement ému de l'expression de la douleur de ses familiers qui éclatait et ne se dissimulait plus. Vous auriez dit que Laurent seul avait appris à mourir. Seul il ne donnait aucun signe de douleur, de trouble et de tristesse. Jusqu'à son dernier souffle, il manifesta la vigueur habituelle, la fermeté, l'égalité et la grandeur de son âme. Ses médecins insistaient encore, et, pour n'avoir pas l'air de ne rien faire, ils tourmentaient le malade par leurs offices empressés. Lui, cependant, ne refusait rien, ne montrait aucune répugnance pour ce qu'on lui offrait, non qu'il se flattât de l'illusion de prolonger sa vie, mais parce qu'il craignait en mourant de faire la plus légère offense.

«Il conserva si bien jusqu'au dernier moment toute sa fermeté, qu'il plaisanta parfois sur sa mort. Ainsi, à qui lui avait offert un peu de nourriture et qui lui demandait comment il se trouvait: «Comme un mourant,» répondit-il. Ensuite, après nous avoir caressés et embrassés tous, et demandé pardon pour les choses fâcheuses dont sa maladie avait pu être cause à l'égard de quelqu'un d'entre nous, il fut tout entier à l'extrême-onction et aux dernières paroles qu'on adresse à l'âme qui part. On commença ensuite la lecture de cette partie de l'Évangile où sont décrites les souffrances de Jésus-Christ. Par le mouvement de ses lèvres, par ses yeux vers le ciel, par l'agitation de ses doigts, il montrait qu'il en savait par cœur toutes les pensées et tous les mots. Enfin, après avoir de tous côtés regardé fixement, et baisé de temps en temps un crucifix d'argent orné magnifiquement de perles et de pierres précieuses, il expira.

Cet homme, né pour toutes les grandes choses, navigua si bien par le flux et le reflux des événements, qu'il est difficile de savoir s'il montra plus de constance dans la prospérité que d'égalité d'âme et de calme dans la mauvaise fortune: quant à son génie, il était si grand, si facile, si pénétrant, qu'il excellait autant en toutes choses que d'autres dans quelques-unes. La probité, la justice, la bonne foi, personne n'ignore qu'elles avaient choisi le cœur et toute l'âme de Laurent pour leur domicile et le temple qui leur était le plus agréable. L'affection si exquise, si distinguée de tout le peuple et de toutes les classes sans exception, montra clairement combien étaient remarquables en lui l'affabilité, la politesse et l'humanité. Parmi ses grandes qualités éclataient une libéralité et une magnificence dont la gloire l'avait presque élevé jusqu'aux dieux, et cependant il n'avait rien fait par zèle pour sa renommée et pour son nom, mais par le seul amour du bien et de la vertu. Dans quelle affection n'embrassait-il pas les gens de lettres! quels honneurs, quels respects n'avait-il pas pour eux! Que de travail et d'industrie ne mit-il pas dans la recherche et l'achat, dans tous les coins du monde, des livres écrits dans les diverses langues! Il fit même pour cela de telles dépenses, que non-seulement ses contemporains et ce siècle, mais la postérité ont immensément perdu en perdant un tel homme. Ce qui nous console dans ce grand deuil général, ce sont ses enfants, si éminemment dignes de leur père, et Pierre, l'un d'eux, leur aîné, qui, à peine dans sa vingt et unième année, soutient le poids des affaires de toute la république avec une gravité, une sagesse et une autorité telles, qu'il fait croire à une vie nouvelle du père dans son fils. Jean, son second frère, à dix-huit ans, est déjà un cardinal illustre, ce qui, à cet âge n'est jamais arrivé à personne. Il est encore l'égal du souverain pontife, non pas seulement dans les États de l'Église, mais dans sa propre patrie. Dans des affaires si ardues, il se montre tellement habile, qu'il fait naître d'incroyables espérances auxquelles il répondra pleinement. Julien, enfin, le dernier de tous, qui est encore un enfant, s'attache tous les cœurs de la cité par sa modestie, sa beauté, et par une nature merveilleuse et suave qui se décèle dans sa probité, son honnêteté et son esprit. Si je ne poursuis pas à présent sur les qualités des autres enfants, je ne puis cependant me retenir sur le sujet de Pierre et sur le témoignage que son père lui a rendu dans une affaire récente.—Deux mois environ avant sa mort, Laurent, assis sur son lit, selon sa coutume, causant avec nous philosophie et littérature, me disait qu'il voulait consacrer le reste de sa vie à des études qui nous étaient communes, à lui, à moi et à Pic de la Mirandole, et cela loin du bruit et du fracas de la ville. «Mais, lui dis-je, les citoyens ne vous le permettront pas, parce que, de jour en jour, ils aiment davantage vos conseils et votre autorité.» Souriant alors, il me dit: «J'ai déjà délégué mes fonctions à votre élève et je l'ai chargé de tout le poids des affaires.—Mais, avez-vous, lui répondis-je, surpris assez de force dans ce jeune homme pour que nous puissions avec confiance nous reposer sur lui?—J'ai découvert dans Pierre des qualités telles, qu'elles m'ont offert un fondement solide qui portera, sans aucun doute, tout ce que je pourrai édifier sur lui. Politien, remarquez encore que, de tous mes enfants, nul n'a montré une nature égale à celle de Pierre, de telle sorte qu'il me fait augurer et espérer qu'il ne le cédera à aucun de ses ancêtres, à moins que les expériences que j'ai déjà faites de ses talents ne me trompent.» Il m'a donné récemment une preuve de la vérité du jugement et de la prévision de son père, quand nous l'avons vu sans cesse près de lui dans sa maladie, toujours prévenant dans les services les plus intimes et les plus désagréables, supportant le plus patiemment possible les veilles, la privation d'aliments, ne pouvant souffrir qu'on l'arrachât du lit de son père que pour les affaires les plus urgentes de la république, et tout cela avec une merveilleuse piété répandue sur toute sa personne. Il dévorait avec une incroyable vertu ses gémissements et ses pleurs, de peur d'ajouter, par sa douleur, à la maladie et aux sollicitudes de son père. Mais ce qu'il y eut de plus beau dans une circonstance si triste, ce fut le tableau de ce père qui, de son côté ne voulait pas, par sa tristesse, aggraver la tristesse de son fils, se faisait un autre visage, contenait ses larmes dans ses yeux, et ne laissait aucunement paraître son âme brisée, tant que son fils était sous son regard: ainsi, tous deux faisaient violence à leur affection et s'efforçaient de rentrer leurs larmes, l'un par piété filiale et l'autre par piété paternelle.

Aussitôt que Laurent eut cessé de vivre, à peine pourrais-je vous dire avec quelle humanité et quelle gravité notre Pierre reçut tous les citoyens qui affluaient dans sa demeure; comme il fut convenable et même caressant dans les diverses réponses qu'il fit aux condoléances, aux consolations et aux offres de service; et bientôt quelle adresse, quelle sollicitude il montra dans l'arrangement des affaires de famille; comment il secourut et releva tous ses amis frappés par ce grand malheur; comment le moindre d'entre eux, celui-là même qui lui avait fait de l'opposition dans l'adversité, fut relevé dans son abattement, ravivé, encouragé; comment, dans le gouvernement de la république, il suffit à toutes choses, au temps, au lieu, aux personnes, et ne se relâcha en rien. Il parut ainsi avoir pris une voie et y marcher d'un pas si ferme, qu'il fit croire qu'il atteindrait bientôt son père en marchant sur ses traces. Sur ses funérailles, je n'ai rien à vous dire, elles se firent selon ce qu'il avait prescrit à son lit de mort et pareilles à celles de son aïeul. Nous n'avons pas souvenir qu'il y ait jamais eu un tel concours de mortels de tous les rangs, de toutes les classes. Voici, à peu près, les prodiges avant-coureurs de sa mort, sans parler de ceux qui ont couru dans le peuple. Aux nones d'avril, vers la troisième heure du jour et le troisième avant sa mort, une femme, je ne sais laquelle, dans l'église qu'on dit dédiée à Maria Novella, écoutait le prédicateur, lorsque tout à coup, au milieu d'une masse de peuple, elle se leva effrayée, consternée, courant comme une folle, poussant d'effroyables cris et disant: «Ah! hé! citoyens! ne voyez-vous pas ce terrible taureau, qui, avec des cornes tout en flammes, renverse ce vaste temple?» Ajouterai-je qu'à la première veille, des nuages ayant tout à coup assombri le ciel, le dôme de cette magnifique basilique, dont la coupole, par son admirable travail, surpasse la plus belle du monde entier, fut frappé d'un tel coup de foudre, que de grandes portions s'en détachèrent, et que des marbres énormes furent ébranlés par une force et un choc horribles, et principalement dans cette partie qui est en vue du palais des Médicis!

Dans ce présage, on remarqua aussi qu'une seule colonne dorée de ce dôme, une seule, fut renversée par la foudre, comme pour n'être pas d'un trop mauvais augure pour cette illustre famille. Ce qu'il ne faut pas oublier non plus, c'est qu'après l'explosion, le ciel reprit aussitôt sa sérénité. Dans la nuit de la mort de Laurent, une étoile plus grande et plus brillante qu'à l'ordinaire, se levant sur le faubourg de la ville dans lequel mourut Laurent, parut perdre peu à peu de son éclat et s'éteindre au moment même où l'on apprit qu'il venait de quitter la vie. On vit, dit-on, des flammes descendre des montagnes de Fiésole, scintiller quelque temps sur cette partie du temple où reposent les restes de la famille des Médicis, et enfin disparaître. Vous parlerai-je encore de ce couple des plus beaux lions gardés dans une cage pour un jardin public, et qui en vint aux prises avec une telle férocité, que l'un d'eux fut horriblement maltraité et l'autre tué? On dit même que, sur le sommet de la citadelle d'Arezzo, brillèrent deux flammes comme la constellation de Castor et Pollux, et que, sous les murs de la ville, des louves poussèrent d'effroyables hurlements. Il y eut aussi quelques personnes, ainsi court l'imagination, qui virent un présage dans la destinée de ce médecin, le plus grand de notre temps. Son art et ses ordonnances lui ayant fait défaut, il en fut désespéré, se jeta dans un puits, et *médecin*, si vous regardez au mot, il rendit sa part d'honneurs au chef de la famille des Médicis.

Mais je m'aperçois que même en passant sous silence beaucoup d'autres et de belles choses, je suis plus long dans mon récit que je ne voulais en le commençant. Si je l'ai prolongé, c'est d'abord par le désir de vous être agréable et de vous obéir, à vous si excellent, si savant, si sage, si bien mon ami, dont le zèle pour tout ce qui tient à ce grand homme se serait difficilement contenté, si j'avais été plus court; enfin, poussé par une certaine douceur amère et, le dirai-je, par une foule de démangeaisons, à faire un retour sur le souvenir de ce grand homme et à m'y complaire. Si notre siècle en a produit un autre et un pareil, il peut hardiment, et par l'éclat et par la gloire du nom, lutter avec tout ce que l'antiquité nous a offert.

Adieu!

15 des kalendes de juin 1482.

FIN DU CXLIX^e ENTRETIEN.

Paris.—Typ. Rouge frères, Dunon et Fresné, rue du Four-St-Germain, 43.

CL^{e} ENTRETIEN
MOLIÈRE

I

Shakespeare et Molière! voilà, pour le théâtre, les deux noms culminants du monde moderne; accorder la supériorité à l'un des deux, ce serait convenir de l'infériorité de l'autre. Il vaut mieux laisser le rang indécis et proclamer la presque égalité de ces deux hommes.

Nous savons que depuis quelque temps un engouement posthume se manifeste en faveur du grand poëte anglais, et que M. Victor Hugo lui-même, juge si compétent, vient de publier un livre qui fait de Shakespeare non le premier des hommes, mais plus qu'un homme; mais l'engouement, quelque fondé qu'il soit, est souvent une exagération de l'enthousiasme et une noble manie d'une époque. Il rend injuste envers les grands hommes de son propre siècle, et rapetisse Molière pour agrandir Shakespeare; la vérité est la juste mesure. Selon nous, le goût fait partie de la vérité; or le goût n'est pas une vertu démocratique, il est une impulsion savante de l'élite des juges dans tous les pays. Il ne juge pas Shakespeare sur les innombrables quolibets dont il assaisonne ses pièces pour complaire à la populace de ses auditeurs de tous les soirs, sur les tréteaux de son théâtre ambulant de New-Market; il ne dénigre pas Molière sur les farces du *Médecin malgré lui* ou de *M. de Pourceaugnac*; mais il prend l'œuvre entière de ces deux grands hommes, et il décide, comme Voltaire, que Shakespeare est le génie inculte d'une époque barbare, et que Molière est le génie cultivé d'un âge éclairé. C'est la vérité. Sans doute, la barbarie de Shakespeare monte quelquefois plus haut dans ses drames tragiques, et y atteint à des hauteurs philosophiques au delà desquelles il n'y a rien à éprouver qu'un frisson de chair de poule et une angoisse d'admiration; là, on ne peut le comparer à rien, il dépasse tout et efface tout; il est Shakespeare, le synonyme du sublime, l'entre ciel et terre du génie; mais il ne semble s'être élevé si haut dans l'Empyrée de l'idéal que pour vous précipiter dans la boue et pour vous étourdir par la chute. Il a, de plus, la rime tragique aussi bien que comique, et il est poëte de la famille d'Eschyle autant qu'il est poëte de la famille de Plaute ou d'Aristophane, c'est-à-dire universel; par là même, il est poëte plus haut que Molière; car la vraie poésie monte et descend, elle plane dans sa liberté partout où il lui plaît de s'élever. Ses beaux vers ou sa belle prose, peu importe, ne sont que la forme de ses idées, mais c'est l'idée seule qui est poétique, et Shakespeare a cette qualité du génie de plus; il est poëte quelquefois comme Job, mais il l'est rarement; et il tombe de son char comme Hippolyte emporté par ses coursiers, et il tombe très-bas, par la faute de son parterre plus que par la sienne.

II

Molière, au contraire, est moins poëte, il n'est même pas poëte tragique du tout, ce n'est pas du sang qu'il verse de sa coupe, ce ne sont pas des larmes, c'est de l'eau, mais c'est de l'eau limpide et rhythmée qui coule naturellement de sa veine, qui amuse l'auditeur ou le lecteur par le plaisir de la difficulté vaincue, mais qui ne lui est pas nécessaire; la preuve en est que mettez en vers les *Précieuses ridicules* ou en prose le *Misanthrope*, vous aurez toujours le même Molière devant vous: sa force est en lui, non dans sa forme; il est versificateur parfait; il n'est pas poëte, bien qu'il ait fait des milliers de vers faciles et agréables.

III

Voilà les deux seuls points où Shakespeare efface Molière; sous tous les autres rapports, il est effacé par le comique français.

Oubliez, en effet, la différence des genres et la supériorité de la grandeur tragique sur la verve comique; et, cette différence des deux genres admise, comparez les deux écrivains au point de vue de la perfection de leur ouvrage. Molière est moins grand, mais immensément plus parfait. La fantaisie écrit: *Macbeth*, *Hamlet*, le *Roi Lear*; le goût le plus pur écrit: le *Misanthrope*, *Tartuffe*, le *Bourgeois gentilhomme*, les *Précieuses ridicules*. Il n'y a pas une note fausse, pas un mot répréhensible, pas un trait qui ne porte au but: seulement ce but est le rire, il est placé moins haut, mais il est atteint, et il est atteint d'inspiration sans que le rieur, en s'examinant, ait à rougir des moyens qui le charment. Je conviens que ces moyens ont quelque chose qui rabaisse l'esprit du lecteur tout en l'amusant, et qu'un homme d'une grande âme, relégué par le malheur dans la solitude de ses tristes pensées, ne se nourrira pas de Molière comme des beaux morceaux de Shakespeare; mais, s'il consent à lire, il pourra lire tout, et s'il peut jouir encore, il jouira pleinement de cet art accompli qui lui fait admirer la justesse et les perfections de l'esprit humain.

IV

Voyons d'abord comment la nature et la société avaient formé ces deux hommes d'élite presque contemporains, Shakespeare et Molière.

Shakespeare, d'une race ancienne, mais déchue, était fils d'un boucher de Stratford-sur-Avon. Son père le fit instruire. Il apprit le latin comme un homme qui devait plus tard écrire *Brutus* et la *Mort de César*. Mais il continuait néanmoins le métier de son père, et il est vraisemblable que ces scènes de carnage d'une boucherie anglaise inspirent quelquefois à l'enfant des exclamations tragiques adressées aux cadavres des taureaux et des moutons immolés par sa main. L'histoire le rapporte, faut-il le croire? ces gaietés triviales semblables à notre horrible fête du carnaval et à nos promenades ironiques du bœuf gras dans Paris, où le peuple jouit cruellement de l'agonie de l'animal qu'il va frapper, le paraissent inspirer.

Quoi qu'il en soit, du boucher au bourreau, il n'y a de différence que dans la victime. Il prit le goût de la tragédie sur l'étal, l'instrument du meurtre était le même. Détournons les yeux.

V

Shakespeare s'éprit à dix-huit ans, dans la campagne voisine, de la fille d'un fermier plus âgée que lui de quelques années. Le fermier vendait sans doute du bétail au père de Shakespeare. Sa fille était douce et bonne; le mariage ne fut pas longtemps heureux; l'époux se mit à braconner, il tua un cerf dans le parc de sir Lucy; il devint bientôt chef des jeunes vagabonds du voisinage; poursuivi pour le délit, il fut condamné à la prison, et se réfugia à Londres.

Sa première industrie fut de garder les chevaux des seigneurs à la porte des théâtres. Il y en avait huit à Londres. Celui de *Black-Friars* était particulièrement fréquenté par lord Southampton, qui devint le protecteur du jeune et pauvre étranger.

VI

Dans le même temps, Molière, à Paris, jouait la comédie dans une salle improvisée sous trois poutres de charpentes pourries et étayées; l'autre moitié de la salle était à jour et en ruine.

Shakespeare passa bientôt au grade de garçon aboyeur, appelant par leurs noms les spectateurs distingués. Il était beau, il avait le front élevé, la barbe noire, l'air bienveillant, le regard limpide et profond. Il fréquentait les cabarets voisins de *Black-Friars*. On le remarquait surtout au cabaret de *la Sirène*, plein de beaux buveurs et de beaux esprits, et entre autres sir Walter Raleigh, le même à qui la reine Elisabeth donna l'autorisation d'aller combattre les Espagnols en Amérique, et qui en rapporta le trésor inconnu de la pomme de terre.

Shakespeare devint peu à peu ainsi directeur du théâtre et chef d'une troupe de comédiens. Il travaillait surtout pour le salaire; il devint assez riche. Il conserva son amitié pour Stratford-sur-Avon, où son père était mort. Il y perdit sa femme, habituellement négligée, et se fit bâtir une belle maison. Il aima, dit-on, dans le voisinage d'Oxford, une belle et aimable femme, maîtresse de l'hôtel de *la Couronne*. Il en eut un fils, qui écrivait plus tard à lord

Rochester: «Sachez ce qui fait honneur à ma mère: je suis le fils de Shakespeare.»

À partir de 1613, il ne quitta plus sa maison de Stratford, occupé de la culture de son jardin, et oubliant ses drames. Il y planta un mûrier fameux, qui fut mutilé depuis par le fanatisme de ses admirateurs; il y mourut à cinquante-deux ans, le 23 avril 1616.

Il ne fut pas heureux. «Mon nom, écrivait-il peu de temps avant sa mort, est diffamé, ma nature est avilie; ayez quelque pitié pour moi, pendant que je bois le *vinaigre*.»

Que d'hommes pourraient en dire autant!

La reine Elisabeth, qui se proclamait *protectrice des arts et des lettres*, ne fit aucune attention à lui; son pays l'oublia pendant près de deux siècles; sa grande gloire d'aujourd'hui ne fut qu'une lente réaction du temps.

VII

Molière eut une destinée à peu près égale. Nous allons en puiser les principaux faits, étudiés avec soin dans les notes d'un homme studieux et excellent que nous avons perdu il y a peu d'années, M. Aimé Martin, notre ami le plus intime et le plus dévoué.

Qu'un ami véritable est une douce chose!

LA FONTAINE.

Le modèle accompli de l'amitié fut pour moi Aimé Martin. J'attendais avec impatience l'occasion de parler de lui; la voici, je la saisis; mais jamais mon cœur ne dira tout ce qu'il éprouve de reconnaissance et de tendresse quand j'entends prononcer son nom, ou quand je passe par hasard devant le seuil de sa studieuse maison, n° 15 de la rue des Petits-Augustins, où je le vis penser, sentir, écrire et mourir!—Repassons sa vie:

Il était né, quelques années avant moi, dans un petit hameau des bords du Rhône, à quelques pas de Lyon, d'une famille humble, mais aisée, dont il était l'unique enfant et le plus cher souci. On lui fit faire de bonnes études; ses facultés s'y agrandirent; il vint de bonne heure les compléter et les polir à Paris. Il y joignit ces talents corporels qui développent l'énergie de l'âme et du corps; il devint bientôt un habitué des salles d'armes, le lion de l'escrime et l'agneau des fils de l'homme. On allait le voir avec enthousiasme lutter avantageusement avec la première épée de Paris. Les maîtres d'armes le montraient à leurs élèves; c'était le temps où cette gymnastique était de mode en France, et où M. de Bondy y conquérait cette réputation chevaleresque que nous cherchions à rivaliser de loin. Aimé Martin l'égalait. Ce fut dans ces joutes que je fis connaissance avec lui. Sa taille souple, sa tournure martiale et sa physionomie intelligente et douce le faisaient remarquer autant que son talent; il avait l'aplomb du gladiateur antique, mais aucune forfanterie dans son attitude. On voyait que l'escrime était un art, mais non une menace, chez lui; quand il se *fendait* en *tierce* ou en *quarte*, et qu'après avoir d'un coup d'œil infaillible ramassé le fleuret de son adversaire, écarté son épée et touché sa poitrine d'un coup qui faisait plier le fer dans sa main, il s'abaissait aux applaudissements des spectateurs et rougissait de son adresse au lieu de s'en glorifier. On jouissait de sa modestie autant que de son triomphe; ses admirateurs devenaient ses amis; son visage, penché en arrière, écartait d'une vive saccade les mèches de sa noire chevelure humides de sueur, mais sa bouche était toujours gracieuse, et, s'il n'eut pas eu le nez trop court et cassé par un coup de fer, il aurait ressemblé à un lutteur grec se reposant après le combat.

VIII

Quand Bonaparte, qu'Aimé Martin haïssait parce qu'il abusait trop du sabre et qu'il était plus Gaulois que Français, tomba, en 1814, pour retomber en 1815, il gémit sur le peuple tout en plaignant les soldats. Il n'y avait pas pour lui assez de philosophie dans la guerre; il ne l'aimait pas. La littérature était sa vocation.

IX

Il s'attacha comme secrétaire, à la fin du premier Empire, à un vieillard éminent qui s'était élevé, en 1790, au-dessus de tous les écrivains français de ce siècle par le sentiment: c'était Bernardin de Saint-Pierre, voyageur en Russie et aux Indes orientales. Né, élevé, grandi isolément dans une atmosphère supérieure au dix-huitième siècle, même à celle de Voltaire; dédaigneux et dédaigné par tous nos philosophes, excepté Jean-Jacques Rousseau; n'ayant de maître que la nature; méprisant nos controverses religieuses ou philosophiques, et qui était apparu tout à coup, comme une comète excentrique, *Paul et Virginie* à la main, homme bien supérieur à Chateaubriand, capable d'écrire mieux que le *Génie du christianisme*, le Génie du cœur humain.

X

Bernardin de Saint-Pierre était alors un beau vieillard semblable à Platon; ses cheveux blancs couronnés de roses, parfumés du souvenir de *Paul et Virginie*, rappelaient et écartaient à la fois les images de la vieillesse en annonçant l'éternité de la jeunesse. Il avait épousé mademoiselle Didot et en avait eu un fils appelé Paul. Il avait perdu cette première épouse par la mort; il n'avait renoncé ni au bonheur ni à l'amour. Quelque temps après, en visitant l'établissement de Saint-Ouen, il avait distingué mademoiselle de Pelleport, à peine en âge de correspondre à ses sentiments, et il s'était épris pour cette enfant d'une affection plus paternelle encore que conjugale. La jeune élève, sans guide dans la vie, sans fortune et sans gloire, s'était sentie flattée de trouver tous ces titres dans un seul homme. Devenir l'épouse de l'auteur de *Paul et Virginie* lui paraissait un don du ciel, supérieur à tous les dons de la terre. En se laissant aimer, elle avait aimé d'un attachement sévère et doux ce vieillard. Elle était elle-même d'une beauté candide et pure, comme le rêve d'un philosophe sur le berceau d'un enfant; la mélancolie de sa bouche et la fraîcheur de ses joues imprimaient les grâces de l'innocence sur le sérieux de ses pensées.

J'ai beaucoup connu, dans ma première jeunesse, une de ses tantes, chanoinesse, amie de ma mère, retirée à Lyon; quelque chose d'aventureux et d'héroïque dans sa physionomie révélait en elle je ne sais quel ressouvenir martial, empreint dans les races héroïques. Une de mes propres tantes la soutenait dans ses infortunes.

XI

L'union fut consolante pour le vieillard, douce pour la jeune fille. Elle lui servit de secrétaire intime; elle prit, avec lui, le goût de la haute littérature et de la philosophie naturelle. Elle l'inspira, elle l'aima, elle se fit sa fille. Quand on voyait le magnifique auteur de *Paul et Virginie* passer dans nos rues, et prêtant son bras à cette charmante enfant, on n'était point tenté de rire de ce contraste des âges; on respectait la félicité tardive de ce philosophe qui voulait aimer jusqu'à la mort; on sentait l'amour sous le dévouement de cette enivrante beauté. Cela continua ainsi jusqu'au moment suprême où la Providence sépara le maître et l'élève et fit tomber, chargé d'années, le vieux tronc à côté du fruit vert. On n'avait fait à Bernardin de Saint-Pierre qu'un reproche envieux et injuste: on l'accusait, lui, homme sans fortune, d'avoir sollicité avec trop d'anxiété des libraires, de l'Académie, du gouvernement, des ministres, les modestes tributs que l'État accordait à son génie indigène; mais on oublia qu'il n'avait aucun patrimoine que ce génie, qu'il avait à nourrir un enfant et une jeune épouse, qu'il sentait derrière lui, à peu de distance, la mort, épiant sa fin prochaine, les menacer d'un abandon éternel. C'est ainsi que les heureux d'ici-bas jugent et condamnent ce qu'ils ne savent pas. Tout était faux, ou calomnie cruelle, dans ces accusations contre ce beau et infortuné génie.

XII

Quand Bernardin de Saint-Pierre eut expiré sous les larmes de sa jeune femme, elle se retira quelque temps dans l'asile où elle avait abrité son enfance; mais le jeune homme qui avait servi volontairement d'élève et de secrétaire à son mari ne pouvait oublier le trésor de beauté, d'intelligence et de vertu, dont elle lui avait donné le spectacle et le chaste amour pendant qu'il fréquentait sa maison, du temps où il y entrait librement auprès d'elle pour travailler avec son mari. L'isolement de madame de Saint-Pierre était un intérêt et un attrait de plus. Ce souvenir revivait aussi dans le cœur de la jeune veuve; le malheur fut l'unique intermédiaire de ces deux amants. Après des obstacles vaincus par leur constance, ils s'unirent et furent heureux. Aimé Martin sentit, à partir de ce moment, que sa vie devait changer comme ses devoirs, et qu'il fallait vivre, penser, travailler pour deux. Il accomplit sa mission sévère, récompensé par le bonheur.

M. Lainé, le Cicéron et le Platon des premières années de la Restauration, le connut, le prit en estime et en affection, et le fit parvenir promptement aux honneurs de la questure de la Chambre. Il y trouvait dignité et aisance. Il envoyait à son vieux père, à la campagne, près de Lyon, les économies de son emploi et le salaire de son travail. Il écrivit, dans ses loisirs, des commentaires intéressants des livres de Bernardin de Saint-Pierre; le génie du maître survivait dans le disciple. Quant à sa femme, elle portait dans son regard et dans les traits de sa bouche tout le cœur à la fois si tendre et si sublime de son premier mari, et tout le bonheur qu'elle devait au second. C'était un couple virgilien qui faisait un plaisir antique à regarder.

XIII

Aimé Martin, après avoir relevé la fortune de cette jeune femme par l'édition des Œuvres de Bernardin de Saint-Pierre, dans laquelle la veuve l'aidait, composa en vers et en prose, procédé littéraire fort usité alors, des Lettres sur la mythologie, qui eurent un double succès; se livra à des travaux importants sur l'éducation des mères de famille, source de toute lumière dans le cœur; puis, à des éditions de nos grands écrivains, qu'il connaissait mieux que personne; enfin, il étudia Molière, et le commenta en six volumes; c'était la résurrection du classique, genre fort méprisé de la jeunesse de cette époque. Il replaça la statue du grand homme sur son piédestal, elle y est restée depuis, elle y restera toujours.

Il comprit l'unité de l'auteur et de l'ouvrage, comme nous l'avions comprise depuis; il étudia Molière comme homme avant de nous le révéler comme écrivain. Tous les faux systèmes tombèrent devant lui; il ne déplaça pas l'intérêt de sa vie en nous formulant, comme on le fait aujourd'hui, un génie naissant sur un grand homme consommé arrivant du ciel ici-bas, avec un arsenal d'idées préconçues, comme si rien n'eût existé avant lui, et apportant comme un soleil de l'art une lumière incréée jusque-là à la terre. Ce n'est pas ainsi que procèdent le génie et la nature. Non; Molière commença comme tout commence, comme Shakespeare lui-même, par balbutier, tâtonner, hésiter; puis il suivit laborieusement et pas à pas, tantôt heureux, tantôt malheureux dans sa conception, le goût de son siècle et l'ornière des événements de sa vie, jusqu'ici triomphe où la mort jalouse le prit et l'enleva pour l'immortalité. Voici sa carrière admirablement notée par Aimé Martin; on ne s'informait pas alors si un écrivain comme l'auteur de *Macbeth*, ou comme l'auteur du *Tartuffe*, était né dans la démocratie ou dans l'aristocratie; la gloire était neutre, le génie n'avait point de caste. Qu'on eût gardé des chevaux à la porte de New-Market, ou fait le lit du roi à Versailles, personne ne s'en humiliait ou ne s'en glorifiait. Le mérite est comme le Nil, nul ne connaît sa source; il suffit qu'il coule et qu'il féconde; on boit ses eaux sans leur demander leur nom; ouvrier ou grand seigneur, on est grand homme et c'est assez.

XIV

Molière n'était, en naissant, ni l'un ni l'autre; il n'y songeait pas. Il était né dans cette bonne bourgeoisie qui fut toujours la moelle de la France, à distance égale de l'ouvrier, démocrate par situation, ou gentilhomme oisif, par désœuvrement. Bonne place à l'entrée dans la vie, où l'on reçoit une éducation libérale, où l'on ne méprise personne, parce qu'on touche à tous, où l'on n'est dédaigné de personne, parce qu'on n'accepte pas le dédain. Il y avait de l'honneur dans cette famille. Le père de Molière s'appelait Poquelin; il était tapissier, valet de chambre du roi. La comédie, déjà populaire en Italie, naissait seulement en France; on s'occupa peu du jeune Molière.

À quatorze ans, il suivait seulement l'ornière banale des études de collége, grec et latin. À cette époque, son grand-père s'aperçut de son penchant pour la comédie, et le conduisit chez les comédiens de l'hôtel de Bourgogne, troupe isolée et libre qui amusait Paris. «Avez-vous donc envie d'en faire un comédien? dit son père à son grand-père.—Plût à Dieu! répondit le vieillard, qu'il pût ressembler à Bellerose!» fameux acteur du temps. Molière se dégoûta de l'état de tapissier et s'engoua de celui de comédien. Son père l'envoya faire ses études aux Jésuites; il y resta cinq ans et s'éleva jusqu'à la philosophie.

XV

Le père de Molière vieillissait; il envoya son fils, en qualité d'apprenti tapissier, accompagner le roi dans un voyage de la cour à Narbonne. Au retour Molière devint avocat, et s'associa aussi à quelques bourgeois amateurs de Paris pour jouer la comédie; il y connut la Béjart, dont il devint amoureux. Elle avait été mariée avec M. de Modène, et en avait eu une fille, qu'elle élevait auprès d'elle et qui se prit d'une vive affection d'enfant pour Molière. Ce fut la source des malheurs du poëte, on l'accusa calomnieusement d'aimer dans cette enfant sa propre fille et plus tard de l'avoir épousée. Elle était née sept ans avant que Molière eût connu la mère.

XVI

Il suivit la Béjart à la cour du prince de Conti, en Languedoc. Il dirigeait sa troupe; il refusa, par amour pour la Béjart, l'emploi de secrétaire que lui offrait le prince, frappé de son talent. Rentré à Paris, il y adressa au roi un discours du haut de la scène, pour lui demander l'autorisation de jouer devant lui des divertissements scéniques. Le roi accorda cette permission, et y joignit le don du Petit-Bourbon, qu'occupe aujourd'hui la colonnade du Louvre, pour y représenter ces comédies italiennes qui amusaient le prince. Molière composa d'abord sur ce thème, imité de l'italien l'*Étourdi* et le *Dépit amoureux*, deux pièces de grands succès. Ces succès l'encouragèrent, et il écrivit les *Précieuses ridicules*, qui attirèrent une telle foule qu'on fut obligé d'en donner deux représentations le même jour. «Courage! Molière, s'écria du parterre une voix de vieillard enthousiasmé; voilà enfin la bonne comédie!» Le *Cocu imaginaire* suivit les *Précieuses ridicules*. Il eut le même succès: le cynisme et le comique s'y touchaient, l'un était de l'Aristophane, l'autre du Plaute. On sentit d'instinct dans les deux débuts l'hésitation d'un homme qui imite des théâtres étrangers et la confiance d'un homme qui croit en lui-même. Cependant les *Précieuses ridicules*, pièce satirique et personnelle, peignent des vices de salons propres à la nation française.

XVII

Don Garcia de Navarre échoua complétement, ainsi que le *Prince jaloux*. La verve comique y manquait, c'était de l'imagination plus que du ridicule; le Français ne l'aime pas. L'*École des maris* le releva; les *Fâcheux* réussirent, l'envie se déchaîna contre lui. Il fut applaudi, mais injurié. «Il est inégal!» murmura-t-on. Il était inégal comme le génie; le génie est capricieux comme l'inspiration. Ses farces renouvelées qu'il avait fait représenter dans ses courses en province devenaient des comédies à Paris. L'*École des femmes* n'eut pour ennemies que celles dont il médisait en riant. Louis XIV lui fit une pension de mille francs pour l'attacher à la cour. Cette somme, équivalant à trois mille d'aujourd'hui, était surtout un honneur qui signifiait la protection assurée du roi.

Ses malheurs commencèrent avec sa fortune.

On a vu qu'il avait aimé de bonne heure la Béjart, avec laquelle il partageait les soucis et les bénéfices de la direction du théâtre. Cette femme avait une fille de quatorze ou quinze ans, qui regardait Molière comme son père, et qui l'appelait son mari depuis son enfance. Molière conçut pour elle l'affection d'un père, mais aussi la passion d'un mari. Cette passion, partagée un moment par la fille de la Béjart, les rendit tous les trois insensés. «Molière avait passé, dit son commentateur, des badinages qu'on se permet avec un enfant à l'amour le plus violent qu'on a pour une maîtresse; mais il savait que la mère avait d'autres vues, qu'il aurait de la peine à déranger. C'était une femme altière et peu raisonnable lorsqu'on n'adhérait pas à ses sentiments; elle aimait mieux être l'amie de Molière que sa belle-mère: ainsi, il aurait tout gâté de lui déclarer le dessein qu'il avait d'épouser sa fille. Il prit le parti de le faire sans rien dire à cette femme; mais comme elle l'observait de fort près, il ne put consommer son mariage pendant plus de neuf mois: c'eût été risquer un éclat qu'il voulait éviter sur toute chose, d'autant plus que la Béjart, qui le soupçonnait de quelque dessein sur sa fille, le menaçait souvent en femme furieuse et extravagante de le perdre, lui, sa fille et elle-même, si jamais il pensait à l'épouser. Cependant la jeune fille ne s'accommodait point de l'emportement de sa mère, qui la tourmentait continuellement et qui lui faisait essuyer tous les désagréments qu'elle pouvait inventer: de sorte que cette jeune personne, plus lasse peut-être d'attendre le plaisir d'être femme que de souffrir les duretés de sa mère, se détermina un matin de s'aller jeter dans l'appartement de Molière, fortement résolue de n'en point sortir qu'il ne l'eût reconnue pour sa femme, ce qu'il fut contraint de faire. Mais cet éclaircissement causa un vacarme terrible; la mère donna des marques de fureur et de désespoir, comme si Molière avait épousé sa rivale, ou comme si sa fille fût tombée entre les mains d'un malheureux. Néanmoins, il fallut bien s'apaiser; il n'y avait point de remède, et la raison fit entendre à la Béjart que le plus grand bonheur qui pût arriver à sa fille était d'avoir épousé Molière, qui perdit par ce mariage tout l'agrément que son mérite et sa fortune pouvaient lui procurer, s'il avait été assez philosophe pour se passer d'une femme[20]. Celle-ci ne fut pas plutôt madame de Molière, qu'elle crut être au rang d'une duchesse, et elle ne se fut pas donnée en spectacle à la comédie, que le courtisan désoccupé lui en conta. Il est bien difficile à une comédienne, belle et soigneuse de sa personne, d'observer si bien sa conduite, que l'on ne puisse l'attaquer. Qu'une comédienne rende à un grand seigneur les devoirs qui lui sont dus, il n'y a point de miséricorde, c'est son amant. Molière s'imagina que toute la cour, toute la ville en voulaient à son épouse. Elle négligea de l'en désabuser; au contraire, les soins extraordinaires qu'elle prenait de sa parure, à ce qu'il lui semblait, pour tout autre que pour lui, qui ne demandait point tant d'arrangement, ne firent qu'augmenter sa jalousie. Il avait beau représenter à sa femme la manière dont elle devait se conduire pour passer heureusement la vie ensemble, elle ne profitait point de ses leçons, qui lui paraissaient trop sévères pour une jeune personne, qui d'ailleurs n'avait rien à se reprocher. Ainsi Molière, après avoir essuyé beaucoup de froideur et de dissensions domestiques, fit son possible pour se renfermer dans son travail et dans ses amis, sans se mettre en peine de la conduite de sa femme.[21]

XVIII

On conçoit les infortunes d'un homme trop sensible, tiraillé entre le remords de son ingratitude pour la mère et son amour délirant pour la fille. Cette crise dura un an, et ne tarda pas à être punie par la passion de sa jeune femme pour le comte de Guiche. Molière la subit et s'y résigna sans cesser d'adorer l'infidèle. Il ne s'en servait que comme d'une distraction, mais son génie éteint dans ses larmes se retrouvait tout entier dans ses pièces. Il n'en montrait pas moins pour s'assurer des acteurs. On le voit dans les soins qu'il prit du jeune Baron, enfant de douze ans, amené à Paris par la Raisin. La Raisin était une belle veuve qui jouait des espèces de farces au coin de la rue Guénégaud. Elle était suivie d'un officier éperdûment amoureux d'elle et qui lui mangeait son bien tout en l'adorant. Elle avait découvert à Villejuif, près de Paris, le jeune Baron, enfant prodige, qui jouait en maître sur son théâtre. Molière le découvrit et voulut se l'attacher.

Le petit Baron était en pension à Villejuif; un oncle et une tante, ses tuteurs, avaient déjà mangé la plus grande et la meilleure partie du bien que sa mère lui avait laissé; et lui en restant peu qu'ils pussent consommer, ils commençaient à être embarrassés de sa personne. Ils poursuivaient un procès en son nom: leur avocat, qui se nommait Margane, aimait beaucoup à faire de méchants vers; une pièce de sa façon, intitulée *la Nymphe dodue*, qui courait parmi le peuple, faisait assez connaître la mauvaise disposition qu'il avait pour la poésie. Il demanda un jour à l'oncle et à la tante de Baron ce qu'ils voulaient faire de leur pupille. «Nous ne le savons point, dirent-ils; son inclination ne paraît pas encore: cependant il récite continuellement des vers.—Eh bien! répondit l'avocat, que ne le mettez-vous dans cette petite troupe de Monsieur le Dauphin, qui a tant de succès?» Ces parents saisirent ce conseil, plus par envie de se défaire de l'enfant, pour dissiper plus aisément le reste de son bien, que dans la vue de faire valoir le talent qu'il avait apporté en naissant. Ils l'engagèrent donc pour cinq ans dans la troupe de la Raisin (car son mari était mort alors). Cette femme fut ravie de trouver un enfant qui était capable de remplir tout ce que l'on souhaiterait de lui; et elle fit ce petit contrat avec d'autant plus d'empressement, qu'elle y avait été fortement incitée par un fameux médecin qui était de Troyes, et qui, s'intéressant à l'établissement de cette veuve, jugeait que le petit Baron pouvait y contribuer, étant fils d'une des meilleures comédiennes qui aient jamais été.

Le petit Baron parut sur le théâtre de la Raisin avec tant d'applaudissements, qu'on fut le voir jouer avec plus d'empressement que l'on n'en avait eu à chercher l'épinette. Il était surprenant qu'un enfant de dix ou onze ans, sans avoir été conduit dans les principes de la déclamation, fît valoir une passion avec autant d'esprit qu'il le faisait.

La Raisin s'était établie, après la foire, proche du vieux hôtel de Guénégaud; et elle ne quitta point Paris qu'elle n'eût gagné vingt mille écus de bien. Elle crut que la campagne ne lui serait pas moins favorable; mais à Rouen, au lieu de préparer le lieu de son spectacle, elle mangea ce qu'elle avait d'argent avec un gentilhomme de M. le prince de Monaco, nommé Olivier, qui l'aimait à la fureur, et qui la suivait partout; de sorte qu'en très-peu de temps sa troupe fut réduite dans un état pitoyable. Ainsi destituée de moyens pour jouer la comédie à Rouen, la Raisin prit le parti de revenir à Paris avec ses petits comédiens et son Olivier.

Cette femme, n'ayant aucune ressource, et connaissant l'humeur bienfaisante de Molière, alla le prier de lui prêter son théâtre pour trois jours seulement, afin que le petit gain qu'elle espérait de faire dans ses trois représentations lui servît à remettre sa troupe en état. Molière voulut bien lui accorder ce qu'elle lui demandait. Le premier jour fut plus heureux qu'elle ne se l'était promis; mais ceux qui avaient entendu le petit Baron en parlèrent si avantageusement que, le second jour qu'il parut sur le théâtre, le lieu était si rempli que la Raisin fit plus de mille écus.

Molière, qui était incommodé, n'avait pu voir le petit Baron les deux premiers jours; mais tout le monde lui en dit tant de bien, qu'il se fit porter au Palais-Royal à la troisième représentation, tout malade qu'il était. Les comédiens de l'hôtel de Bourgogne n'en avaient manqué aucune, et ils n'étaient pas moins surpris du jeune acteur que l'était le public, surtout la Duparc, qui le prit tout d'un coup en amitié, et qui bien sérieusement avait fait de grands préparatifs pour lui donner à souper ce jour-là. Le petit homme, qui ne savait auquel entendre pour recevoir les caresses qu'on lui faisait, promit à cette comédienne qu'il irait chez elle; mais la partie fut rompue par Molière, qui lui dit de venir souper avec lui. C'était un maître et un oracle quand il parlait: et ces comédiens avaient tant de déférence pour lui, que Baron n'osa lui dire qu'il était retenu; et la Duparc n'avait garde de trouver mauvais que le jeune homme lui manquât de parole. Ils regardaient tous ce bon accueil comme la fortune de Baron, qui ne fut pas plutôt arrivé chez Molière, que celui-ci commença par envoyer chercher son tailleur pour le faire habiller (car il était en très-mauvais état), et il recommanda au tailleur que l'habit fût très-propre, complet, et fait dès le lendemain matin. Molière interrogeait et observait continuellement le jeune Baron pendant le souper, et il le fit coucher chez lui, pour avoir plus le temps de connaître ses sentiments par la conversation, afin de placer plus sûrement le bien qu'il lui voulait faire.

XIX

Le lendemain matin, le tailleur exact apporta, sur les neuf à dix heures, au petit Baron, un équipage tout complet. Il fut tout étonné et fort aise de se voir tout d'un coup si bien ajusté. Le tailleur lui dit qu'il fallait descendre dans l'appartement de Molière pour le remercier. «C'est bien mon intention, répondit le petit homme; mais je ne crois pas qu'il soit encore levé.» Le tailleur l'ayant assuré du contraire, il descendit, et fit un compliment de reconnaissance à Molière, qui en fut très-satisfait, et qui ne se contenta pas de l'avoir si bien fait accommoder; il lui donna encore six louis d'or, avec ordre de les dépenser à ses plaisirs. Tout cela était un rêve pour un enfant de douze ans, qui était depuis longtemps entre les mains de gens durs, avec lesquels il avait souffert; et il était dangereux et triste qu'avec les favorables dispositions qu'il avait pour le théâtre, il restât en de si mauvaises mains. Ce fut cette fâcheuse situation qui toucha Molière; il s'applaudit d'être en état de faire du bien à un jeune homme qui paraissait avoir toutes les qualités nécessaires pour profiter du soin qu'il voulait prendre de lui; il n'avait garde d'ailleurs, à le prendre du côté du bon esprit, de manquer une occasion si favorable d'assurer sa troupe en y faisant entrer le petit Baron.

Molière lui demanda ce que sincèrement il souhaiterait le plus alors. «D'être avec vous le reste de mes jours, lui répondit Baron, pour vous marquer ma vive reconnaissance de toutes les bontés que vous avez pour moi.—Eh bien! lui dit Molière, c'est une chose faite; le roi vient de m'accorder un ordre pour vous ôter de la troupe où vous êtes.» Molière, qui s'était levé dès quatre heures du matin, avait été à Saint-Germain supplier Sa Majesté de lui accorder cette grâce; et l'ordre avait été expédié sur-le-champ.

La Raisin ne fut pas longtemps à savoir son malheur: animée par son Olivier, elle entra toute furieuse le lendemain matin dans la chambre de Molière, deux pistolets à la main, et lui dit que s'il ne lui rendait son acteur, elle allait lui casser la tête. Molière, sans s'émouvoir, dit à son domestique de lui ôter cette femme-là. Elle passa tout d'un coup de l'emportement à la douleur; les pistolets lui tombèrent des mains, et elle se jeta aux pieds de Molière, le conjurant, les larmes aux yeux, de lui rendre son acteur, et lui exposant la misère où elle allait être réduite, elle et toute sa famille, s'il le retenait. «Comment voulez-vous que je fasse? lui dit-il, le roi veut que je le retire de votre troupe: voilà son ordre.» La Raisin, voyant qu'il n'y avait plus d'espérance, pria Molière de lui accorder du moins que le petit Baron jouât encore trois jours dans sa troupe. «Non-seulement trois, répondit Molière, mais huit, à condition pourtant qu'il n'ira point chez vous, et que je le ferai toujours accompagner par un homme qui le ramènera dès que la pièce sera finie.» Et cela de peur que cette femme et Olivier ne séduisissent l'esprit du jeune homme, pour le faire retourner avec eux. Il fallait bien que la Raisin en passât par là; mais ces huit jours lui donnèrent beaucoup d'argent, avec lequel elle voulut faire un établissement près de l'hôtel de Bourgogne, mais dont le détail et le succès ne regardent plus mon sujet.

Molière, qui aimait les bonnes mœurs, n'eut pas moins d'attention à former celles de Baron que s'il eût été son propre fils: il cultiva avec soin les dispositions extraordinaires qu'il avait pour la déclamation. Le public sait comme moi jusqu'à quel degré de perfection il l'a élevé: mais ce n'est pas le seul endroit par lequel il nous ait fait voir qu'il a su profiter des leçons d'un si grand maître. Qui, depuis sa mort, a tenu plus sûrement le théâtre comique que Baron?

Le roi se plaisait tellement aux divertissements fréquents que la troupe de Molière lui donnait, qu'au mois d'août 1665, Sa Majesté jugea à propos de la fixer tout à fait à son service, en lui donnant une pension de sept mille livres. Elle prit alors le titre de *troupe du roi*, qu'elle a toujours conservé depuis; et elle était de toutes les fêtes qui se faisaient partout où était Sa Majesté.

Le roi accorda alors une pension de *sept mille francs* à sa troupe et le titre de comédiens du roi.

XX

En ce temps, Molière osa enfin habiter avec sa femme Madeleine Béjart. Sa belle-mère s'en irrita, la maison devint intenable; on s'apaisa, mais l'affection que la Béjart avait eue pour lui s'éteignit. Il resta pénétré du sentiment de son ingratitude entre une amie qu'il avait trahie et une jeune épouse qui devait le trahir; mais son talent le consolait toujours. Il avait été faible et il était bon.

Baron, objet de la jalousie de la Béjart, en reçut des injures et un soufflet; il se retira chez la Raisin. Molière le conjura de rentrer chez lui. Le regret et le remords l'attendrirent. Il revint. Molière le combla de caresses.

Peu de temps après, un homme, dont le nom de famille était Mignot, et Mondorge celui de comédien, se trouvant dans une triste situation, prit la résolution d'aller à Auteuil, où Molière avait une maison et où il était actuellement, pour tâcher d'en tirer quelques secours pour les besoins pressants d'une famille qui était dans une misère affreuse. Baron, à qui ce Mondorge s'adressa, s'en aperçut aisément, car ce pauvre comédien faisait le spectacle du monde le plus pitoyable. Il dit à Baron, qu'il savait être un assuré protecteur auprès de Molière, que l'urgente nécessité où il était lui avait fait prendre le parti de recourir à lui, pour le mettre en état de rejoindre quelque troupe avec sa famille; qu'il avait été le camarade de M. de Molière en Languedoc, et qu'il ne doutait pas qu'il ne lui fît quelque charité, si Baron voulait bien s'intéresser pour lui.

Baron monta dans l'appartement de Molière, et lui rendit le discours de Mondorge, avec peine, et avec précaution pourtant, craignant de rappeler désagréablement à un homme fort riche l'idée d'un camarade fort gueux. «Il est vrai que nous avons joué la comédie ensemble, dit Molière, et c'est un fort honnête homme; je suis fâché que ses petites affaires soient en si mauvais état. Que croyez-vous, ajouta-t-il, que je doive lui donner?» Baron se défendit de fixer le plaisir que Molière voulait faire à Mondorge, qui, pendant que l'on décidait sur le secours dont il avait besoin, dévorait dans la cuisine, où Baron lui avait fait donner à manger. «Non, répondit Molière, je veux que vous déterminiez ce que je dois lui donner.» Baron, ne pouvant s'en défendre, statua sur quatre pistoles, qu'il croyait suffisantes pour donner à Mondorge la facilité de joindre une troupe. «Eh bien, je vais lui donner quatre pistoles pour moi, dit Molière à Baron, puisque vous le jugez à propos; mais en voilà vingt autres que je lui donnerai pour vous: je veux qu'il connaisse que c'est à vous qu'il a l'obligation du service que je lui rends. J'ai aussi, ajouta-t-il, un habit de théâtre dont je crois que je n'aurai plus besoin: qu'on le lui donne; le pauvre homme y trouvera de la ressource pour sa profession.» Cependant cet habit, que Molière donnait avec tant de plaisir, lui avait coûté deux mille cinq cents livres, et il était presque tout neuf. Il assaisonna ce présent d'un bon accueil qu'il fit à Mondorge, qui ne s'était pas attendu à tant de libéralité.

XXI

Bien qu'il eût un revenu de trente mille livres de rente, il n'avait pour son service personnel qu'une servante, pleine de bon sens et dont il interrogeait l'instinct avant de donner ses pièces. Elle se nommait Laforest, et il la rendit ainsi à jamais célèbre. Rohault et Mignard, le fameux peintre, le consolaient par leur affection de ses disgrâces. Ils allaient souvent s'enfermer avec lui dans sa maison de campagne d'Auteuil.

«Ne me plaignez-vous pas, leur dit-il un jour d'abandon, d'être d'une profession et dans une situation si opposées aux sentiments et à l'humeur que présentement? J'aime la vie tranquille, et la mienne est agitée par une infinité de détails communs et turbulents, sur lesquels je n'avais pas compté dans les commencements, et auxquels il faut absolument que je me donne tout entier malgré moi. Avec toutes les précautions dont un homme peut être capable, je n'ai pas laissé de tomber dans le désordre où tous ceux qui se marient sans réflexion ont accoutumé de tomber.—Oh! oh! dit M. Rohault.—Oui, mon cher monsieur Rohault, je suis le plus malheureux des hommes, ajouta Molière, et je n'ai que ce que je mérite. Je n'ai pas pensé que j'étais trop austère pour une société domestique. J'ai cru que ma femme devait assujettir ses manières à sa vertu et à mes intentions; et je sens bien que, dans la situation où elle est, elle eût encore été plus malheureuse que je ne le suis si elle l'avait fait. Elle a de l'enjouement, de l'esprit; elle est sensible au plaisir de le faire valoir; tout cela m'ombrage malgré moi. J'y trouve à redire, je m'en plains. Cette femme, cent fois plus raisonnable que je ne le suis, veut jouir agréablement de la vie; elle va son chemin; et, assurée par son innocence, elle dédaigne de s'assujettir aux précautions que je lui demande. Je prends cette négligence pour du mépris; je voudrais des marques d'amitié, pour croire que l'on en a pour moi, et que l'on eût plus de justesse dans sa conduite pour que j'eusse l'esprit tranquille. Mais ma femme, toujours égale et libre dans la sienne, qui serait exempte de tout soupçon pour tout autre homme moins inquiet que je ne le suis, me laisse impitoyablement dans mes peines; et, occupée seulement du désir de plaire en général, comme toutes les femmes, sans avoir de dessein particulier, elle rit de ma faiblesse. Encore, si je pouvais jouir de mes amis aussi souvent que je le souhaiterais, pour m'étourdir sur mes chagrins et sur mon inquiétude! mais vos occupations indispensables, et les miennes, m'ôtent cette satisfaction.» M. Rohault étala à Molière toutes les maximes d'une saine philosophie pour lui faire entendre qu'il avait tort de s'abandonner à ses déplaisirs. «Eh! lui répondit Molière, je ne saurais être philosophe avec une femme aussi aimable que la mienne; et peut-être qu'en ma place, vous passeriez encore de plus mauvais quarts d'heure.»

XXII

Son ami de collége et de table, Chapelle, l'amusait par ses ivresses, mais ne le consolait pas. Aimé Martin raconte ses scandales et son égoïsme; Molière en avait pitié, mais continuait par habitude à l'aimer.

Le *Tartuffe* parut alors; il fut fort goûté aux lectures. Le roi, qui ne se doutait pas de l'usage qu'on en ferait un jour, vit sans crainte cette satire contre la fausse dévotion, dont il redoutait les excès. Sa morale, fort relâchée avec les femmes, ne sentait pas les contre-coups qui frappaient sur lui-même. On lui fit des représentations: il défendit de jouer le *Tartuffe*. Il était alors à l'armée; Molière, qu'il aimait tendrement, alla se plaindre. Bah! dit le roi, les hypocrites permettent qu'on joue Dieu et le ciel, mais ne veulent pas qu'on les joue eux-mêmes. Jouez-les toujours; la fausse dévotion n'est qu'un mensonge; les vices sont à vous.»

Louis XIV, charmé du bon sens de Molière, se plaisait à l'entretenir quatre ou cinq heures tête à tête. La protection du prince sauva plusieurs fois la bonne comédie: *Tartuffe*, les *Précieuses*, le *Bourgeois gentilhomme*, les vices du cœur, de l'esprit, des salons, de la langue même, pâlirent devant le roi du bon sens. Il fut complice de tout ce que Molière imagina pour amuser et corriger son règne. M. Michelet a merveilleusement analysé tout cela, en l'exagérant un peu, comme les critiques philosophes, mais le fond est vrai et les couleurs authentiques.

XXIII

Le *Misanthrope*, le meilleur de ses drames, et dont le seul défaut est que le dénoûment ne sort pas du caractère, mais de l'autorité, tomba; le sujet était trop triste pour un parterre de Français. Il faut réfléchir pour l'accepter. Le rire est la loi suprême de la comédie, on est plus tenté de pleurer au *Misanthrope*. Le *Misanthrope* n'est pas un caractère, c'est une manie. Une manie amuse un moment, mais ne fournit pas un long drame. Molière se résigna et il attendit; il avait tellement travaillé son sujet, qu'il ne pouvait s'imaginer qu'il se fût trompé. Les vers, sans être poétiques, étaient de la plus vigoureuse satire. C'était de la poésie de Boileau, son voisin et son ami d'Auteuil.

Il se raccommoda avec le peuple par une farce grossière appelée le *Sabotier*. «Si je ne travaillais que pour des philosophes, disait-il à ce propos, mes ouvrages seraient tournés tout autrement, mais je parle aux foules, où il y a peu de gens d'esprit. Si c'était à recommencer, je ne choisirais jamais cette profession.» C'est alors qu'il fit jouer *M. de Pourceaugnac*, cette farce immortelle qui fait rire encore le peuple d'aujourd'hui. L'éclat de rire qu'on arrache au peuple par les moyens souvent ignobles est la grimace du ridicule, le sublime du commun; mais le vrai génie s'abaisse comme il s'élève, et quand il daigne y descendre, il le trouve et le rend impérissable. Le chef-d'œuvre est de réunir les deux. C'est ce que Molière fit dans le *Bourgeois gentilhomme*. La pièce déplut au public, et charma Louis XIV; il en félicita Molière, il était assez homme de goût pour y saisir les deux ridicules de la noblesse et de la bourgeoisie, il était placé assez haut pour se moquer de son peuple.

Le *Bourgeois gentilhomme* fut joué pour la première fois à Chambord, au mois d'octobre 1670. Jamais pièce n'a été plus malheureusement reçue que celle-là, et aucune de celles de Molière ne lui a donné tant de déplaisir. Le roi ne lui en dit pas un mot à son souper, et tous les courtisans la mettaient en morceaux. «Molière nous prend assurément pour des grues, de croire nous divertir avec de telles pauvretés, disait M. le duc de...—Qu'est-ce qu'il veut dire avec son *haluba, balachou*? ajoutait M. le duc de...; le pauvre homme extravague, il est épuisé: si quelque autre auteur ne prend le théâtre, il va tomber; cet homme-là donne dans la farce italienne.» Il se passa cinq jours avant que l'on représentât cette pièce pour la seconde fois, et pendant ces cinq jours, Molière, tout mortifié, se tint caché dans sa chambre; il appréhendait le mauvais compliment du courtisan prévenu; il envoyait seulement Baron à la découverte, qui lui rapportait toujours de mauvaises nouvelles. Toute la cour était révoltée.

Cependant on joua cette pièce pour la seconde fois. Après la représentation, le roi, qui n'avait point encore porté son jugement, eut la bonté de dire à Molière: «Je ne vous ai point parlé de votre pièce à la première représentation, parce que j'ai appréhendé d'être séduit par la manière dont elle avait été représentée; mais, en vérité, Molière, vous n'avez encore rien fait qui m'ait plus diverti, et votre pièce est excellente.» Molière reprit haleine au jugement de Sa Majesté; et aussitôt il fut accablé de louanges par les courtisans, qui tout d'une voix répétaient, tant bien que mal, ce que le roi venait de dire à l'avantage de cette pièce. «Cet homme-là est inimitable, disait le même duc de...; il y a un *vis comica* dans tout ce qu'il fait que les anciens n'ont pas aussi heureusement rencontré que lui.» Quel malheur pour ces messieurs que Sa Majesté n'eût point dit son sentiment la première fois! ils n'auraient pas été à la peine de se rétracter, et de s'avouer faibles connaisseurs en ouvrages. Je pourrais rappeler ici qu'ils avaient été auparavant surpris par le sonnet du *Misanthrope*. À la première lecture, ils en furent saisis, ils le trouvèrent admirable; ce ne furent qu'exclamations, et peu s'en fallut qu'ils ne trouvassent fort mauvais que le Misanthrope fît voir que ce sonnet était détestable.

En effet, y a-t-il rien de plus beau que le premier acte du *Bourgeois gentilhomme*? Il devait, du moins, frapper ceux qui jugent avec équité par les connaissances les plus communes; et Molière avait bien raison d'être mortifié de l'avoir travaillé avec tant de soin, pour être payé de sa peine par un mépris assommant; et si j'ose me prévaloir d'une occasion si peu considérable par rapport au roi, on ne peut trop admirer son heureux discernement, qui n'a jamais manqué de justesse dans les petites occasions comme dans les grands événements.

Au mois de novembre de la même année 1670, que l'on représenta le *Bourgeois gentilhomme* à Paris, le nombre prit le parti de cette pièce. Chaque bourgeois y croyait trouver son voisin peint au naturel; et il ne se lassait point d'aller voir ce portrait: le spectacle d'ailleurs, quoique outré et hors du vraisemblable, mais parfaitement bien exécuté, attirait les spectateurs; et on laissait gronder les critiques sans faire attention à ce qu'ils disaient contre cette pièce.

XXIV

En 1672, il donna les *Femmes savantes*, honnies à la ville, soutenues également par le roi.

Molière et Racine n'étaient point amis; leurs caractères ne différaient pas moins que leurs génies. Racine avait manqué de sincérité en Molière, qui cessa de l'estimer tout en l'admirant. Il aimait mieux Corneille, avec lequel il composa *Psyché*. Mais ses prodigieux travaux et ses chagrins domestiques épuisaient ses forces.

Deux mois avant sa mort, Boileau, son voisin, alla le voir. Il le trouva de plus en plus malade de sa toux, et faisant des efforts de poitrine qui semblaient le menacer d'une fin prochaine. Molière, assez froid naturellement, fit plus d'amitiés que jamais à M. Despréaux. Cela l'engagea à lui dire: «Mon pauvre monsieur Molière, vous voilà dans un pitoyable état. La contention continuelle de votre esprit, l'agitation continuelle de vos poumons sur votre théâtre, tout enfin devrait vous déterminer à renoncer à la représentation. N'y a-t-il que vous dans la troupe qui puisse exécuter les premiers rôles? Contentez-vous de composer, et laissez l'action théâtrale à quelqu'un de vos camarades: cela vous fera plus d'honneur dans le public, qui regardera vos acteurs comme vos gagistes; vos acteurs, d'ailleurs, qui ne sont pas des plus souples avec vous, sentiront mieux votre supériorité.—Ah! monsieur, répondit Molière, que me dites-vous là? Il y a un honneur pour moi à ne point quitter.» «Plaisant point d'honneur, disait en soi-même le satirique, qui consiste à se noircir tous les jours le visage pour se faire une moustache de *Sganarelle*, et à dévouer son dos à toutes les bastonnades de la comédie! Quoi! cet homme, le premier de notre temps pour l'esprit et pour les sentiments d'un vrai philosophe, cet ingénieux censeur de toutes les folies humaines, en a une plus extraordinaire que celles dont il se moque tous les jours! Cela montre bien le peu que sont les hommes.» (*Menagiana* et *Bolœana*.)

XXV

Il mourut en scène. En figurant dans la cérémonie burlesque de son *Malade imaginaire*, il se sentit pris d'une légère convulsion qu'il contint jusqu'à la fin; le frisson alors le saisit; son disciple Baron s'en aperçut, le conduisit dans sa loge et lui donna sa robe de chambre. Molière lui demanda ce que l'on disait de sa pièce. Baron lui répondit que ses ouvrages avait toujours une heureuse réussite à les examiner de près, et que plus on les représentait, plus on les goûtait. «Mais, ajouta-t-il, vous me paraissez plus mal que tantôt.—Cela est vrai, lui répondit Molière; j'ai un froid qui me tue.» Baron, après lui avoir touché les mains, qu'il trouva glacées, les lui mit dans son manchon pour les réchauffer; il envoya chercher ses porteurs pour le porter promptement chez lui, et il ne quitta point sa chaise, de peur qu'il ne lui arrivât quelque accident, du Palais-Royal dans la rue de Richelieu, où il logeait. Quand il fut dans sa chambre, Baron voulut lui faire prendre du bouillon, dont la Molière avait toujours provision pour elle; car on ne pouvait avoir plus de soins de sa personne qu'elle en avait. «Eh non! dit-il, les bouillons de ma femme sont de vraie eau-forte pour moi; vous savez tous les ingrédients qu'elle y fait mettre; donnez-moi plutôt un petit morceau de fromage de Parmesan.» Laforest lui en apporta; il en mangea avec un peu de pain, et il se fit mettre au lit. Il n'y eut pas été un moment qu'il envoya demander à sa femme un oreiller rempli d'une drogue qu'elle lui avait promis pour dormir. «Tout ce qui n'entre point dans le corps, dit-il, je l'éprouve volontiers; mais les remèdes qu'il faut prendre me font peur; il ne faut rien pour me faire perdre ce qui me reste de vie.» Un instant après, il lui prit une toux extrêmement forte, et après avoir craché il demanda de la lumière. «Voici, dit-il, du changement.» Baron, ayant vu le sang qu'il venait de rendre, s'écria avec frayeur. «Ne vous épouvantez point, lui dit Molière; vous m'en avez vu rendre bien davantage. Cependant, ajouta-t-il, allez dire à ma femme qu'elle monte.» Il resta assisté de deux sœurs religieuses, de celles qui viennent ordinairement à Paris quêter pendant le carême, et auxquelles il donnait l'hospitalité. Elles lui prodiguèrent, à ce dernier moment de sa vie, tout le secours édifiant que l'on pouvait attendre de leur charité, et il leur fit paraître tous les sentiments d'un bon chrétien et toute la résignation qu'il devait à la volonté du Seigneur. Enfin, il rendit l'esprit entre les bras de ces deux bonnes sœurs; le sang qui sortait par sa bouche en abondance l'étouffa. Ainsi, quand sa femme et Baron remontèrent, ils le trouvèrent mort. J'ai cru que je devais entrer dans le détail de la mort de Molière, pour désabuser le public de plusieurs histoires que l'on a faites à cette occasion. Il mourut le vendredi 17e du mois de février de l'année 1673, âgé de cinquante-trois ans, regretté de tous les gens de lettres, des courtisans et du peuple. Il n'a laissé qu'une fille. Mademoiselle Poquelin fait connaître, par l'arrangement de sa conduite, et par la solidité et l'agrément de sa conversation, qu'elle a moins hérité des biens de son père que de ses bonnes qualités.

Aussitôt que Molière fut mort, Baron alla à Saint-Germain en informer le roi.

Boileau le pleure; il explique en deux vers touchants les difficultés qu'on eut à vaincre pour obtenir sa sépulture:

Avant qu'un peu de terre, obtenu par prière,
Pour jamais sous sa tombe eût enfermé Molière.

L'ombre de l'envie suit les vrais grands hommes jusqu'au seuil de l'autre monde.

Continuons:

XXVI

Après l'*Étourdi*, les *Fâcheux*, l'*École des maris*, Molière écrivit son premier chef-d'œuvre, l'*École des femmes*. Nous ne l'analyserons pas, tout le monde la connaît, nous nous bornerons à citer pour tout commentaire les passages les plus saillants de ce langage poétique où il commençait à exceller.

Arnolphe est un vieillard amoureux d'une jeune fille tout ignorante et toute naïve qu'il a retirée dans sa maison, sous la garde de deux domestiques très-simples, l'un nommé Alain, l'autre Georgette, et qu'il désire épouser. Après quelques conversations avec Alain et Georgette, auxquels il confie son dessein, il cause enfin avec Agnès:

ARNOLPHE.

Vous vous êtes toujours, comme on voit, bien portée?

AGNÈS.

Hors les puces, qui m'ont la nuit inquiétée.

ARNOLPHE.

Ah! vous aurez dans peu quelqu'un pour les chasser.

AGNÈS.

Vous me ferez plaisir.

ARNOLPHE.

Je le puis bien penser.
Que faites-vous donc là?

AGNÈS.

Je me fais des cornettes.
Vos chemises de nuit et vos coiffes sont faites.

ARNOLPHE.

Ah! voilà qui va bien; allez, montez là-haut.
Ne vous ennuyez point, je reviendrai tantôt,
Et je vous parlerai d'affaires importantes.

Agnès sort, Arnolphe reste seul et, dans le transport de sa satisfaction, il devient lyrique et s'écrie:

Héroïnes du temps, mesdames les savantes,
Pousseuses de tendresse et de beaux sentiments,
Je défie à la fois tous vos vers, vos romans,
Vos lettres, billets doux, toute votre science,
De valoir cette honnête et pudique ignorance.
Ce n'est pas par le bien qu'il faut être ébloui,
Et pourvu que l'honneur soit...

Ici il est interrompu par le jeune Horace, fils d'un de ses voisins, qui lui fait la confidence de l'amour qu'il éprouve pour une jeune beauté qui loge dans la maison d'où sort Arnolphe. Horace lui raconte les tendres regards d'Agnès du haut du balcon. «Quant à l'homme qui entretient Agnès dans cette maison, ajoute-t-il, on m'en a parlé comme d'un ridicule, ne le connaissez-vous pas?»

ARNOLPHE, à part.

La fâcheuse pilule!

HORACE.

Eh! vous ne dites mot?

ARNOLPHE.

Eh! oui, je le connoi.

HORACE.

C'est un fou, n'est-ce pas?

ARNOLPHE.

Eh!...

HORACE.

Qu'en dites-vous, quoi?
Eh! c'est-à-dire oui? jaloux à faire rire?
Sot, je vois qu'il en est ce que l'on a pu dire.
Enfin, l'aimable Agnès a su m'assujettir,
C'est un joli bijou, pour ne vous point mentir,
Et ce serait péché qu'une beauté si rare
Fût laissée au pouvoir de cet homme bizarre.

. . . .

ARNOLPHE, à Agnès.

(Mettant le doigt sur son front.)

Là, regardez-moi là, durant cet entretien;
Et, jusqu'au moindre mot, imprimez-le-vous bien.
Je vous épouse, Agnès; et, cent fois la journée,
Vous devez bénir l'heur[22] de votre destinée,
Contempler la bassesse où vous avez été,
Et dans le même temps admirer ma bonté,
Qui, de ce vil état de pauvre villageoise,
Vous fait monter au rang d'honorable bourgeoise,
Et jouir de la couche et des embrassements
D'un homme qui fuyait tous ces engagements,
Et dont à vingt partis, fort capables de plaire,

Le cœur a refusé l'honneur qu'il veut vous faire.
Vous devez toujours, dis-je, avoir devant les yeux
Le peu que vous étiez sans ce nœud glorieux,
Afin que cet objet d'autant mieux vous instruise
À mériter l'état où je vous aurai mise,
À toujours vous connaître, et faire qu'à jamai
Je puisse me louer de l'acte que je fais[23].
Le mariage, Agnès, n'est pas un badinage:
À d'austères devoirs le rang de femme engage;
Et vous n'y montez pas, à ce que je prétends,
Pour être libertine et prendre du bon temps.
Votre sexe n'est là que pour la dépendance:
Du côté de la barbe est la toute-puissance.
Bien qu'on soit deux moitiés de la société,
Ces deux moitiés pourtant n'ont point d'égalité:
L'une est moitié suprême, et l'autre subalterne;
L'une en tout est soumise à l'autre qui gouverne;
Et ce que le soldat, dans son devoir instruit,
Montre d'obéissance au chef qui le conduit,
Le valet à son maître, un enfant à son père,
À son supérieur le moindre petit frère,
N'approche point encor de la docilité,
Et de l'obéissance, et de l'humilité,
Et du profond respect où la femme doit être
Pour son mari, son chef, son seigneur et son maître[24].
Lorsqu'il jette sur elle un regard sérieux,
Son devoir aussitôt est de baisser les yeux,
Et de n'oser jamais le regarder en face,
Que quand d'un doux regard il lui veut faire grâce.
C'est ce qu'entendent mal les femmes d'aujourd'hui;
Mais ne vous gâtez pas sur l'exemple d'autrui.
Gardez-vous d'imiter ces coquettes vilaines
Dont par toute la ville on vante les fredaines,
Et de vous laisser prendre aux assauts du malin,
C'est-à-dire d'ouïr aucun jeune blondin.
Songez qu'en vous faisant moitié de ma personne,
C'est mon honneur, Agnès, que je vous abandonne;
Que cet honneur est tendre et se blesse de peu;
Que sur un tel sujet il ne faut point de jeu;
Et qu'il est aux enfers des chaudières bouillantes
Où l'on plonge à jamais les femmes mal vivantes[25].
Ce que je vous dis là ne sont point des chansons;
Et vous devez du cœur dévorer ces leçons.

Si votre âme les suit, et fuit d'être coquette,
Elle sera toujours, comme un lis, blanche et nette;
Mais s'il faut qu'à l'honneur elle fasse un faux bond,
Elle deviendra lors noire comme un charbon;
Vous paraîtrez à tous un objet effroyable,
Et vous irez un jour, vrai partage du diable,
Bouillir dans les enfers à toute éternité,
Dont veuille vous garder la céleste bonté!
Faites la révérence. Ainsi qu'une novice
Par cœur dans le couvent doit savoir son office,
Entrant au mariage il en faut faire autant;
Et voici dans ma poche un écrit important
Qui vous enseignera l'office de la femme.
J'en ignore l'auteur: mais c'est quelque bonne âme;
Et je veux que ce soit votre unique entretien.

(Il se lève.)

Tenez. Voyons un peu si vous le lirez bien[26].

Ces vers ne sont-ils pas aussi parfaits que plaisants. N'est-ce pas le rhythme de la déclaration d'amour à Zaïre? *Je vous aime, Zaïre!* et la gravité du sentiment éclate de même dans la solennité des formes. Mais Arnolphe a beau dire et beau faire, il est constamment dupe de son âge et de la naïveté de sa pupille. Elle finit par s'évader avec Horace. Mais Enrique, le père d'Agnès, se découvre et lui fait épouser Horace. Arnolphe se retire en gémissant, et le drame finit par le mariage.

XXVII

Le *Misanthrope*, plus beau encore, mais moins gai, entre de plein saut dans son sujet par un dialogue avec son ami Philinte:

PHILINTE.

Qu'est-ce donc? qu'avez-vous?

ALCESTE.

Laissez-moi, je vous prie.

PHILINTE.

Mais encor, dites-moi, quelle bizarrerie...

ALCESTE.

Laissez-moi là, vous dis-je, et courez vous cacher.

PHILINTE.

Mais on entend les gens au moins, sans se fâcher.

ALCESTE.

Moi, je veux me fâcher, et ne veux point entendre.

PHILINTE.

Dans vos brusques chagrins je ne puis vous comprendre;
Et, quoique amis, enfin, je suis tout des premiers...

ALCESTE, se levant brusquement.

Moi, votre ami? Rayez cela de vos papiers.
J'ai fait jusques ici profession de l'être;
Mais, après ce qu'en vous je viens de voir paraître,
Je vous déclare net que je ne le suis plus,
Et ne veux nulle place en des cœurs corrompus.

PHILINTE.

Je suis donc bien coupable, Alceste, à votre compte?

ALCESTE.

Allez, vous devriez mourir de pure honte;
Une telle action ne saurait s'excuser,
Et tout homme d'honneur s'en doit scandaliser.
Je vous vois accabler un homme de caresses,
Et témoigner pour lui les dernières tendresses;
De protestations, d'offres et de serments
Vous chargez la fureur de vos embrassements;
Et quand je vous demande, après, quel est cet homme,
À peine pouvez-vous dire comme il se nomme;
Votre chaleur pour lui tombe en vous séparant,
Et vous me le traitez, à moi, d'indifférent.
Morbleu! c'est une chose indigne, lâche, infâme,
De s'abaisser ainsi jusqu'à trahir son âme;
Et si, par un malheur, j'en avais fait autant,
Je m'irais, de regret, pendre tout à l'instant.

PHILINTE.

Je ne vois pas, pour moi, que le cas soit pendable;
Et je vous supplierai d'avoir pour agréable
Que je me fasse un peu grâce sur votre arrêt,
Et ne me pende pas pour cela, s'il vous plaît.

ALCESTE.

Que la plaisanterie est de mauvaise grâce!

PHILINTE.

Mais, sérieusement, que voulez-vous qu'on fasse?

ALCESTE.

Je veux qu'on soit sincère, et qu'en homme d'honneur
On ne lâche aucun mot qui ne parte du cœur.

PHILINTE.

Lorsqu'un homme vous vient embrasser avec joie,
Il faut bien le payer de la même monnoie,
Répondre comme on peut à ses empressements,
Et rendre offre pour offre, et serments pour serments.

ALCESTE.

Non, je ne puis souffrir cette lâche méthode
Qu'affectent la plupart de vos gens à la mode;
Et je ne hais rien tant que les contorsions
De tous ces grands faiseurs de protestations,
Ces affables donneurs d'embrassades frivoles,
Ces obligeants diseurs d'inutiles paroles,
Qui de civilités avec tous font combat,
Et traitent du même air l'honnête homme et le fat.
Quel avantage a-t-on qu'un homme vous caresse,
Vous jure amitié, foi, zèle, estime, tendresse,
Et vous fasse de vous un éloge éclatant,
Lorsqu'au premier faquin il court en faire autant?
Non, non, il n'est point d'âme un peu bien située
Qui veuille d'une estime ainsi prostituée;
Et la plus glorieuse a des régals peu chers,
Dès qu'on voit qu'on nous mêle avec tout l'univers.
Sur quelque préférence une estime se fonde,
Et c'est n'estimer rien qu'estimer tout le monde.
Puisque vous y donnez, dans ces vices du temps,
Morbleu! vous n'êtes pas pour être de mes gens;
Je refuse d'un cœur la vaste complaisance
Qui ne fait de mérite aucune différence;
Je veux qu'on me distingue; et, pour le trancher net,
L'ami du genre humain n'est point du tout mon fait.[27]

PHILINTE.

Mais, quand on est du monde, il faut bien que l'on rende
Quelques dehors civils que l'usage demande.

ALCESTE.

Non, vous dis-je; on devrait châtier sans pitié
Ce commerce honteux de semblants d'amitié.
Je veux que l'on soit homme, et qu'en toute rencontre
Le fond de notre cœur dans nos discours se montre,
Que ce soit lui qui parle, et que nos sentiments
Ne se masquent jamais sous de vains compliments.

PHILINTE.

Il est bien des endroits où la pleine franchise
Deviendrait ridicule, et serait peu permise;
Et parfois, n'en déplaise à votre austère honneur,
Il est bon de cacher ce qu'on a dans le cœur.
Serait-il à propos, et de la bienséance,
De dire à mille gens tout ce que d'eux on pense?
Et, quand on a quelqu'un qu'on hait ou qui déplaît,
Lui doit-on déclarer la chose comme elle est?

ALCESTE.

Oui.

PHILINTE.

Quoi! vous iriez dire à la vieille Émilie
Qu'à son âge il sied mal de faire la jolie,
Et que le blanc qu'elle a scandalise chacun?

ALCESTE.

Sans doute.

PHILINTE.

À Dorilas, qu'il est trop importun,
Et qu'il n'est, à la cour, oreille qu'il ne lasse
À conter sa bravoure et l'éclat de sa race?

ALCESTE.

Fort bien.

PHILINTE.

Vous vous moquez.

ALCESTE.

Je ne me moque point,
Et je vais n'épargner personne sur ce point.
Mes yeux sont trop blessés, et la cour et la ville
Ne m'offrent rien qu'objets à m'échauffer la bile;
J'entre en une humeur noire, en un chagrin profond,
Quand je vois vivre entre eux les hommes comme ils font;
Je ne trouve partout que lâche flatterie,
Qu'injustice, intérêt, trahison, fourberie;
Je n'y puis plus tenir, j'enrage; et mon dessein
Est de rompre en visière à tout le genre humain.

PHILINTE.

Ce chagrin philosophe est un peu trop sauvage.
Je ris des noirs accès où je vous envisage,
Et crois voir en nous deux, sous mêmes soins nourris,
Les deux frères que peint l'*École des maris*,
Dont...

ALCESTE.

Mon Dieu! laissons là vos comparaisons fades.

PHILINTE.

Non: tout de bon, quittez toutes ces incartades.
Le monde par vos soins ne se changera pas:
Et, puisque la franchise a pour vous tant d'appas,
Je vous dirai tout franc que cette maladie,
Partout où vous allez, donne la comédie;
Et qu'un si grand courroux contre les mœurs du temps
Vous tourne en ridicule auprès de bien des gens.

ALCESTE.

Tant mieux, morbleu! tant mieux, c'est ce que je demande
Ce m'est un fort bon signe, et ma joie en est grande.
Tous les hommes me sont à tel point odieux,
Que je serais fâché d'être sage à leurs yeux.

PHILINTE.

Vous voulez un grand mal à la nature humaine.

ALCESTE.

Oui, j'ai conçu pour elle une effroyable haine.

PHILINTE.

Tous les pauvres mortels, sans nulle exception,
Seront enveloppés dans cette aversion?
Encore en est-il bien, dans le siècle où nous sommes...

ALCESTE.

Non, elle est générale, et je hais tous les hommes:
Les uns, parce qu'ils sont méchants et malfaisants,
Et les autres, pour être aux méchants complaisants,
Et n'avoir pas pour eux ces haines vigoureuses
Que doit donner le vice aux âmes vertueuses.
De cette complaisance on voit l'injuste excès
Pour le franc scélérat avec qui j'ai procès.
Au travers de son masque on voit à plein le traître;
Partout il est connu pour tout ce qu'il peut être;
Et ses roulements d'yeux et son ton radouci
N'imposent qu'à des gens qui ne sont point d'ici.
On sait que ce pied-plat, digne qu'on le confonde,
Par de sales emplois s'est poussé dans le monde,
Et que par eux son sort, de splendeur revêtu,
Fait gronder le mérite et rougir la vertu;
Quelques titres honteux qu'en tous lieux on lui donne
Son misérable honneur ne voit pour lui personne:
Nommez-le fourbe, infâme, et scélérat maudit,
Tout le monde en convient, et nul n'y contredit.
Cependant sa grimace est partout bienvenue;
On l'accueille, on lui rit, partout il s'insinue;
Et s'il est, par la brigue, un rang à disputer,
Sur le plus honnête homme on le voit l'emporter.
Têtebleu! ce me sont de mortelles blessures,
De voir qu'avec le vice on garde des mesures;
Et parfois il me prend des mouvements soudains
De fuir dans un désert l'approche des humains.

PHILINTE.

Mon Dieu! des mœurs du temps mettons-nous moins en peine
Et faisons un peu grâce à la nature humaine;
Ne l'examinons point dans la grande rigueur,
Et voyons ses défauts avec quelque douceur.
Il faut parmi le monde une vertu traitable;
À force de sagesse, on peut être blâmable;
La parfaite raison fuit toute extrémité,
Et veut que l'on soit sage avec sobriété.
Cette grande roideur des vertus des vieux âges

Heurte trop notre siècle et les communs usages;
Elle veut aux mortels trop de perfection:
Il faut fléchir au temps sans obstination;
Et c'est une folie à nulle autre seconde,
De vouloir se mêler de corriger le monde.
J'observe, comme vous, cent choses tous les jours,
Qui pourraient mieux aller, prenant un autre cours;
Mais, quoi qu'à chaque pas je puisse voir paraître,
En courroux, comme vous, on ne me voit point être;
Je prends tout doucement les hommes comme ils sont;
J'accoutume mon âme à souffrir ce qu'ils font;
Et je crois qu'à la cour, de même qu'à la ville,
Mon flegme est philosophe autant que votre bile.

ALCESTE.

Mais ce flegme, monsieur, qui raisonne si bien,
Ce flegme pourra-t-il ne s'échauffer de rien?
Et s'il faut, par hasard, qu'un ami vous trahisse,
Que, pour avoir vos biens, on dresse un artifice,
Ou qu'on tâche à semer de méchants bruits de vous,
Verrez-vous tout cela sans vous mettre en courroux?

PHILINTE.

Oui, je vois ces défauts, dont votre âme murmure,
Comme vices unis à l'humaine nature;
Et mon esprit, enfin, n'est pas plus offensé
De voir un homme fourbe, injuste, intéressé,
Que de voir des vautours affamés de carnage,
Des singes malfaisants et des loups pleins de rage.

ALCESTE.

Je me verrai trahir, mettre en pièces, voler,
Sans que je sois... Morbleu! je ne veux point parler,
Tant ce raisonnement est plein d'impertinence!

PHILINTE.

Ma foi, vous ferez bien de garder le silence.
Contre votre partie éclatez un peu moins,
Et donnez au procès une part de vos soins.

ALCESTE.

Je n'en donnerai point, c'est une chose dite.

PHILINTE.

Mais qui voulez-vous donc qui pour vous sollicite?

ALCESTE.

Qui je veux? La raison, mon bon droit, l'équité.

PHILINTE.

Aucun juge par vous ne sera visité?

ALCESTE.

Non. Est-ce que ma cause est injuste ou douteuse?

PHILINTE.

J'en demeure d'accord: mais la brigue est fâcheuse,
Et...

ALCESTE.

Non. J'ai résolu de n'en pas faire un pas.
J'ai tort, ou j'ai raison.

PHILINTE.

Ne vous y fiez pas.

ALCESTE.

Je ne remuerai point.

PHILINTE.

Votre partie est forte,
Et peut, par sa cabale, entraîner...

ALCESTE.

Il n'importe.

PHILINTE.

Vous vous tromperez.

ALCESTE.

Soit. J'en veux voir le succès.

PHILINTE.

Mais...

ALCESTE.

J'aurai le plaisir de perdre mon procès.

PHILINTE.

Mais enfin...

ALCESTE.

Je verrai dans cette plaiderie
Si les hommes auront assez d'effronterie,
Seront assez méchants, scélérats et pervers,
Pour me faire injustice aux yeux de l'univers.

PHILINTE.

Quel homme!

ALCESTE.

Je voudrais, m'en coûtât-il grand'chose,
Pour la beauté du fait, avoir perdu ma cause.

PHILINTE.

On se rirait de vous, Alceste, tout de bon,
Si l'on vous entendait parler de la façon.

ALCESTE.

Tant pis pour qui rirait.

PHILINTE.

Mais cette rectitude
Que vous voulez en tout avec exactitude,
Cette pleine droiture où vous vous renfermez,
La trouvez-vous ici dans ce que vous aimez?
Je m'étonne, pour moi, qu'étant, comme il le semble,
Vous et le genre humain, si fort brouillés ensemble,
Malgré tout ce qui peut vous le rendre odieux,
Vous avez pris chez lui ce qui charme vos yeux;
Et ce qui me surprend encore davantage,
C'est cet étrange choix où votre cœur s'engage.
La sincère Éliante a du penchant pour vous,
La prude Arsinoé vous voit d'un œil fort doux;
Cependant à leurs vœux votre âme se refuse,
Tandis qu'en ses liens Célimène l'amuse,
De qui l'humeur coquette et l'esprit médisant
Semblent si fort donner dans les mœurs d'à présent.
D'où vient que, leur portant une haine mortelle,
Vous pouvez bien souffrir ce qu'en tient cette belle?

Ne sont-ce plus défauts dans un objet si doux?
Ne les voyez-vous pas, ou les excusez-vous?

ALCESTE.

Non. L'amour que je sens pour cette jeune veuve
Ne ferme point mes yeux aux défauts qu'on lui treuve;
Et je suis, quelque ardeur qu'elle m'ait pu donner,
Le premier à les voir, comme à les condamner.
Mais avec tout cela, quoi que je puisse faire,
Je confesse mon faible; elle a l'air de me plaire:
J'ai beau voir ses défauts, et j'ai beau l'en blâmer,
En dépit qu'on en ait, elle se fait aimer:
Sa grâce est la plus forte; et, sans doute, ma flamme
De ces vices du temps pourra purger son âme.

A-t-on jamais écrit de prose plus vive en vers si parfaits?

Au deuxième acte, Alceste reconduit en la maudissant Célimène, qu'il trouve trop coquette et qu'il ne peut s'empêcher d'adorer. «On croit, dit Aimé Martin, entendre Molière lui-même, parlant à Chapelle de sa propre femme: «Si vous saviez ce qu'elle me fait souffrir, vous auriez pitié de moi. Toutes les choses du monde ont du rapport avec elle dans mon cœur. Mon idée en est si fort occupée, que je ne sais rien en son absence qui m'en puisse divertir. Quand je la vois, une émotion et des transports qu'on ne saurait dire m'ôtent l'usage de la réflexion. Je n'ai plus d'yeux pour ses défauts, il m'en reste seulement pour tout ce qu'elle a d'aimable. N'est-ce pas là le dernier point de la folie? et n'admirez-vous pas que tout ce que j'ai de raison ne serve qu'à me faire connaître ma faiblesse sans pouvoir en triompher?» Ce délicieux passage est l'expression de l'amour le plus tendre, et nous en verrons tous les traits se développer successivement dans le cœur du Misanthrope.

«Nous désirions de voir Alceste aux prises avec Célimène; nous étions impatients d'assister à cette lutte d'un amour impétueux qui ne souffre ni détours ni délais, et d'une froide coquetterie qui ne craint rien tant que d'être forcée dans ses retranchements. La scène a répondu à notre attente; elle a été tout ce qu'elle devait être entre un homme déchaîné contre les vices du siècle, qui a le malheur de s'être passionné pour une femme atteinte de quelques-uns des plus haïssables, et cette même femme qui, dévorée du désir de subjuguer tous les cœurs, doit attacher un grand prix à soumettre et à conserver le cœur du sauvage Alceste. Quelle brusquerie! quelle rudesse dans les reproches de l'un, malgré sa tendresse! Quel air de bonne foi et presque de candeur, quel charme surtout dans les réponses de l'autre, malgré sa perfidie!(A.)

«Écoutons encore Molière parlant de sa femme: Elle a de l'enjouement et de l'esprit; elle est sensible au plaisir de se faire valoir; *tout cela m'ombrage malgré moi. J'y trouve à redire, je m'en plains.* Cette femme, cent fois plus raisonnable que je ne le suis, *veut jouir agréablement de la vie; elle va son chemin*; et, assurée par son innocence, elle *dédaigne de s'assujettir aux précautions que je lui demande.* JE PRENDS CETTE NEGLIGENCE POUR DU MEPRIS; je voudrais des marques d'amitié, pour croire que l'on en a pour moi, et que l'on eût plus *de justesse dans sa conduite, pour que j'eusse l'esprit tranquille.* Mais ma femme, toujours égale et libre dans la sienne, *me laisse impitoyablement dans mes peines*; et, occupée seulement du désir de plaire en général, sans avoir de dessein particulier, elle rit de ma faiblesse.» Tous les traits de ce tableau conviennent à Célimène, comme ceux du passage précédent convenaient au Misanthrope. Ainsi, tout vient à l'appui de la vérité que nous voulons établir, que c'est dans l'histoire même de Molière qu'il faut chercher le type de ces deux rôles admirables.

XXVIII

Le troisième acte sort du sujet, mais il en sort en un style de satire qui dut faire honte à Boileau le satirique. Célimène et Arsinoé y causent avec ironie et amertume sur leurs défauts. Elles donnent raison aux mauvaises humeurs du Misanthrope contre le monde. Voici cet admirable dialogue:

CÉLIMÈNE.

Ah! mon Dieu, que je suis contente de vous voir!

(Clitandre et Acaste sortent en riant.)

SCÈNE V

ARSINOÉ, CÉLIMÈNE.

ARSINOÉ.

Leur départ ne pouvait plus à propos se faire.

CÉLIMÈNE.

Voulons-nous nous asseoir?

ARSINOÉ.

Il n'est pas nécessaire.
Madame, l'amitié doit surtout éclater
Aux choses qui le plus nous peuvent importer;
Et comme il n'en est point de plus grande importance
Que celles de l'honneur et de la bienséance,
Je viens, par un avis qui touche votre honneur,
Témoigner l'amitié que pour vous a mon cœur.

Hier, j'étais chez des gens de vertu singulière,
Où sur vous du discours on tourna la matière;
Et là, votre conduite avec ses grands éclats,
Madame, eut le malheur qu'on ne la loua pas.
Cette foule de gens dont vous souffrez visite,
Votre galanterie, et les bruits qu'elle excite,
Trouvèrent des censeurs plus qu'il n'aurait fallu,
Et bien plus rigoureux que je n'eusse voulu.
Vous pouvez bien penser quel parti je sus prendre;
Je fis ce que je pus pour vous pouvoir défendre;
Je vous excusai fort sur votre intention,
Et voulus de votre âme être la caution.
Mais vous savez qu'il est des choses dans la vie
Qu'on ne peut excuser, quoiqu'on en ait envie;
Et je me vis contrainte à demeurer d'accord
Que l'air dont vous vivez vous faisait un peu tort;
Qu'il prenait dans le monde une méchante face;
Qu'il n'est conte fâcheux que partout on n'en fasse;
Et que, si vous vouliez, tous vos déportements
Pourraient moins donner prise aux mauvais jugements.
Non que j'y croie, au fond, l'honnêteté blessée:
Me préserve le ciel d'en avoir la pensée!
Mais aux ombres du crime on prête aisément foi,
Et ce n'est pas assez de bien vivre pour soi.
Madame, je vous crois l'âme trop raisonnable
Pour ne pas prendre bien cet avis profitable,
Et pour l'attribuer qu'aux mouvements secrets
D'un zèle qui m'attache à tous vos intérêts.

CÉLIMÈNE.

Madame, j'ai beaucoup de grâces à vous rendre.
Un tel avis m'oblige; et, loin de le mal prendre,
J'en prétends reconnaître à l'instant la faveur
Par un avis aussi qui touche votre honneur;
Et comme je vous vois vous montrer mon amie
En m'apprenant les bruits que de moi l'on publie,
Je veux suivre, à mon tour, un exemple si doux
En vous avertissant de ce qu'on dit de vous.
En un lieu, l'autre jour, où je faisais visite,
Je trouvai quelques gens d'un très-rare mérite,
Qui, parlant des vrais soins d'une âme qui vit bien,
Firent tomber sur vous, madame, l'entretien.
Là, votre pruderie et vos éclats de zèle

Ne furent pas cités comme un fort bon modèle;
Cette affectation d'un grave extérieur,
Vos discours éternels de sagesse et d'honneur,
Vos mines et vos cris aux ombres d'indécence
Que d'un mot ambigu peut avoir l'innocence,
Cette hauteur d'estime où vous êtes de vous,
Et ces yeux de pitié que vous jetez sur tous,
Vos fréquentes leçons et vos aigres censures
Sur des choses qui sont innocentes et pures;
Tout cela, si je puis vous parler franchement,
Madame, fut blâmé d'un commun sentiment.
«À quoi bon, disaient-ils, cette mine modeste,
Et ce sage dehors que dément tout le reste?
Elle est à bien prier exacte au dernier point;
Mais elle bat ses gens, et ne les paye point.
Dans tous les lieux dévots elle étale un grand zèle;
Mais elle met du blanc, et veut paraître belle.
Elle fait des tableaux couvrir les nudités;
Mais elle a de l'amour pour les réalités.»
Pour moi, contre chacun je pris votre défense,
Et leur assurai fort que c'était médisance;
Mais tous les sentiments combattirent le mien,
Et leur conclusion fut que vous feriez bien
De prendre moins de soin des actions des autres,
Et de vous mettre un peu plus en peine des vôtres;
Qu'on doit se regarder soi-même un fort long temps
Avant que de songer à condamner les gens;
Qu'il faut mettre le poids d'une vie exemplaire
Dans les corrections qu'aux autres on veut faire;
Et qu'encor vaut-il mieux s'en remettre, au besoin,
À ceux à qui le ciel en a commis le soin.
Madame, je vous crois aussi trop raisonnable
Pour ne pas prendre bien cet avis profitable,
Et pour l'attribuer qu'aux mouvements secrets
D'un zèle qui m'attache à tous vos intérêts.[28]

ARSINOÉ.

À quoi qu'en reprenant on soit assujettie,
Je ne m'attendais pas à cette repartie,
Madame; et je vois bien, par ce qu'elle a d'aigreur,
Que mon sincère avis vous a blessée au cour.

CÉLIMÈNE.

Au contraire, madame; et, si l'on était sage,
Ces avis mutuels seraient mis en usage.
On détruirait par là, traitant de bonne foi,
Ce grand aveuglement où chacun est pour soi.
Il ne tiendra qu'à vous qu'avec le même zèle
Nous ne continuions cet office fidèle,
Et ne prenions grand soin de nous dire, entre nous,
Ce que nous entendrons, vous de moi, moi de vous.

ARSINOÉ.

Ah! madame, de vous je ne puis rien entendre;
C'est en moi que l'on peut trouver fort à reprendre.

CÉLIMÈNE.

Madame, on peut, je crois, louer et blâmer tout;
Et chacun a raison, suivant l'âge ou le goût.
Il est une saison pour la galanterie,
Il en est une aussi propre à la pruderie.
On peut, par politique, en prendre le parti,
Quand de nos jeunes ans l'éclat est amorti;
Cela sert à couvrir de fâcheuses disgrâces.
Je ne dis pas qu'un jour je ne suive vos traces;
L'âge amènera tout; et ce n'est pas le temps,
Madame, comme on sait, d'être prude à vingt ans.[29]

ARSINOÉ.

Certes, vous vous targuez d'un bien faible avantage,
Et vous faites sonner terriblement votre âge.[30]
Ce que de plus que vous on en pourrait avoir
N'est pas un si grand cas pour s'en tant prévaloir;[31]
Et je ne sais pourquoi votre âme ainsi s'emporte,
Madame, à me pousser de cette étrange sorte.

CÉLIMÈNE.

Et moi, je ne sais pas, madame, aussi pourquoi
On vous voit en tous lieux vous déchaîner sur moi.
Faut-il de vos chagrins sans cesse à moi vous prendre?
Et puis-je mais des soins qu'on ne va pas vous rendre?
Si ma personne aux gens inspire de l'amour,
Et si l'on continue à m'offrir chaque jour
Des vœux que votre cœur peut souhaiter qu'on m'ôte,
Je n'y saurais que faire, et ce n'est pas ma faute;

Vous avez le champ libre, et je n'empêche pas
Que, pour les attirer, vous n'ayez des appas.[32]

ARSINOÉ.

Hélas! et croyez-vous que l'on se mette en peine
De ce nombre d'amants dont vous faites la vaine,
Et qu'il ne nous soit pas fort aisé de juger
À quel prix aujourd'hui l'on peut les engager?
Pensez-vous faire croire, à voir comme tout roule,
Que votre seul mérite attire cette foule?
Qu'ils ne brûlent pour vous que d'un honnête amour,
Et que pour vos vertus ils vous font tous la cour?
On ne s'aveugle point par de vaines défaites;
Le monde n'est point dupe; et j'en vois qui sont faites
À pouvoir inspirer de tendres sentiments,
Qui chez elles pourtant ne fixent point d'amants:
Et de là nous pouvons tirer des conséquences
Qu'on n'acquiert point leurs cœurs sans de grandes avances;
Qu'aucun, pour nos beaux yeux, n'est notre soupirant,
Et qu'il faut acheter tous les soins qu'on nous rend.
Ne vous enflez donc pas d'une si grande gloire,
Pour les petits brillants d'une faible victoire;[33]
Et corrigez un peu l'orgueil de vos appas,
De traiter pour cela les gens de haut en bas.
Si nos yeux enviaient les conquêtes des vôtres,
Je pense qu'on pourrait faire comme les autres,
Ne se point ménager, et vous faire bien voir
Que l'on a des amants quand on en veut avoir.

CÉLIMÈNE.

Ayez-en donc, madame, et voyons cette affaire;
Par ce rare secret efforcez-vous de plaire;
Et sans...

ARSINOÉ.

Brisons, madame, un pareil entretien,
Il pousserait trop loin votre esprit et le mien;
Et j'aurais pris déjà le congé qu'il faut prendre,
Si mon carrosse encor ne m'obligeait d'attendre.

CÉLIMÈNE.

Autant qu'il vous plaira vous pouvez arrêter,
Madame; et là-dessus rien ne doit vous hâter.

Mais, sans vous fatiguer de ma cérémonie,
Je m'en vais vous donner meilleure compagnie;
Et monsieur, qu'à propos le hasard fait venir,
Remplira mieux ma place à vous entretenir.

XXIX

Est-il possible de mieux s'approprier les usages et les critiques du monde? de rétorquer avec plus de grâce maligne et d'éloquence la médisance de salon? Juvénal n'a rien de mieux; partout où Molière imite, il dépasse. C'est le caractère du génie. Convenons pourtant que l'invention comique n'est pas forte, et qu'elle ne suffirait pas aujourd'hui. Le mérite du *Misanthrope* est tout entier dans le dialogue et dans l'inimitable versification.

Au cinquième acte, Alceste subit un injuste procès intenté par un homme dont il a franchement dénigré les mauvais vers. La pièce finit par l'indignation du Misanthrope, qui propose sa main à Éliante; Éliante la refuse, et il sort de la scène en prononçant ces quatre vers, dignes de son caractère:

Trahi de toutes parts, accablé d'injustices,
Je vais sortir du gouffre où triomphent les vices,
Et chercher sur la terre un endroit écarté
Où d'être homme de bien on ait la liberté.

Voilà ce chef-d'œuvre. À l'exception du style, il n'en serait pas en ce temps-ci. Molière était alors séparé de sa femme, il écrivait son propre cœur. Il se vengea presque directement de cette femme légère et perfide en lui faisant réciter des invectives contre sa propre vie; il se réconciliera ensuite, il est homme, mais toujours homme; humoriste, mais amoureux.

XXX

Nous voici enfin arrivés à la haute comédie de Molière, le *Tartuffe*, c'est le chef-d'œuvre de l'inventeur et de l'écrivain; vous allez en juger:

Orgon est un bon, honnête et naïf bourgeois, mari d'une femme encore agréable, père d'une fille belle et tendre, nommée Marianne qui aspire à se marier avec Valère dont elle est aimée. Elmire est le nom de la femme d'Orgon; madame Pernelle est sa mère; Cléante, homme froid et judicieux, est son beau-frère; Dorine est la suivante de Marianne, ancienne dans la maison à qui tout langage est permis.

Tout vit en paix, en joie, en amitié, en amour dans cette heureuse famille, lorsque Orgon, en allant à l'église, est séduit par les grimaces de Tartuffe, le héros de la pièce, qui simule la sainteté, et finit par s'introduire dans la famille et y prendre un empire absolu.

Les premières scènes se bornent à l'exposition. Orgon parle à Dorine:

ORGON.

Dorine?... Mon beau-frère, attendez, je vous prie,
Vous voulez bien souffrir, pour m'ôter de souci,
Que je m'informe un peu des nouvelles d'ici...
Tout s'est-il ces deux jours passé de bonne sorte?
Qu'est-ce qu'on fait céans? comme est-ce qu'on s'y porte?

DORINE.

Madame eut avant-hier la fièvre jusqu'au soir.
Avec un mal de tête étrange à concevoir.

ORGON.

Et Tartuffe?[34]

DORINE.

Tartuffe? Il se porte à merveille,
Gros et gras, le teint frais et la bouche vermeille!

ORGON.

Le pauvre homme[35]!

DORINE.

Le soir, elle eut un grand dégoût,
Et ne put, au souper, toucher à rien du tout.
Tant sa douleur de tête était encor cruelle!

ORGON.

Et Tartuffe?

DORINE.

Il soupa, lui tout seul, devant elle;
Et fort dévotement il mangea deux perdrix,
Avec une moitié de gigot en hachis.

ORGON.

Le pauvre homme!

DORINE.

La nuit se passa tout entière
Sans qu'elle pût fermer un moment la paupière;

Des chaleurs l'empêchaient de pouvoir sommeiller,
Et jusqu'au jour, près d'elle, il nous fallut veiller.

ORGON.

Et Tartuffe?

DORINE.

Pressé d'un sommeil agréable,
Il passa dans sa chambre au sortir de la table;
Et dans son lit bien chaud il se mit tout soudain,
Où, sans trouble, il dormit jusques au lendemain.

ORGON.

Le pauvre homme!

DORINE.

À la fin, par nos raisons gagnée,
Elle se résolut à souffrir la saignée;
Et le soulagement suivit tout aussitôt.

ORGON.

Et Tartuffe?

DORINE.

Il reprit courage comme il faut;
Et, contre tous les maux fortifiant son âme,
Pour réparer le sang qu'avait perdu madame,
But, à son déjeuner, quatre grands coups de vin.

ORGON.

Le pauvre homme!

DORINE.

Tous deux se portent bien enfin;
Et je vais à madame annoncer, par avance,
La part que vous prenez à sa convalescence.

SCÈNE VI

ORGON, CLÉANTE.

CLÉANTE.

À votre nez, mon frère, elle se rit de vous:
Et, sans avoir dessein de vous mettre en courroux,

Je vous dirai tout franc que c'est avec justice.
A-t-on jamais parlé d'un semblable caprice?
Et se peut-il qu'un homme ait un charme aujourd'hui
À vous faire oublier toutes choses pour lui;
Qu'après avoir chez vous réparé sa misère,
Vous en veniez au point...?

ORGON.

Halte là, mon beau-frère!
Vous ne connaissez pas celui dont vous parlez.

CLÉANTE.

Je ne le connais pas, puisque vous le voulez;
Mais enfin, pour savoir quel homme ce peut être...

ORGON.

Mon frère, vous seriez charmé de le connaître;
Et vos ravissements ne prendraient point de fin.
C'est un homme... qui... ha! un homme... un homme enfin!
Qui suit bien ses leçons goûte une paix profonde,
Et comme du fumier regarde tout le monde.
Oui, je deviens tout autre avec son entretien;
Il m'enseigne à n'avoir affection pour rien;
De toutes amitiés il détache mon âme;
Et je verrais mourir frère, enfants, mère et femme,
Que je m'en soucierais autant que de cela!

CLÉANTE.

Les sentimens humains, mon frère, que voilà!

ORGON.

Ah! si vous aviez vu comme j'en fis rencontre,
Vous auriez pris pour lui l'amitié que je montre.
Chaque jour à l'église il venait, d'un air doux,
Tout vis-à-vis de moi se mettre à deux genoux.
Il attirait les yeux de l'assemblée entière
Par l'ardeur dont au ciel il poussait sa prière,
Il faisait des soupirs, de grands élancements,
Et baisait humblement la terre à tous moments;
Et, lorsque je sortais, il me devançait vite
Pour m'aller, à la porte, offrir de l'eau bénite.
Instruit par son garçon, qui dans tout l'imitait,
Et de son indigence et de ce qu'il était,

Je lui faisais des dons: mais, avec modestie,
Il me voulait toujours en rendre une partie.
C'est trop, me disait-il, *c'est trop de la moitié;*
Je ne mérite pas de vous faire pitié.
Et quand je refusais de le vouloir reprendre,
Aux pauvres, à mes yeux, il allait le répandre.
Enfin le ciel chez moi me le fit retirer,
Et depuis ce temps-là tout semble y prospérer.
Je vois qu'il reprend tout, et qu'à ma femme même
Il prend, pour mon honneur, un intérêt extrême;
Il m'avertit des gens qui lui font les yeux doux,
Et plus que moi six fois il s'en montre jaloux.
Mais vous ne croiriez point jusqu'où monte son zèle:
Il s'impute à péché la moindre bagatelle;
Un rien presque suffit pour le scandaliser,
Jusque-là qu'il se vint l'autre jour accuser
D'avoir pris une puce en faisant sa prière,
Et de l'avoir tuée avec trop de colère.

CLÉANTE.

Parbleu! vous êtes fou, mon frère, que je crois.
Avec de tels discours, vous moquez-vous de moi?

XXXI

Orgon finit par avouer qu'il a l'intention de marier sa fille avec Tartuffe.

Au deuxième acte, il le propose à Marianne. Dorine, qui écoute à la porte, entre, raille le père et relève le courage de Marianne; son amant Valère survient; Dorine les gronde et les réconcilie.

Au troisième acte paraît Tartuffe; il parle à son valet Laurent:

Laurent, serrez ma haire avec ma discipline,
Et priez que toujours le ciel vous illumine.
Si l'on vient pour me voir, je vais aux prisonniers
Des aumônes que j'ai partager les deniers.

DORINE, à part.

Que d'affectation et de forfanterie!

TARTUFFE.

Que voulez-vous?

DORINE.

Vous dire...

TARTUFFE, tirant un mouchoir de sa poche.

Ah! mon Dieu, je vous prie,
Avant que de parler, prenez-moi ce mouchoir...

DORINE.

Comment?

TARTUFFE.

Couvrez ce sein que je ne saurais voir.
Par de pareils objets les âmes sont blessées,
Et cela fait venir de coupables pensées.

DORINE.

Vous êtes donc bien tendre à la tentation,
Et la chair sur vos sens fait grande impression!
Certes, je ne sais pas quelle chaleur vous monte:
Mais à convoiter, moi, je ne suis point si prompte;
Et je vous verrais nu du haut jusques en bas,
Que toute votre peau ne me tenterait pas.

TARTUFFE.

Mettez dans vos discours un peu de modestie,
Ou je vais sur-le-champ vous quitter la partie.

DORINE.

Non, non, c'est moi qui vais vous laisser en repos.
Et je n'ai seulement qu'à vous dire deux mots.
Madame va venir dans cette salle basse,
Et d'un mot d'entretien vous demande la grâce.

TARTUFFE.

Hélas! très-volontiers.

DORINE, à part.

Comme il se radoucit!
Ma foi, je suis toujours pour ce que j'en ai dit.

TARTUFFE.

Viendra-t-elle bientôt?

DORINE.

Je l'entends, ce me semble.
Oui, c'est elle en personne, et je vous laisse ensemble.

SCÈNE III

ELMIRE, TARTUFFE.

TARTUFFE.

Que le ciel à jamais, par sa toute-bonté,
Et de l'âme et du corps vous donne la santé,
Et bénisse vos jours autant que le désire
Le plus humble de ceux que son amour inspire!

ELMIRE.

Je suis fort obligée à ce souhait pieux.
Mais prenons une chaise, afin d'être un peu mieux.

TARTUFFE, assis.

Comment de votre mal vous sentez-vous remise?

ELMIRE, assise.

Fort bien; et cette fièvre a bientôt quitté prise.

TARTUFFE.

Mes prières n'ont pas le mérite qu'il faut
Pour avoir attiré cette grâce d'en haut;
Mais je n'ai fait au ciel nulle dévote instance
Qui n'ait eu pour objet votre convalescence.

ELMIRE.

Votre zèle pour moi s'est trop inquiété.

TARTUFFE.

On ne peut trop chérir votre chère santé;
Et, pour la rétablir, j'aurais donné la mienne.

ELMIRE.

C'est pousser bien avant la charité chrétienne;
Et je vous dois beaucoup pour toutes ces bontés.

TARTUFFE.

Je fais bien moins pour vous que vous ne méritez.

ELMIRE.

J'ai voulu vous parler en secret d'une affaire,
Et suis bien aise, ici, qu'aucun ne nous éclaire.

TARTUFFE.

J'en suis ravi de même; et, sans doute, il m'est doux,
Madame, de me voir seul à seul avec vous.
C'est une occasion qu'au ciel j'ai demandée,
Sans que, jusqu'à cette heure, il me l'ait accordée.

ELMIRE.

Pour moi, ce que je veux, c'est un mot d'entretien,
Où tout votre cœur s'ouvre et ne me cache rien.

(Damis, sans se montrer, entr'ouvre la porte du cabinet dans
lequel il s'était retiré, pour entendre la conversation.)

TARTUFFE.

Et je ne veux aussi, pour grâce singulière,
Que montrer à vos yeux mon âme tout entière,
Et vous faire serment que les bruits que j'ai faits
Des visites qu'ici reçoivent vos attraits
Ne sont pas envers vous l'effet d'aucune haine,
Mais plutôt d'un transport de zèle qui m'entraîne,
Et d'un pur mouvement...

ELMIRE.

Je le prends bien ainsi,
Et crois que mon salut vous donne ce souci.

TARTUFFE, prenant la main d'Elmire et lui serrant les doigts.

Oui, madame, sans doute; et ma ferveur est telle...

ELMIRE.

Ouf! vous me serrez trop.

TARTUFFE.

C'est par excès de zèle.
De vous faire aucun mal je n'eus jamais dessein,
Et j'aurais bien plutôt...

(Il met la main sur les genoux d'Elmire.)

ELMIRE.

Que fait là votre main?

TARTUFFE.

Je tâte votre habit: l'étoffe en est moelleuse.

ELMIRE.

Ah! de grâce, laissez, je suis fort chatouilleuse.

Elmire recule son fauteuil, et Tartuffe se rapproche d'elle.

TARTUFFE, maniant le fichu d'Elmire.

Mon Dieu! que de ce point l'ouvrage est merveilleux!
On travaille aujourd'hui d'un art miraculeux;
Jamais, en toute chose, on n'a vu si bien faire![36]

ELMIRE.

Il est vrai. Mais parlons un peu de notre affaire.
On tient que mon mari veut dégager sa foi,
Et vous donner sa fille. Est-il vrai, dites-moi?

TARTUFFE.

Il m'en a dit deux mots: mais, madame, à vrai dire,
Ce n'est pas le bonheur après quoi je soupire;
Et je vois autre part les merveilleux attraits
De la félicité qui fait tous mes souhaits.

ELMIRE.

C'est que vous n'aimez rien des choses de la terre.

TARTUFFE.

Mon sein n'enferme pas un cœur qui soit de pierre.

ELMIRE.

Pour moi, je crois qu'au ciel tendent tous vos soupirs[37]
Et que rien ici-bas n'arrête vos désirs.

TARTUFFE.

L'amour qui nous attache aux beautés éternelles
N'étouffe pas en nous l'amour des temporelles:
Nos sens facilement peuvent être charmés
Des ouvrages parfaits que le ciel a formés.
Ses attraits réfléchis brillent dans vos pareilles.
Mais il étale en vous ses plus rares merveilles:
Il a sur votre face épanché des beautés
Dont les yeux sont surpris et les cœurs transportés:

Et je n'ai pu vous voir, parfaite créature,
Sans admirer en vous l'auteur de la nature,
Et d'une ardente amour sentir mon cœur atteint,
Au plus beau des portraits où lui-même il s'est peint.
D'abord, j'appréhendai que cette ardeur secrète
Ne fût du noir esprit une surprise adrète;
Et même à fuir vos yeux mon cœur se résolut,
Vous croyant un obstacle à faire mon salut.
Mais enfin je connus, ô beauté tout aimable,
Que cette passion peut n'être point coupable,
Que je puis l'ajuster avecque la pudeur,[38]
Et c'est ce qui m'y fait abandonner mon cœur.
Ce m'est, je le confesse, une audace bien grande
Que d'oser de ce cœur vous adresser l'offrande;
Mais j'attends en mes vœux tout de votre bonté,
Et rien des vains efforts de mon infirmité.
En vous est mon espoir, mon bien, ma quiétude;
De vous dépend ma peine ou ma béatitude;
Et je vais être enfin, par votre seul arrêt,
Heureux si vous voulez, malheureux s'il vous plaît.

ELMIRE.

La déclaration est tout à fait galante;
Mais elle est, à vrai dire, un peu bien surprenante.
Vous deviez, ce me semble, armer mieux votre sein,
Et raisonner un peu sur un pareil dessein.
Un dévot comme vous, et que partout on nomme...[39]

TARTUFFE.

Ah! pour être dévot, je n'en suis pas moins homme:[40]
Et, lorsqu'on vient à voir vos célestes appas,
Un cœur se laisse prendre et ne raisonne pas.
Je sais qu'un tel discours de moi paraît étrange:
Mais, madame, après tout, je ne suis pas un ange;
Et, si vous condamnez l'aveu que je vous fais,
Vous devez vous on prendre ù vos charmants attraits.
Dès que j'en vis briller la splendeur plus qu'humaine,
De mon intérieur vous fûtes souveraine;
De vos regards divins l'ineffable douceur
Força la résistance où s'obstinait mon cœur;
Elle surmonta tout, jeûnes, prières, larmes,
Et tourna tous mes vœux du côté de vos charmes.
Mes yeux et mes soupirs vous l'ont dit mille fois;

Et, pour mieux m'expliquer, j'emploie ici la voix.
Que si vous contemplez d'une âme un peu bénigne.
Les tribulations de votre esclave indigne;
S'il faut que vos bontés veuillent me consoler
Et jusqu'à mon néant daignent se ravaler,
J'aurai toujours pour vous, ô suave merveille,
Une dévotion à nulle autre pareille.[41]
Votre honneur avec moi ne court point de hasard,
Et n'a nulle disgrâce à craindre de ma part.
Tous ces galants de cour, dont les femmes sont folles,
Sont bruyants dans leurs faits et vains dans leurs paroles;
De leurs progrès sans cesse on les voit se targuer;
Ils n'ont point de faveurs qu'ils n'aillent divulguer;
Et leur langue indiscrète, en qui l'on se confie,
Déshonore l'autel où leur cœur sacrifie.
Mais les gens comme nous brûlent d'un feu discret
Avec qui, pour toujours, on est sûr du secret.
Le soin que nous prenons de notre renommée
Répond de toute chose à la personne aimée;
Et c'est en nous qu'on trouve, acceptant notre cœur,
De l'amour sans scandale et du plaisir sans peur.

ELMIRE.

Je vous écoute dire, et votre rhétorique
En termes assez forts à mon âme s'explique.
N'appréhendez-vous point que je ne sois d'humeur
À dire à mon mari cette galante ardeur,
Et que le prompt avis d'un amour de la sorte
Ne pût bien altérer l'amitié qu'il vous porte?

TARTUFFE.

Je sais que vous avez trop de bénignité,
Et que vous ferez grâce à ma témérité;
Que vous m'excuserez, sur l'humaine faiblesse,
Des violents transports d'un amour qui vous blesse,
Et considérerez, en regardant votre air,
Que l'on n'est pas aveugle, et qu'un homme est de chair.

ELMIRE.

D'autres prendraient cela d'autre façon peut-être;
Mais ma discrétion se veut faire paraître.
Je ne redirai point l'affaire à mon époux:
Mais je veux, en revanche, une chose de vous;

C'est de presser tout franc, et sans nulle chicane,
L'union de Valère avecque Marianne.

XXXII

Le fils d'Orgon dénonce l'action et l'audace de Tartuffe à son père, Orgon refuse de le croire. Tartuffe affecte de s'accuser lui-même et d'intercéder pour le fils. À la fin, la scène décisive survient. Madame Orgon donne rendez-vous à Tartuffe, et cache son mari sous la table. La déclaration d'amour de Tartuffe est le chef-d'œuvre de toute la comédie, elle va jusqu'au vif et allait plus loin encore, quand Orgon, alarmé pour la vertu de sa femme, renverse la table et s'élance sur Tartuffe en s'écriant enfin:

Ah! le misérable homme!

À Tartuffe.

Vous épousiez ma fille et convoitez ma femme!
Sortez!...

Tartuffe, se démasquant tout à fait, prétend rester maître de la maison et des biens, en vertu du contrat de donation qu'il a obtenu de son ami Orgon.

Mais le roi, qui veille pour l'intérêt des familles, intervient par l'huissier, saisit les papiers de la donation et emprisonne Tartuffe, reconnu et surveillé comme un odieux charlatan. Et tout fini par cette justice.

Nous allons examiner la morale de ce chef-d'œuvre, si diversement interprété depuis par les différentes passions des hommes intéressés à accuser ou à défendre la plus belle des comédies françaises.

LAMARTINE.

FIN DE L'ENTRETIEN CL.
FIN DU VINGT-CINQUIÈME VOLUME.

Paris.—Typ. de Rouge frères, Dunon et Fresné, rue du Four-St-Germain, 43.

Notes

1: Ullin, ancien nom de l'Ulster.

2: C'est Ossian qui parle. On le verra tantôt historien, tantôt acteur dans le poëme, et parler de lui, tantôt à la première, tantôt à la troisième personne.

3: Nom du royaume de Swaran, en Scandinavie.

4: L'Irlande.

5: L'île des Baleines; c'était une des Orcades.

6: Nom de l'Irlande, composé de deux mots, dont l'un signifie île et l'autre ouest; l'île d'Ouest.

7: Fergus paraît.

8: Ceci fait allusion à la manière dont les anciens Écossais ensevelissaient les morts.

9: Expression dont le poëte se sert souvent pour désigner le tombeau.

10: Colline de Loclin.

11: Chevaux de Cuchullin.

12: Ce passage fait allusion à la religion de Loclin; et la pierre du pouvoir était sans doute l'image d'une des divinités de la Scandinavie.

13: Les guerriers de Swaran.

14: Fils de Fingal.

15: Cette circonstance singulière, comparée avec la preuve que l'on peut tirer d'une des épigrammes de Politien, nous autorise à croire que cette dame était la maîtresse de Julien, la belle Simonetta, dont nous avons déjà parlé.

In Simonettam.

Dum pulchra effertur nigro Simonetta feretro,
Blandus et examini spirat in ore lepos,
Nactus Amor tempus quo non sibi turba caveret,
Jecit ab occlusis mille faces oculis:
Mille animos cepit viventis imagine risus:
Ac Morti insultans, Est mea, dixit, adhuc;
Est mea, dixit, adhuc; nondum totam eripis illam,
Illa vel exanimis militat ecce mihi.
Dixit et ingemuit.—Neque enim satis apta triumphis
Illa puer vidit tempora—sed lacrymis.

(POLIT., *Epigr.* in op. Ald., 1498.)

16: Voici cette première production poétique de l'amour de Laurent:

Lasso a me, quando io son la dove sia
Quell' angelico, altero e dolce volto,
Il freddo sangue intorno al core accolto
Lascia senza color la faccia mia:
Poi mirando la sua, mi par si pia
Ch' io prendo ardire, e torna il valor tolto,
Amor ne' raggi de' begli occhi involto
Mostra al mio tristo cor la cieca via;
E parlandogli alhor, dice, io ti giuro
Pel santo lume di questi occhi belli
Del mio stral forza, e del mio regno onore,
Ch' io saro sempre teco; e ti assicuro
Esser vera pieta che mostran quelli:
Credogli lasso! e da me fugge il cor.

17: Le sonnet suivant exprime bien tous ces sentiments:

Cherchi chi vuol le pompe, e gli alti onori,
Le piazze, e tempi, e gli edifici magni,
Le delicie, il tesor qual accompagni
Mille duri pensier, mille dolori:
Un verde praticel, pien di bei fiori,
Un rivolo che l'herba intorno bagni,
Un angeletto che d'amor si lagni,
Acqueta molto meglio i nostri ardori:
L'ombrose selve, i sassi, e gli alti monti,
Gli antri oscuri, e le fere fuggitive,
Qualche leggiadra ninfa paurosa;
Quivi veggo io con pensier vaghi e pronti,
Le belle luci, come fossin vive.
Qui me le toglie or una or altra cossa.

18: VAL. in *Vita Laur.*, p. 8.

19: Ricordi di Lor., *Appendix*, n° xi.

20: Cette femme, qui inspira une si forte passion à Molière, et qui le rendit si malheureux, n'avait pas une beauté régulière; voici le portrait que Molière en a fait lui-même à une époque où elle lui avait déjà causé beaucoup de chagrins: «Elle a les yeux petits, mais elle les a pleins de feu, les plus brillants, les plus perçants du monde; les plus touchants qu'on puisse voir. Elle a la bouche grande, mais on y voit des grâces qu'on ne voit point aux autres bouches. Sa taille n'est pas grande, mais elle est aisée et bien prise. Elle affecte une nonchalance dans son parler et dans son maintien, mais elle a grâce à tout cela, et ses manières ont je ne sais quel charme à s'insinuer dans les cœurs. Enfin son esprit est du plus fin et du plus délicat; sa conversation est charmante, et si elle est capricieuse autant que personne du monde, tout sied bien aux belles, on souffre tout des belles.» (*Bourgeois gentilhomme*, acte III, scène ix.) Élève de Molière, elle devint une excellente actrice: sa voix était si touchante, qu'on eût dit, suivant un auteur contemporain, qu'elle avait véritablement dans le cœur la passion qui n'était que dans sa bouche. «Remarquez, dit-il, que la Molière et La Grange font voir beaucoup de jugement dans leur récit, et que leur jeu continue encore lors même que leur rôle est fini. Ils ne sont jamais inutiles sur le théâtre: ils jouent presque aussi bien quand ils écoutent que quand ils parlent. Leurs regards ne sont pas dissipés, leurs yeux ne parcourent pas les loges. Ils savent que leur salle est remplie, mais ils parlent et ils agissent comme s'ils ne voyaient que ceux qui ont part à leur action; ils sont propres et magnifiques sans rien faire paraître d'affecté. Ils ont soin de leur parure, et ils n'y pensent plus dès qu'ils sont sur la scène. Et si la Molière retouche parfois à ses cheveux, si elle raccommode ses nœuds et ses pierreries, ces petites façons cachent une satire judicieuse et naturelle. Elle entre par là dans le ridicule des femmes qu'elle veut jouer; mais enfin, avec tous ces avantages, elle ne plairait pas tant, si sa voix était moins touchante: elle en est si persuadée elle-même, que l'on voit bien qu'elle prend autant de divers tons qu'elle a de rôles différents.»

21: Cependant, ce ne fut pas sans se faire une grande violence que Molière résolut de vivre avec elle dans cette indifférence. Il y rêvait un jour dans son jardin d'Auteuil, quand son ami Chapelle, qui s'y promenait par hasard, l'aborda, et le trouvant plus inquiet que de coutume, il lui en demanda plusieurs fois le sujet. Molière, qui eut quelque honte de se sentir si peu de constance pour un malheur si fort à la mode, résista autant qu'il put; mais, comme il était alors dans une de ces plénitudes de cœur si connues par les gens qui ont aimé, il céda à l'envie de se soulager et avoua de bonne foi à son ami que la manière dont il était forcé d'en user avec sa femme était la cause de cet abattement où il se trouvait. Chapelle, qui croyait être au-dessus de ces sortes de choses, le railla sur ce qu'un homme comme lui, qui savait si bien peindre le faible des autres, tombait dans celui qu'il blâmait tous les jours, et lui fit voir que le plus ridicule de tous était d'aimer une personne qui ne répond pas à la tendresse qu'on a pour elle. «Pour moi, lui dit-il, je vous avoue que si j'étais assez malheureux pour me trouver en pareil état, et que je fusse fortement persuadé que la même personne accordât des faveurs à d'autres, j'aurais tant de mépris pour elle, qu'il me guérirait infailliblement de ma passion. Encore avez-vous une satisfaction que vous n'auriez pas si c'était une maîtresse; et la vengeance, qui prend ordinairement la place de l'amour dans un cœur outragé, vous peut payer tous les chagrins que vous cause votre épouse, puisque vous n'avez qu'à l'enfermer; ce sera un moyen assuré de vous mettre l'esprit en repos.»

Molière, qui avait écouté son ami avec assez de tranquillité, l'interrompit pour lui demander s'il n'avait jamais été amoureux. «Oui, lui répondit Chapelle, je l'ai été comme un homme de bon sens doit l'être: mais je ne me serais jamais fait une si grande peine pour une chose que mon honneur m'aurait conseillé de faire, et je rougis pour vous de vous trouver si incertain.—Je vois bien que vous n'avez encore rien aimé, lui répondit Molière, et vous avez pris la figure de l'amour pour l'amour même. Je ne vous rapporterai point une infinité d'exemples qui vous feraient connaître la puissance de cette passion. Je vous ferai seulement un fidèle récit de mon embarras, pour vous faire comprendre combien on est peu maître de soi-même, quand elle a une fois pris sur nous un certain ascendant que le tempérament lui donne d'ordinaire. Pour vous répondre donc sur la connaissance parfaite que vous dites que j'ai du cœur de l'homme par les portraits que j'en expose tous les jours, je demeurerai d'accord que je me suis étudié autant que j'ai pu à connaître leur faible; mais si ma science m'a appris qu'on pouvait fuir le péril, mon expérience ne m'a que trop fait voir qu'il est impossible de l'éviter: j'en juge tous les jours par moi-même. Je suis né avec les dernières dispositions à la tendresse; et, comme j'ai cru que mes efforts pourraient lui inspirer, par l'habitude, des sentiments que le temps ne pourrait détruire, je n'ai rien oublié pour y parvenir. Comme elle était encore fort jeune quand je l'épousai, je ne m'aperçus pas de ses méchantes inclinations, et je me crus un peu moins malheureux que la plupart de ceux qui prennent de pareils engagements: aussi le mariage ne ralentit point mes empressements; mais je lui trouvai tant d'indifférence, que je commençai à m'apercevoir que toute ma précaution avait été inutile, et que ce qu'elle sentait pour moi était bien éloigné de ce que j'aurais souhaité pour être heureux. Je me fis à moi-même ce reproche sur une délicatesse qui me semblait ridicule dans un mari, et j'attribuai à son humeur ce qui était un effet de son peu de tendresse pour moi; mais je n'eus que trop de moyens de m'apercevoir de mon erreur, et la folle passion qu'elle eut peu de temps après pour le comte de Guiche fit trop de bruit pour me laisser dans cette tranquillité apparente. Je n'épargnai rien, à la première connaissance que j'en eus, pour me vaincre moi-même, dans l'impossibilité que je trouvai à la changer; je me servis pour cela de toutes les forces de mon esprit; j'appelai à mon secours tout ce qui pouvait contribuer à ma consolation. Je la considérai comme une personne de qui tout le mérite est dans l'innocence, et qui, par cette raison, n'en conservait plus depuis son infidélité. Je pris, dès lors, la résolution de vivre avec elle comme un honnête homme qui a une femme coquette, et qui est bien persuadé, quoi qu'on puisse dire, que sa réputation ne dépend point de la méchante conduite de son épouse; mais j'eus le chagrin de voir qu'une personne sans beauté, qui doit le peu d'esprit qu'on lui trouve à l'éducation que je lui ai donnée, détruisait en un moment toute ma philosophie. Sa présence me fit oublier toutes mes résolutions, et les premières paroles qu'elle me dit pour sa défense me laissèrent si convaincu que mes soupçons étaient mal fondés, que je lui demandai pardon d'avoir été si crédule. Cependant mes bontés ne l'ont point changée. Je me suis donc déterminé à vivre avec elle comme si elle n'était pas ma femme: mais si vous saviez ce que je souffre, vous auriez pitié de moi. Ma passion est venue à un tel point, qu'elle va jusqu'à entrer avec compassion dans ses intérêts; et quand je considère combien il m'est impossible de vaincre ce que je sens pour elle, je me dis en même temps qu'elle a peut-être une même difficulté à détruire le penchant qu'elle a d'être coquette, et je me trouve plus dans la disposition de la plaindre que de la blâmer. Vous me direz sans doute qu'il faut être fou pour aimer de cette manière; mais, pour moi, je crois qu'il n'y a qu'une sorte d'amour, et que les gens qui n'ont point senti de semblable délicatesse n'ont jamais aimé véritablement. Toutes les choses du monde ont du rapport avec elle dans mon cœur: mon idée en est si fort occupée, que je ne fais rien en son absence qui m'en puisse divertir. Quand je la vois, une émotion et des transports qu'on peut sentir, mais qu'on ne saurait exprimer, m'ôtent l'usage de la réflexion; je n'ai plus d'yeux pour ses défauts; il m'en reste seulement pour tout ce qu'elle a d'aimable. N'est-ce pas là le dernier point de la folie? Et n'admirez-vous pas que tout ce que j'ai de raison ne sert qu'à me faire connaître ma faiblesse sans en pouvoir triompher?—Je vous avoue à mon tour, lui dit son ami, que vous êtes plus à plaindre que je ne pensais; mais il faut tout espérer du temps. Continuez cependant à faire vos efforts; ils feront leur effet lorsque vous y penserez le moins. Pour moi, je vais faire des vœux afin que vous soyez bientôt content.» Là-dessus, il se retira et laissa Molière, qui rêva encore fort longtemps aux moyens d'amuser sa douleur.» (*La Fameuse Comédienne, ou Histoire de la Guérin, auparavant femme de Molière.*)

22: *Heur* pour *bonheur*. «*Heur*, dit la Bruyère, se plaçait où *bonheur* ne pouvait entrer; il a fait *heureux*, qui est si français, et il a cessé de l'être. Si quelques poëtes s'en sont servis, c'est moins par choix que par la contrainte de la mesure.» Molière est, je crois, le dernier qui ait fait usage de ce mot, que son exemple et les regrets de la Bruyère n'ont pu nous conserver.

23: Arnolphe, en humiliant Agnès par la dureté de ce discours, oublie qu'Horace la charmait tout à l'heure en lui disant *les mots les plus gentils du monde*. C'est ainsi que l'auteur prépare d'une manière admirable la scène iv du cinquième acte, dans laquelle la jeune fille déclarera naïvement qu'elle a été frappée de ce contraste. Arnolphe paraîtra d'autant plus ridicule alors, que son caractère aura été mieux établi ici. Le comique de ce rôle ne résulte pas, comme les commentateurs l'ont cru, de l'amour et de l'âge d'Arnolphe. Jamais l'amour seul n'a pu rendre ridicule un homme de quarante-deux ans, et c'est l'âge d'Arnolphe. Cette observation est si juste, que Molière nous a montré, dans l'Ariste de l'*École des maris*, un personnage beaucoup plus âgé, et cependant aimé de Léonor, qui lui dit, dans une effusion de tendresse:

Si vous voulez satisfaire mes vœux,
Un saint nœud dès demain nous unira tous deux.

tandis que Sganarelle, trompé par Isabelle, est un personnage fort ridicule, quoique âgé de vingt ans de moins qu'Ariste. Le comique du rôle d'Arnolphe ne résulte donc ni de son amour ni de son âge; il naît tout naturellement du faux système qui l'égare et qui le fait agir sans cesse contre ses plus chers intérêts. Préoccupé des précautions qu'il a prises, il croit, sans examen, qu'Agnès est aussi stupide qu'il le souhaite, et tous ses discours tendent à entretenir cette stupidité. C'est ainsi qu'en humiliant l'esprit de celle qu'il aime, en opprimant son cœur sous le poids d'une triste reconnaissance, il marche directement contre le but qu'il se propose. Il songe à inspirer de la crainte, du respect; il oublie d'inspirer de l'amour; il veut intimider l'esprit et ne sait pas gagner le cœur. En un mot, l'opposition qui existe entre son véritable intérêt et l'intérêt de calcul et de système fait tout le brillant, tout le comique de ce rôle plein de verve et d'énergie. On sait que Lekain disait que le rôle d'Arnolphe devait lui appartenir.

24: Tout ce discours est supérieurement écrit. Ceux qui ont dit que les vers de Molière étaient inférieurs à sa prose ne se sont pas montrés justes appréciateurs de son génie. À commencer du *Cocu imaginaire*, ses vers peuvent être regardés comme un modèle de style comique. On a dit encore que Boileau préférait la prose de Molière à ses vers, et l'on a oublié qu'il l'a loué comme grand poëte dans la satire qu'il lui a adressée.

25: Molière a pris la peine de répondre lui-même, dans la *Critique de l'École des femmes*, à ceux qui l'accusaient de tourner, dans ce discours, la religion en ridicule. «Pour le discours moral, dit-il, que vous appelez un sermon, il est certain que de vrais dévots, qui l'ont ouï, n'ont pas trouvé qu'il choquât ce que vous dites, et sans doute que les paroles d'enfer et de chaudières bouillantes sont assez justifiées par l'extravagance d'Arnolphe et par l'innocence de celle à qui il parle.»

26: En écoutant ce discours, on rit également et de l'abus qu'Arnolphe fait de son esprit et du peu d'effet qu'il produit. Dans ces deux scènes, Agnès ne prononce pas un mot: elle écoute, elle obéit; mais elle ne se laisse pas persuader.

27: «Molière s'est peint lui-même dans le Misanthrope, vertueux, mais peu aimé, à cause de son manque de complaisance pour les faiblesses des autres; il a également représenté Chapelle sous le nom de Philinte, qui, étant d'une humeur plus liante, voit les défauts d'un chacun sans s'irriter.» Cette assertion est appuyée par une multitude de faits que nous recueillerons dans la suite de notre commentaire. On sait que Molière travaillait toujours d'après nature, et que la facilité de Chapelle, qui était son ami d'enfance, le désolait. Il lui disait souvent: «Vous êtes tout aimable, mais vous prodiguez vos agréments à tout le monde, et vos amis ne vous ont plus d'obligation lorsque vous leur donnez ce que vous sacrifiez au premier venu.» La véhémente sortie d'Alceste nous représente donc ici au naturel une des discussions de Chapelle et de Molière.

28: Cette réplique de Célimène est un modèle de récrimination satirique; on ne peut pas mieux repousser l'offense par l'offense, et payer, comme on dit, une personne en même monnaie. Célimène a son histoire toute prête et ses garants tout trouvés pour opposer à ceux d'Arsinoé. Celle-ci a cité des gens *de vertu singulière*; celle-là cite des gens *d'un très-rare mérite*. Chacune d'elles a essayé de défendre son amie, mais a eu le chagrin de ne pouvoir faire adoucir la rigueur de la sentence. Enfin, le discours de la coquette est, d'un bout à l'autre, calqué sur celui de la prude avec une fidélité tout à fait piquante. La répétition faite par Célimène des quatre vers qui terminent le couplet d'Arsinoé met le comble à la malignité et au mordant de sa repartie. (A.)—Quiconque lit doit sentir ces beautés, lesquelles mêmes, toutes grandes qu'elles sont, ne seraient rien sans le style. Cette pièce est, de toutes les pièces de Molière, la plus fortement écrite. (V.)

29: En effet, la pruderie est pour ainsi dire l'unique avenir d'une coquette. Célimène semble le pressentir; mais, éblouie par les adorations de ses amants, cet avenir lui semble trop éloigné pour qu'elle puisse le croire redoutable. Cette scène est une des plus morales de l'ouvrage.

30: Cette métaphore expressive, tirée du bruit de la cloche, se trouve aussi dans la Fontaine. Faire sonner son âge, c'est avertir tout le monde qu'on est jeune, comme une cloche avertit d'un grand événement.

31: *N'est pas un si grand cas*, pour dire: n'est pas une si grande chose. Celle locution, qui se trouve dans le Dictionnaire de l'Académie, édition de 1694, n'est plus d'aucun usage. (A.)

32: Célimène se retranche derrière la vanité pour repousser les traits de sa rivale. Elle l'attaque, en femme instruite de ce qui peut blesser le plus profondément une femme; son triomphe passager sera la cause de sa perte, car elle éveille une haine qui doit être irréconciliable. C'est ainsi que Molière lie cette scène à l'action générale, dont elle va hâter la marche et préparer le dénoûment.

33: Ce mot de *brillants* était autrefois d'un usage plus étendu qu'aujourd'hui; on disait: *Il y a bien des brillants, de grands brillants dans ce poème.* Ces exemples sont tirés du Dictionnaire de l'Académie, édition de 1694. (A.)

34: À peine Orgon a-t-il parlé, qu'il se peint tout entier par un de ces traits qui ne sont qu'à Molière. On peut s'attendre à tout d'un homme qui, arrivant dans sa maison, répond à tout ce qu'on lui dit par cette seule question: *Et Tartuffe?* et s'apitoie sur lui de plus en plus quand on lui dit que Tartuffe a fort bien mangé et fort bien dormi. Cela n'est point exagéré, c'est ainsi qu'est fait ce que les Anglais appellent *l'infatuation*, mot assez peu usité parmi nous, mais nécessaire pour exprimer un travers très-commun.—Le mot *engouement* exprime aussi très-bien cette passion des esprits faibles; car, il faut le remarquer, *l'infatuation* ou l'engouement est une maladie de l'esprit; le cœur n'y a aucune part: ainsi l'infatuation du comte de Galiano pour son singe, d'un roi pour son favori, et d'Orgon pour Tartuffe, sont des passions du même genre. Et, loin d'accuser Molière et Le Sage d'avoir rien exagéré, il faut les louer d'être restés dans de si justes bornes. J'ai vu une mère de famille, en rentrant dans sa maison après un assez long voyage, se dérober aux empressements de son mari et de trois filles charmantes, pour prodiguer ses caresses à un chien favori, vilain animal dont elle faisait ses délices. Une pareille scène est plus outrée cent fois que celle d'Orgon. L'art du poëte comique n'est pas de peindre les travers de la pauvre humanité dans leurs plus grands excès, mais de saisir ce point unique qui excite tout à la fois la réflexion et la gaieté du spectateur.

35: Un soir, pendant la campagne de 1662, comme Louis XIV allait se mettre à table, il lui arriva de dire à Péréfixe, évêque de Rodez, son ancien précepteur, qu'il lui conseillait d'en aller faire autant. «Je ne ferai qu'une légère collation, dit le prélat en se retirant; c'est aujourd'hui vigile et jeûne.» Cette réponse fit sourire un courtisan, qui, interrogé par Louis XIV, répondit que Sa Majesté pouvait se tranquilliser sur le compte de M. de Rodez: après quoi il fit un récit exact du dîner de S. Exc., dont le hasard l'avait rendu témoin. À chaque mets exquis que le conteur nommait, Louis XIV s'écriait: «*Le pauvre homme!*» prononçant ces mots d'un son de voix varié qui les rendait plus plaisants. Molière, témoin de cette scène, en fit usage dans le *Tartuffe*.

36: Ce manége est aussi celui de Panurge, dans Rabelais. «Quand il se trouvoit en compaignie de quelques bonnes dames, il leur mettoit sus le propos de lingerie, et leur mettoit la main au sein, demandant: «Et cest ouvraige, est-il de Flandres ou de Haynault?»

37: On ne saurait trop admirer l'adresse avec laquelle Elmire sait en même temps tenir dans le respect le plus audacieux des hommes, et pousser un hypocrite à se montrer à découvert. Elle éveille ses craintes par la dignité de son maintien, et ses espérances par la douceur de ses paroles. Dès lors, l'issue du combat qui se livre dans l'âme de Tartuffe n'est plus douteuse. Lorsque la crainte et l'espérance sont aux prises, la passion l'emporte toujours; c'est la marche du cœur humain.

38: Quel sublime comique le poëte a tiré ici du combat des deux passions hideuses qui agitent ce scélérat! comme dans sa détresse il appelle à son aide tous les secrets de son art infernal! flatterie, hypocrisie, persuasion, humilité, pudeur, il essaye toutes les armes, et on rit; car plus il veut cacher sa turpitude, plus il se montre odieux et ridicule.

39: Elmire a lu depuis longtemps dans le cœur de l'hypocrite: elle n'est ni surprise ni fâchée de sa déclaration; en femme habile, elle comprend tout le pouvoir que lui abandonne celui qui jette le trouble dans sa maison. Elmire n'est pas seulement douce et sage, elle est encore adroite et pénétrante. Nous verrons plus tard qu'elle n'a oublié aucun des avantages qu'elle prend ici.

40: On a cru que ce vers était une parodie de celui de Sertorius:

Et pour être Romain, je n'en suis pas moins homme,

C'est une erreur. Molière imite ici un passage du *Décaméron* de Boccace, ou, pour mieux dire, il ne fait que traduire littéralement les paroles d'un confesseur qui joue auprès de sa pénitente le même rôle que Tartuffe joue auprès d'Elmire: «Vous devez, lui dit-il, vous glorifier des charmes que le ciel vous a donnés, en pensant qu'ils ont pu plaire à un saint. C'est votre beauté irrésistible, c'est l'amour qui me forcent à en agir ainsi; et pour être abbé, je n'en suis pas moins homme: *Come che io sia abbate, in sono uomo come gli altri.*» (B.)—Molière a pris tout ce passage dans la huitième nouvelle de la troisième journée du *Décaméron*. Cette imitation a été indiquée pour la première fois par Michault dans ses excellents *Mélanges philologiques*. tome Ier, page 226.

41: Molière oppose ici d'une manière admirable la mysticité des expressions à la hideur des sentiments, et les pratiques de la piété aux désirs effrontés d'un libertin. Il y a force comique dans ce double contraste, car le spectateur ne peut s'empêcher de se réjouir de l'aveuglement d'un scélérat qui emploie, pour inspirer l'amour, tous les moyens qui doivent exciter la haine et le mépris.

Note au lecteur de ce fichier numérique:

Seules les erreurs clairement introduites par le typographe ont été corrigées. L'orthographe de l'auteur a été conservée.

Milton Keynes UK
Ingram Content Group UK Ltd.
UKHW010708240424
441619UK00004B/371